フローチャート

本ガイドラインにおける基本事項

第1章　ガイドライン総説

第2章　初回治療（特殊組織型を含む）

第3章　術後治療

第4章　切除不能進行・再発癌の治療

第5章　治療後の経過観察

第6章　妊孕性温存療法

第7章　肉腫の治療

第8章　絨毛性疾患の治療

第9章　資料集

子宮体がん
治療ガイドライン 2023年版

Guidelines for treatment of uterine body neoplasm:
Japan Society of Gynecologic Oncology (JSGO) 2023 edition

日本婦人科腫瘍学会 | 編
Japan Society of Gynecologic Oncology

後援
日本産科婦人科学会
日本産婦人科医会
日本産科婦人科内視鏡学会
婦人科悪性腫瘍研究機構
日本放射線腫瘍学会
日本病理学会

金原出版株式会社

日本婦人科腫瘍学会
子宮体がん治療ガイドライン 2023 年版(第 5 版)

ガイドライン委員会
委員長	永瀬 智	山形大学医学部　産婦人科	
副委員長	小林 陽一	杏林大学医学部　産科婦人科学	
	馬場 長	岩手医科大学医学部　産婦人科	
前委員長	三上 幹男	東海大学医学部　産婦人科	
委　員	梶山 広明	名古屋大学医学部　産婦人科	
	佐藤 美紀子	聖路加国際病院附属メディローカス　女性診療科	
	竹原 和宏	国立病院機構四国がんセンター　婦人科	
	田畑 務	東京女子医科大学医学部　産婦人科	
	原野 謙一	国立がん研究センター東病院　先端医療科/腫瘍内科	
	平嶋 泰之	静岡県立静岡がんセンター　婦人科	
	温泉川 真由	がん研究会有明病院　婦人科/総合腫瘍科/先端医療科	
主幹事	徳永 英樹	東北大学医学部　産婦人科	
幹　事	太田 剛	山形大学医学部　産婦人科	
	山上 亘	慶應義塾大学医学部　産婦人科	

子宮体がん治療ガイドライン改訂委員会

作成委員会　(SR：システマティックレビュー担当者)

委員長	小林 陽一	杏林大学医学部　産科婦人科学	
委　員	徳永 英樹	東北大学医学部　産婦人科	
	村松 俊成	東海大学医学部付属八王子病院　産婦人科	
幹　事	森定 徹	杏林大学医学部　産科婦人科学	

第 2 章(初回治療)
副委員長	渡利 英道	北海道大学医学部　産婦人科	
作成幹事	三田村 卓	北海道大学医学部　産婦人科	
委　員	池田 悠至(SR)	日本大学医学部　産婦人科学教室	
	鈴木 史朗	愛知県がんセンター　婦人科	
	清野 学(SR)	山形大学医学部　産婦人科	
	永沢 崇幸	岩手医科大学医学部　産婦人科	
	森 繭代	東京大学医学部附属病院　女性診療科・産科/女性外科	
	矢幡 秀昭	九州大学医学部　婦人科学産科学	
	吉田 浩	東海大学医学部　産婦人科	

第 3 章(術後治療), 第 4 章(切除不能進行・再発癌の治療)
副委員長	武隈 宗孝	静岡県立静岡がんセンター　婦人科	
作成幹事	久慈 志保	聖マリアンナ医科大学医学部　婦人科	
委　員	佐藤 慎也	鳥取大学医学部　産婦人科	
	永井 隆司	くまもと森都総合病院　産婦人科	
	中村 圭一郎	岡山大学病院　産科婦人科	
	西川 忠曉	国立がん研究センター中央病院　腫瘍内科	

	原野 謙一	国立がん研究センター東病院　先端医療科/腫瘍内科
	古澤 啓子	静岡県立静岡がんセンター　婦人科
	松本 光史	兵庫県立がんセンター　腫瘍内科

第2章（初回治療），第5章（治療後の経過観察），第6章（妊孕性温存療法）

副委員長	寺尾 泰久	順天堂大学医学部　産婦人科学
作成幹事	藤野 一成	順天堂大学医学部　産婦人科学
委　員	岩瀬 春子	東京都立墨東病院　産婦人科
	太田 剛	山形大学医学部　産婦人科
	二神 真行	東京医科大学茨城医療センター　産婦人科
	町田 弘子(SR)	東海大学医学部　産婦人科
	村上 功(SR)	東邦大学医療センター大橋病院　産婦人科
	森 泰輔	京都府立医科大学　産婦人科
	山上 亘	慶應義塾大学医学部　産婦人科

第2章（初回治療），第3章（術後治療），第7章（肉腫の治療）

副委員長	寺井 義人	神戸大学大学院医学研究科外科系講座　産科婦人科学
作成幹事	長又 哲史	神戸大学大学院医学研究科外科系講座　産科婦人科学
委　員	金野 陽輔(SR)	北海道大学病院　婦人科
	重田 昌吾(SR)	東北大学医学部　産婦人科
	竹中 将貴	東京慈恵会医科大学　産婦人科学講座
	津田 尚武	久留米大学医学部　産科婦人科学
	野村 秀高	がん研究会有明病院　婦人科
	野村 弘行	藤田医科大学医学部　産婦人科学
	藤原 聡枝	大阪医科薬科大学　産婦人科
	山口 建	京都大学大学院医学研究科　婦人科学産科学

第3章（術後治療），第8章（絨毛性疾患の治療），第9章（資料集）

副委員長	梶山 広明	名古屋大学医学部　産婦人科
作成幹事	新美 薫	名古屋大学医学部　産婦人科
委　員	井箟 一彦	和歌山県立医科大学　産婦人科学
	碓井 宏和	千葉大学医学部　産婦人科
	中島 彰俊	富山大学学術研究部医学系　産科婦人科学
	山本 英子	名古屋大学医学部　医療行政学

病　理

委　員	大石 善丈	飯塚病院　病理科

放射線科

委　員	戸板 孝文	沖縄県立中部病院　放射線治療センター
	渡辺 未歩	千葉大学大学院医学研究院　画像診断・放射線腫瘍学

緩和医療

委　員	松岡 順治	岡山大学病院　緩和支持医療科

外部作成委員

	工藤 賢三	岩手医科大学附属病院　薬剤部

工藤　さくら	東北大学病院　産科	
富山　清美		
S.A		
T.Y		
Y.A		

（五十音順）

評価委員会

委　員
青木　大輔	慶應義塾大学医学部　産婦人科学教室
安彦　郁	国立病院機構京都医療センター　産科婦人科
石川　光也	国立がん研究センター中央病院　婦人腫瘍科
上田　豊	大阪大学医学部　産科学婦人科学教室
牛嶋　公生	久留米大学医学部　産科婦人科学
梅村　康太	豊橋市民病院　産婦人科
蝦名　康彦	北海道大学大学院保健科学研究院　創成看護学分野
織田　克利	東京大学大学院医学系研究科　統合ゲノム学分野
小野　政徳	東京医科大学病院　産科・婦人科
恩田　貴志	山王病院　女性医療センター　女性腫瘍治療・婦人科
加藤　哲子	弘前大学医学部附属病院　病理部
兼安　祐子	国立病院機構福山医療センター　放射線治療科
小林　裕明	鹿児島大学大学院医歯学総合研究科　生殖病態生理学
笹島　ゆう子	帝京大学医学部附属病院　病理診断科
佐藤　美紀子	聖路加国際病院附属メディローカス　女性診療科
志鎌　あゆみ	筑波大学附属病院　産科・婦人科
進　伸幸	国際医療福祉大学医学部　産婦人科
髙松　潔	東京歯科大学市川総合病院　産婦人科
竹原　和宏	国立病院機構四国がんセンター　婦人科
田部　宏	国立がん研究センター東病院　婦人科
谷川　道洋	東京大学医学部附属病院　女性診療科・産科
長島　文夫	杏林大学医学部　腫瘍内科学
奈須　家栄	大分大学医学部　産科婦人科学講座
西　洋孝	東京医科大学　産科婦人科学分野
西ヶ谷　順子	東京共済病院　婦人科
長谷川　清志	獨協医科大学　産科婦人科学教室
長谷川　幸清	埼玉医科大学国際医療センター　婦人科腫瘍科
濱西　潤三	京都大学医学部附属病院　産科婦人科
平沢　晃	岡山大学大学院医歯薬学総合研究科　臨床遺伝子医療学
藤井　多久磨	藤田医科大学医学部　婦人科
藤原　寛行	自治医科大学　産科婦人科学講座
増山　寿	岡山大学医学部　産科・婦人科学
本原　剛志	熊本大学大学院生命科学研究部　産科婦人科学講座
山田　秀和	宮城県立がんセンター　婦人科
温泉川　真由	がん研究会有明病院　婦人科/総合腫瘍科/先端医療科
吉田　好雄	福井大学医学部　器官制御医学講座産科婦人科学
森田　知子	杏林大学医学部付属病院　看護部
瀬下　美和	

（五十音順）

子宮体がん治療ガイドライン 2023 年版（第 5 版）
序　文

　『子宮体がん治療ガイドライン』の第1版が発刊されたのは2006年であり，以後，改訂を重ね，今回は第5版の出版となります。発刊当初は，治療成績の施設間差をなくすことを目的に，適切な標準治療・治療指針を提示することがガイドラインの役割であり，論文によるエビデンスから推奨を決定していました。しかし，現在は，論文によるエビデンスに加え，治療による様々な益・不利益を総合的に判断する「エビデンス総体」に基づいた推奨決定となっています。一方で，新規治療法が保険適用となる過程では，ガイドラインに記載されている推奨内容が特に重要視されるようになってきました。適切な治療指針を提示するとともに，将来の診療報酬改定を見据えた対応も求められるようになってきており，版を重ねるごとにガイドラインの果たす役割や位置づけが変わってきています。

　ガイドラインを取り巻く環境の変化のなか，本版は，①CQを可能な限りPICO形式に変更した，②外部作成委員として，看護師，薬剤師，患者，一般女性・男性に参加いただいた，③エビデンス総体の考え方に基づいて推奨の強さを決定した，④一部のCQではsystematic reviewを行った，⑤推奨の合意率を表示した，⑥「最終会議の論点」を掲載した，など作成方法も第4版と異なっています。推奨の強さやエビデンスレベルの決定方法の詳細については「第1章 ガイドライン総説」に記載していますので，各CQを読む前に，ご一読いただきたく思います。また，これまでは，推奨文や推奨の強さがどのように決定されたのかが分かりにくい面がありましたが，「最終会議の論点」を読んでいただくことで，推奨決定に至る論点や過程を知っていただけると思います。

　第5版では，子宮癌肉腫を子宮肉腫とは分けて記載し，類内膜癌や漿液性癌などと同じ「第2章 初回治療」，「第3章 術後治療」のCQに組み込みました。臨床の現場では組織型に応じた治療が考慮されますが，特殊組織型に該当する推奨文がすべて網羅されているとは限りません。特殊組織型に限らず，エビデンスやコンセンサスが十分ではないと判断された場合には，あえて推奨文として記載しないという方針で作成しています。重要な治療選択肢が解説にのみ記載されていることもありますので，治療方針を判断する場合は，該当する解説文全体を読んで対応していただくことを願っております。

　今回，最も議論されたCQの一つが，切除不能または再発子宮体がんに対する薬物療法に関するCQです。新しい分子標的治療薬の導入後まもなく改訂作業が開始されたこともあり，評価委員やコンセンサスミーティング，コアメンバー会議では様々な意見が出されました。意見を集約できるかどうか危惧された時期もありましたが，改訂作業の時間の経過とともに実臨床での経験も同時に

蓄積されたこともあり，最終会議で多面的な評価を行い意見の集約ができたと考えています。また，高齢者に対する手術術式や高度肥満患者に対する手術待機の是非といった挑戦的な新規CQも設定しました。さらに，子宮体がんの発症の背景にもなっている生活習慣病の管理やLynch症候群についても言及しました。エビデンスが十分ではない領域もありましたが，今回の発刊を契機に国内での知見が蓄積されることを期待しています。

第5版を発刊するにあたり，膨大な量の文献から適切な判断で推奨文や解説を作成してくださった作成委員の先生方，そして，各作成委員と密に連携し献身的に改訂作業に対応していただいた梶山広明，武隈宗孝，寺井義人，寺尾泰久，渡利英道改訂委員会副委員長，そして，作成幹事にまずは御礼申し上げます。また，CQ作成から発刊に至る一連の困難な作業にご尽力いただいた森定 徹担当幹事はじめガイドライン委員会委員，外部作成委員，評価委員会委員の皆様に深甚なる謝意を表します。また，節目節目で貴重なご意見をいただきました三上幹男理事長，そして，会員の皆様の温かいご支援に心から御礼申し上げます。

最後に，昼夜を問わず対応していただいた本学会事務局の安田利恵さん，金原出版株式会社編集部の安達友里子さんはじめ関係の方々に感謝申し上げます。

2023年6月

日本婦人科腫瘍学会ガイドライン委員会
委員長　永瀬　　智
子宮体がん治療ガイドライン改訂委員会
委員長　小林　陽一

目　次

CQ，推奨一覧 12
フローチャート1　子宮体癌の初回治療：術前にⅠ・Ⅱ期と考えられる症例 20
フローチャート2　子宮体癌の初回治療：
　　　　　　　　　①子宮摘出後に子宮体癌と判明した症例
　　　　　　　　　②再発低リスク群を想定して行われた手術の後に
　　　　　　　　　　再発中・高リスク群と判明した症例 21
フローチャート3　子宮体癌の初回治療：術前にⅢ・Ⅳ期と考えられる症例 22
フローチャート4　子宮体癌の術後治療 23
フローチャート5　子宮体癌の再発治療 24
フローチャート6　妊孕性温存療法（子宮内膜異型増殖症または類内膜癌G1） 25
フローチャート7　子宮肉腫の治療 26
フローチャート8　絨毛性疾患の治療 27

本ガイドラインにおける基本事項 28
　Ⅰ　進行期分類 28
　Ⅱ　リンパ節の部位と名称 33
　Ⅲ　組織学的分類 35
　Ⅳ　手術療法 39
　Ⅴ　術後再発リスク分類 40
　Ⅵ　薬物療法 40
　Ⅶ　放射線治療 43
　Ⅷ　緩和ケア 45

第1章　ガイドライン総説 49

第2章　初回治療（特殊組織型を含む） 58

総　説 58
　Ⅰ　子宮摘出術式 58
　Ⅱ　リンパ節郭清 59
　Ⅲ　病理組織型 60
CQ01　初回手術療法として単純子宮全摘出術は勧められるか？ 63
CQ02　術前に再発低リスク群と推定される患者に対して，
　　　　骨盤リンパ節郭清の省略は勧められるか？ 66

CQ03	術前に再発中・高リスク群と推定される患者に対して，骨盤リンパ節・傍大動脈リンパ節郭清は勧められるか？	69
CQ04	センチネルリンパ節転移陰性の患者において，リンパ節郭清の省略は可能か？	73
CQ05	肉眼的に大網転移を認めない患者に対して，大網切除術は勧められるか？	76
CQ06	術前にⅠ・Ⅱ期と推定され，肉眼的に卵巣転移を認めない患者に対して，卵巣温存は勧められるか？ SR	79
CQ07	高齢患者に対して手術を行う場合，リンパ節郭清の省略は勧められるか？	83
CQ08	高度肥満患者に対して，体重の減量を目的とした手術の待機は勧められるか？	87
CQ09	治療方針決定にMRI，CT，PET/CTは勧められるか？	90
CQ10	初回治療で内視鏡（腹腔鏡・ロボット）手術は勧められるか？	94
CQ11	術前にⅣ期と推定される患者に対して，手術療法は勧められるか？	97
CQ12	切除可能だが医学的理由で手術適応にならない患者に対して，初回治療で根治的放射線治療は勧められるか？	100

第3章　術後治療 — 102

総説		102
CQ13	初回手術で肉眼的完全摘出を完遂した患者に対して，術後薬物療法は勧められるか？	106
CQ14	初回手術で肉眼的完全摘出を完遂した患者に対して，術後放射線治療は勧められるか？	111
CQ15	再発低リスクで腹水細胞診/腹腔洗浄細胞診陽性の場合に，術後補助療法は勧められるか？ SR	115
CQ16	子宮摘出術後に子宮体癌と判明した患者に対して，追加治療は勧められるか？	118
CQ17	再発低リスク群を推定して行われた手術の後に再発中・高リスク群と判明した患者に対して，追加治療は勧められるか？	120

第4章　切除不能進行・再発癌の治療 — 122

総説		122
Ⅰ	切除不能進行癌	122
Ⅱ	再発癌	123
CQ18	切除困難または病巣残存が予想される進行癌の患者に対して，術前治療は勧められるか？	126
CQ19	腟断端再発に対して，放射線治療は勧められるか？	129
CQ20	腟断端以外に再発部位を有する患者に対して，手術療法は勧められるか？	132

CQ21 切除不能または残存病巣を有する進行癌，および再発癌に対して，薬物療法は勧められるか？ ... *135*

CQ22 切除不能または残存病巣を有する進行癌，および再発癌に対して，放射線治療は勧められるか？ ... *141*

CQ23 再発がんの患者に対して，次世代シーケンサー等を用いたがん遺伝子パネル検査は勧められるか？ ... *144*

第5章　治療後の経過観察 ... *147*

総説 ... *147*

CQ24 根治的治療後に定期的な検査は勧められるか？ ... *150*

CQ25 子宮体癌治療後のホルモン補充療法（HRT）は勧められるか？ ... *154*

CQ26 子宮体癌治療後の生活指導において留意すべき点は？ ... *156*

第6章　妊孕性温存療法 ... *160*

総説 ... *160*

CQ27 子宮内膜異型増殖症または子宮体癌で妊孕性温存を希望する若年患者に対して，妊孕性温存療法は勧められるか？ ... *163*

CQ28 妊孕性温存療法後に勧められる経過観察の間隔と検査は？ ... *168*

CQ29 妊孕性温存療法施行時に病変遺残がある，あるいは妊孕性温存療法後の子宮内再発に対して，保存的治療は勧められるか？ SR ... *171*

CQ30 妊孕性温存療法後の患者に対して，生殖補助医療は勧められるか？ ... *174*

第7章　肉腫の治療 ... *176*

総説 ... *176*

CQ31 子宮肉腫が疑われた場合に，どのような手術が勧められるか？ ... *179*

CQ32 術後に子宮肉腫と判明した患者に対して，追加手術は勧められるか？ ... *182*

CQ33 初回手術で肉眼的完全摘出を完遂した子宮肉腫の患者に対して，どのような術後補助療法が勧められるか？ ... *186*

CQ34 子宮肉腫の切除不能進行・再発患者に対して，薬物療法は勧められるか？ ... *189*

第8章　絨毛性疾患の治療 ... *193*

総説 ... *193*

CQ35 侵入奇胎，臨床的侵入奇胎，および奇胎後 hCG 存続症に対して推奨される薬物療法は？ ... *198*

CQ36 絨毛癌に対して推奨される薬物療法は？ ·· *201*
CQ37 絨毛癌に対して薬物療法以外の治療は勧められるか？ ····························· *204*
CQ38 PSTT, ETT に対して推奨される治療法は？ ··· *207*
CQ39 hCG 低単位が持続する患者に対して推奨される取り扱いは？ ··············· *210*

第9章　資料集 ·· 213

- Ⅰ　略語一覧 ··· *213*
- Ⅱ　日本婦人科腫瘍学会ガイドライン委員会業績 ······································· *217*
- Ⅲ　既刊の序文・委員一覧 ··· *221*

索引 ··· *235*

CQ，推奨一覧

第2章　初回治療（特殊組織型を含む）

CQ No.	CQ	推奨	推奨の強さ	エビデンスレベル	合意率
CQ01	初回手術療法として単純子宮全摘出術は勧められるか？	①腟や子宮傍組織に病変がないと推定される患者に対しては，単純子宮全摘出術（筋膜外術式）あるいは拡大単純子宮全摘出術を推奨する。	1(↑↑)	B	100%
		②腟や子宮傍組織に病変があると推定される患者に対しては，完全切除を行うための準広汎あるいは広汎子宮全摘出術を提案する。	2(↑)	C	100%
CQ02	術前に再発低リスク群と推定される患者に対して，骨盤リンパ節郭清の省略は勧められるか？	類内膜癌G1, G2で術前にⅠA期と推定される患者には，骨盤リンパ節郭清の省略を提案する。	2(↑)	C	91%*
CQ03	術前に再発中・高リスク群と推定される患者に対して，骨盤リンパ節・傍大動脈リンパ節郭清は勧められるか？	①骨盤リンパ節郭清を施行することを推奨する。	1(↑↑)	B	100%*
		②骨盤リンパ節郭清に加えて腎静脈下までの傍大動脈リンパ節郭清を施行することを提案する。	2(↑)	C	82%*
CQ04	センチネルリンパ節転移陰性の患者において，リンパ節郭清の省略は可能か？	センチネルリンパ節生検の手技に習熟し，病理医による術中診断の協力体制が整った施設においては，臨床試験としてリンパ節郭清の省略を提案する。	2(↑)	B	91%*
CQ05	肉眼的に大網転移を認めない患者に対して，大網切除術は勧められるか？	特殊組織型または類内膜癌G3と考えられる場合あるいは術中に子宮外病変を認める場合には，ステージング手術手技として大網切除術を提案する。	2(↑)	C	81%
CQ06 SR	術前にⅠ・Ⅱ期と推定され，肉眼的に卵巣転移を認めない患者に対して，卵巣温存は勧められるか？	①初回治療において原則として卵巣温存をしないことを推奨する。	1(↓↓)	A	86%*
		②類内膜癌G1で術前にⅠA期と推定される若年患者で卵巣温存の強い希望がある場合には，危険性を十分に説明した上で温存を提案する。	2(↑)	C	95%*

SR：システマティックレビューを行ったCQ

*コアメンバーと外部作成委員の投票を合算した合意率

CQ07	高齢患者に対して手術を行う場合，リンパ節郭清の省略は勧められるか？	高齢患者に対しては，まず高齢者機能評価を行い，再発中・高リスクと推定される手術可能な患者においてはリンパ節郭清を省略しないことを提案する。	2(↓)	C	91%*
CQ08	高度肥満患者に対して，体重の減量を目的とした手術の待機は勧められるか？	①進行例や特殊組織型や類内膜癌G3の場合には，減量を目的とした手術の待機を行わないことを推奨する。	1(↓↓)	C	100%*
		②類内膜癌G1で術前にⅠA期と推定される場合には，多職種の協力体制の整った施設で行う原則のもと，手術前の減量を提案する。	2(↑)	D	91%*
CQ09	治療方針決定にMRI，CT，PET/CTは勧められるか？	①筋層浸潤・子宮頸部間質浸潤などの局所進展をMRIで評価することを推奨する。	1(↑↑)	A	100%
		②リンパ節転移・遠隔転移をCT，MRIで評価することを推奨する。	1(↑↑)	A	100%
		③CTやMRIによるリンパ節転移・遠隔転移の評価が困難な場合はPET/CTで評価することを提案する。	2(↑)	C	94%
CQ10	初回治療で内視鏡(腹腔鏡・ロボット)手術は勧められるか？	①Ⅰ期と推定される患者に対しては内視鏡手術を推奨する。	1(↑↑)	B	94%
		②Ⅱ期と推定される患者に対しては内視鏡手術を提案する。	2(↑)	C	88%
		③進行例に対しては内視鏡手術を施行しないことを提案する。	2(↓)	C	88%
CQ11	術前にⅣ期と推定される患者に対して，手術療法は勧められるか？	子宮全摘出術に加え最大限の腫瘍減量術が実施可能であれば，手術療法を提案する。	2(↑)	C	88%
CQ12	切除可能だが医学的理由で手術適応にならない患者に対して，初回治療で根治的放射線治療は勧められるか？	根治的放射線治療を提案する。	2(↑)	C	94%

*コアメンバーと外部作成委員の投票を合算した合意率

第3章　術後治療

CQ No.	CQ	推奨	推奨の強さ	エビデンスレベル	合意率
CQ13	初回手術で肉眼的完全摘出を完遂した患者に対して，術後薬物療法は勧められるか？	①再発高リスク群に対してAP療法を推奨する。	1(↑↑)	A	86%*
		②再発高リスク群に対してTC療法を提案する。	2(↑)	B	82%*
		③再発中リスク群に対して高リスク群と同様の薬物療法を提案する。	2(↑)	C	95%*
		④再発低リスク群に対して術後薬物療法を行わないことを推奨する。	1(↓↓)	C	95%*
		⑤癌肉腫に対して術後薬物療法を選択する場合は，イホスファミド，プラチナ製剤，パクリタキセルなどを含む2剤併用療法を提案する。	2(↑)	C	91%*
		⑥術後薬物療法としての黄体ホルモン療法は行わないことを推奨する。	1(↓↓)	B	95%*
CQ14	初回手術で肉眼的完全摘出を完遂した患者に対して，術後放射線治療は勧められるか？	再発中・高リスク患者に対して，骨盤内再発を減少させるための選択肢の一つとして提案する。	2(↑)	C	95%*
CQ15 SR	再発低リスクで腹水細胞診/腹腔洗浄細胞診陽性の場合に，術後補助療法は勧められるか？	術後補助療法を行わないことを提案する。	2(↓)	C	86%*
CQ16	子宮摘出術後に子宮体癌と判明した患者に対して，追加治療は勧められるか？	①再発中・高リスク群が疑われる場合は，ステージング手術を含む追加治療を推奨する。	1(↑↑)	B	91%*
		②再発低リスク群と推定できる場合は，追加治療を勧めず，慎重な経過観察を提案する。	2(↓)	C	100%*
CQ17	再発低リスク群を推定して行われた手術の後に再発中・高リスク群と判明した患者に対して，追加治療は勧められるか？	①画像検査による転移検索の上，追加治療を行うことを推奨する。	1(↑↑)	B	86%*
		②ステージング手術により正確な手術進行期を決定することを提案する。	2(↑)	C	95%*

SR ：システマティックレビューを行ったCQ
*コアメンバーと外部作成委員の投票を合算した合意率

第4章　切除不能進行・再発癌の治療

CQ No.	CQ	推奨	推奨の強さ	エビデンスレベル	合意率
CQ18	切除困難または病巣残存が予想される進行癌の患者に対して，術前治療は勧められるか？	周辺臓器への浸潤があり切除困難な患者や，遠隔転移があり病巣残存が予想される患者に対して，術前化学療法を提案する。	2(↑)	C	94%
CQ19	腟断端再発に対して，放射線治療は勧められるか？	①放射線治療を推奨する。	1(↑↑)	B	100%
		②放射線治療以外に手術を行うことも提案する。	2(↑)	C	88%
CQ20	腟断端以外に再発部位を有する患者に対して，手術療法は勧められるか？	再発巣の完全切除が可能であれば，手術療法を提案する。	2(↑)	C	100%
CQ21	切除不能または残存病巣を有する進行癌，および再発癌に対して，薬物療法は勧められるか？	①進行癌に対してTC療法またはAP療法を推奨する。	1(↑↑)	B	94%
		再発癌に対して ②-A　プラチナ製剤を含む化学療法歴のない患者にはTC療法を推奨する。	1(↑↑)	B	100%
		②-B　プラチナ製剤を含む化学療法歴のある患者にはレンバチニブ＋ペムブロリズマブ併用療法を推奨する。	1(↑↑)	B	81%
		②-C　プラチナ製剤を含む化学療法歴があり，MSI-High，dMMRまたはTMB-Highの患者にはペムブロリズマブ単剤も提案する。	2(↑)	B	88%
		③癌肉腫の進行・再発例の化学療法としては，イホスファミド，プラチナ製剤，パクリタキセルなどを含むレジメンを提案する。	2(↑)	C	100%
		④類内膜癌G1あるいはエストロゲン受容体・プロゲステロン受容体陽性の患者には黄体ホルモン療法を提案する。	2(↑)	C	94%
CQ22	切除不能または残存病巣を有する進行癌，および再発癌に対して，放射線治療は勧められるか？	局所制御あるいは症状緩和を目的として放射線治療を提案する。	2(↑)	C	100%
CQ23	再発がんの患者に対して，次世代シーケンサー等を用いたがん遺伝子パネル検査は勧められるか？	標準治療が終了した，もしくは終了見込みの再発がんの患者に対し，がん遺伝子パネル検査を行うことを提案する。	2(↑)	C	95%*

*コアメンバーと外部作成委員の投票を合算した合意率

第 5 章　治療後の経過観察

CQ No.	CQ	推奨	推奨の強さ	エビデンスレベル	合意率
CQ24	根治的治療後に定期的な検査は勧められるか？	①経過観察の間隔は，治療終了から1～3年までは3～6カ月毎，4～5年までは6～12カ月毎を提案する。	2(↑)	C	86%*
		②丁寧な問診による症状の確認と，骨盤内再発診断のための内診を推奨する。	1(↑↑)	B	91%*
		③腟断端の細胞診，血清腫瘍マーカー，超音波検査，胸部X線検査やCT検査などの画像検査は，個々の症例の再発リスクを勘案した上で適宜行うことを提案する。	2(↑)	C	100%*
		④再発が疑われた場合の病巣の検索については，CT，MRIやPET/CTなどの画像検査を推奨する。	1(↑↑)	B	100%*
CQ25	子宮体癌治療後のホルモン補充療法(HRT)は勧められるか？	ベネフィットとリスクを十分に説明した上でHRTを行うことを提案する。	2(↑)	B	95%*
CQ26	子宮体癌治療後の生活指導において留意すべき点は？	①生活習慣病のリスクを評価することを推奨する。	1(↑↑)	B	95%*
		②生活習慣病を有する場合は，生活習慣の改善を指導することを提案する。	2(↑)	B	95%*
		③Lynch症候群と診断された子宮体癌の患者には，下部消化管内視鏡サーベイランスを行うことを推奨する。	1(↑↑)	B	100%*
		④Lynch症候群と診断された子宮体癌の患者の血縁者には，遺伝カウンセリングを提案する。	2(↑)	B	100%*

*コアメンバーと外部作成委員の投票を合算した合意率

第6章 妊孕性温存療法

CQ No.	CQ	推奨	推奨の強さ	エビデンスレベル	合意率
CQ27	子宮内膜異型増殖症または子宮体癌で妊孕性温存を希望する若年患者に対して，妊孕性温存療法は勧められるか？	子宮内膜全面搔爬により子宮内膜異型増殖症または類内膜癌G1と診断され，かつ子宮内膜に限局している場合には，黄体ホルモン療法を提案する。	2(↑)	C	86%*
CQ28	妊孕性温存療法後に勧められる経過観察の間隔と検査は？	3～6カ月に一度の子宮内膜組織検査や経腟超音波断層法検査を行うことを提案する。	2(↑)	C	95%*
CQ29 SR	妊孕性温存療法施行時に病変遺残がある，あるいは妊孕性温存療法後の子宮内再発に対して，保存的治療は勧められるか？	①病変遺残の場合には，保存的治療は行わないことを推奨する。	1(↓↓)	B	86%*
		②子宮内再発で妊孕性温存を強く希望する場合には，厳重な管理のもとに再度の黄体ホルモン療法を提案する。	2(↑)	C	100%*
CQ30	妊孕性温存療法後の患者に対して，生殖補助医療は勧められるか？	妊娠成立のために生殖補助医療(ART)を提案する。	2(↑)	C	100%

SR：システマティックレビューを行ったCQ
*コアメンバーと外部作成委員の投票を合算した合意率

第 7 章　肉腫の治療

CQ No.	CQ	推奨	推奨の強さ	エビデンスレベル	合意率
CQ31	子宮肉腫が疑われた場合に，どのような手術が勧められるか？	①腹式単純子宮全摘出術および両側付属器摘出術を推奨する。	1(↑↑)	B	88%
		②完全摘出を目指した腫瘍減量術を提案する。	2(↑)	C	100%
		③平滑筋肉腫と低異型度子宮内膜間質肉腫でリンパ節転移が疑われない場合は，リンパ節郭清を行わないことを提案する。	2(↓)	B	75%
CQ32	術後に子宮肉腫と判明した患者に対して，追加手術は勧められるか？	子宮全摘出術および両側付属器摘出術を完遂する追加手術を提案する。	2(↑)	C	100%*
CQ33	初回手術で肉眼的完全摘出を完遂した子宮肉腫の患者に対して，どのような術後補助療法が勧められるか？	①Ⅰ期の平滑筋肉腫に対しては術後補助療法を実施しないことを提案する。	2(↓)	B	95%*
		②平滑筋肉腫や未分化子宮肉腫・高異型度子宮内膜間質肉腫に対して術後補助療法を行う場合には，化学療法を提案する。	2(↑)	C	86%*
		③低異型度子宮内膜間質肉腫に対して術後補助療法を行う場合には，ホルモン療法を提案する。	2(↑)	C	95%*
CQ34	子宮肉腫の切除不能進行・再発患者に対して，薬物療法は勧められるか？	①全身状態を考慮して薬物療法を実施することを提案する。	2(↑)	C	94%
		②薬物療法としてはドキソルビシン単剤療法を推奨する。	1(↑↑)	A	94%
		③セカンドライン以降ではパゾパニブ，トラベクテジン，エリブリンを提案する。	2(↑)	B	94%
		④低異型度子宮内膜間質肉腫ではホルモン療法を提案する。	2(↑)	C	100%

*コアメンバーと外部作成委員の投票を合算した合意率

第8章 絨毛性疾患の治療

CQ No.	CQ	推奨	推奨の強さ	エビデンスレベル	合意率
CQ35	侵入奇胎，臨床的侵入奇胎，および奇胎後hCG存続症に対して推奨される薬物療法は？	メトトレキサートあるいはアクチノマイシンDによる単剤療法を推奨する。	1(↑↑)	B	100%
CQ36	絨毛癌に対して推奨される薬物療法は？	メトトレキサート，アクチノマイシンD，エトポシドを含む多剤併用療法を推奨する。	1(↑↑)	B	100%
CQ37	絨毛癌に対して薬物療法以外の治療は勧められるか？	①薬物療法抵抗性の子宮病巣や転移病巣に対して，適応を慎重に検討し手術療法を提案する。	2(↑)	C	81%
		②出血の制御が困難な子宮病巣，あるいは緊急性のある出血・脳圧亢進症状を伴う脳転移に対しては，手術療法を提案する。	2(↑)	C	100%
		③脳転移例に対しては，適応を慎重に検討し放射線治療を提案する。	2(↑)	C	81%
CQ38	PSTT，ETTに対して推奨される治療法は？	①病巣が子宮に限局した患者に対しては，子宮全摘出術を提案する。	2(↑)	C	100%
		②子宮外病変を有する患者に対しては，子宮全摘出術を含む手術療法およびプラチナ製剤を含む多剤併用療法を提案する。	2(↑)	C	94%
CQ39	hCG低単位が持続する患者に対して推奨される取り扱いは？	①病巣検索およびreal hCGであることの確認を推奨する。	1(↑↑)	B	100%
		②病巣が確認できた場合やhCG値が上昇傾向に転じた場合には，絨毛性腫瘍として治療を行うことを推奨する。	1(↑↑)	B	100%
		③病変を認めず，経過観察を行っても低単位real hCGが消失しない場合には，薬物療法を行い効果があるかを見極めることを提案する。	2(↑)	C	86%

フローチャート 1
子宮体癌の初回治療：術前に I・II 期と考えられる症例

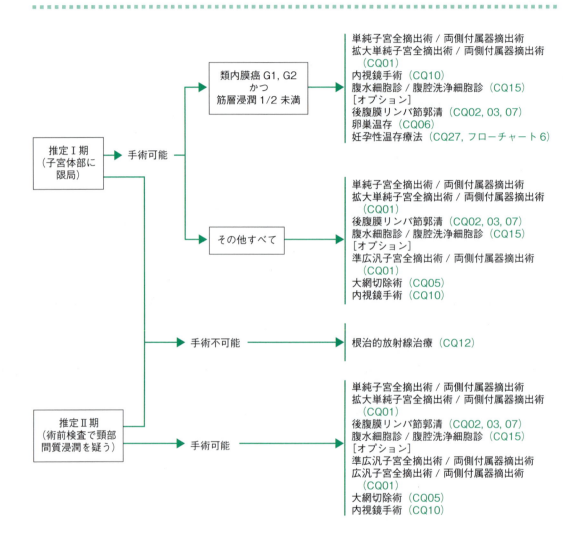

注）画像診断（CQ09）により手術進行期を術前に推定する。

フローチャート2

子宮体癌の初回治療：

①子宮摘出後に子宮体癌と判明した症例
②再発低リスク群を想定して行われた手術の後に再発中・高リスク群と判明した症例

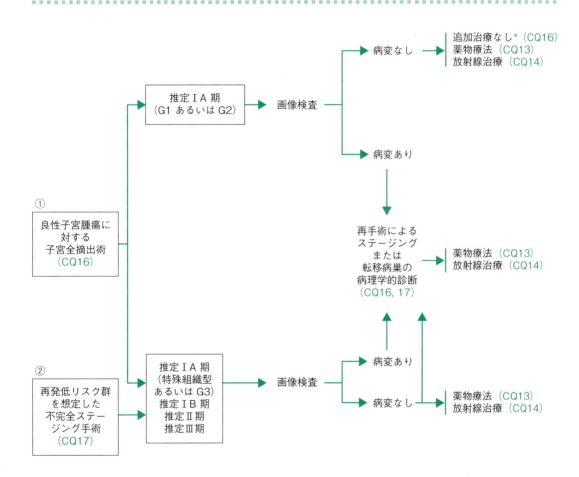

*NCCN ガイドライン 2022 年版では，再発低リスク群のうち，脈管侵襲陰性かつ腫瘍径が 2 cm 未満の場合に可能としている（CQ16）。

フローチャート 3

子宮体癌の初回治療：術前にⅢ・Ⅳ期と考えられる症例

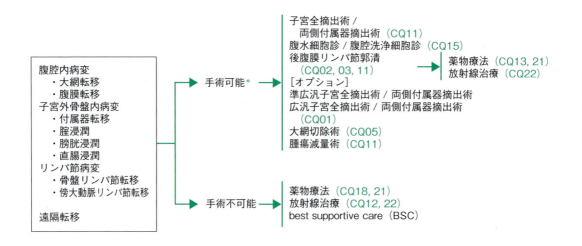

*全身状態が許せばⅢ期は全症例，Ⅳ期では子宮全摘出術と可及的腫瘍減量術が可能な症例を指す（CQ11）。

フローチャート4
子宮体癌の術後治療

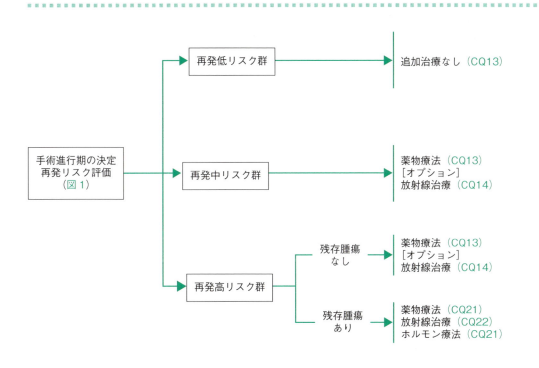

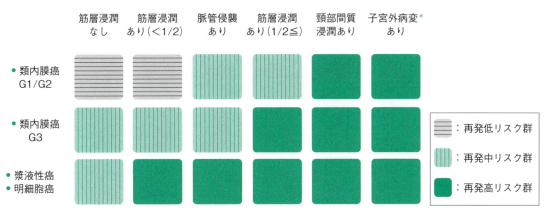

*付属器，腟壁，基靱帯，リンパ節，膀胱，直腸，腹腔内・遠隔転移（子宮漿膜進展含む）
注）腹水細胞診/腹腔洗浄細胞診陽性については予後不良因子との意見もある。

図1　子宮体癌術後再発リスク分類

フローチャート5
子宮体癌の再発治療

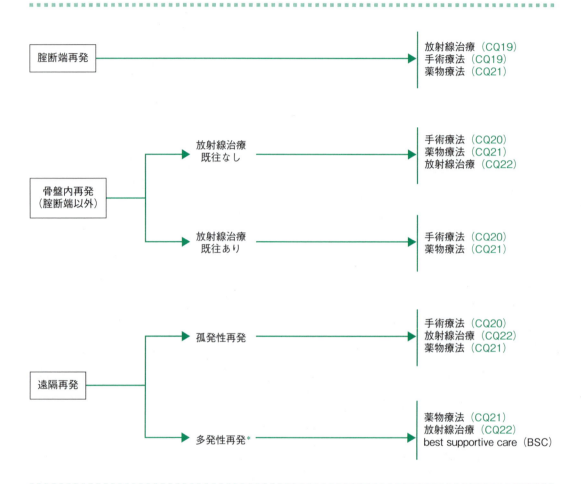

*肺転移は多発性再発であっても腫瘍径が小さく，転移数が少数であれば手術療法も考慮される(CQ20)。
注)標準治療終了が見込まれる場合，がん遺伝子パネル検査を行う場合はCQ23を参照。

フローチャート6
妊孕性温存療法（子宮内膜異型増殖症または類内膜癌G1）

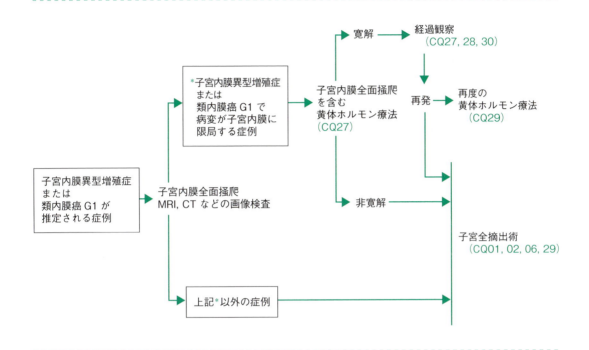

フローチャート7
子宮肉腫の治療

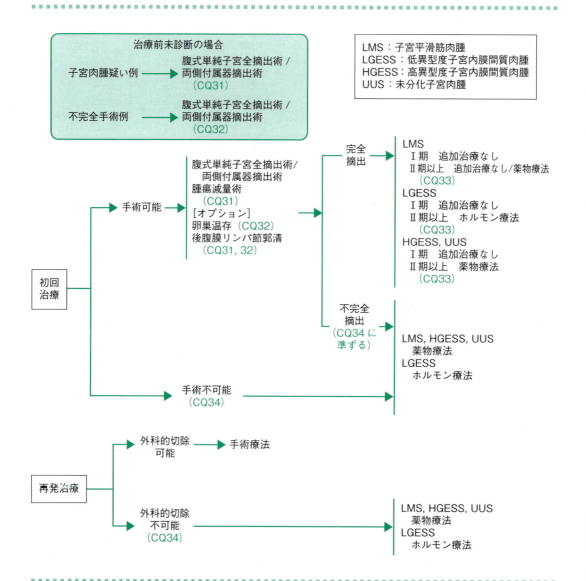

フローチャート 8
絨毛性疾患の治療

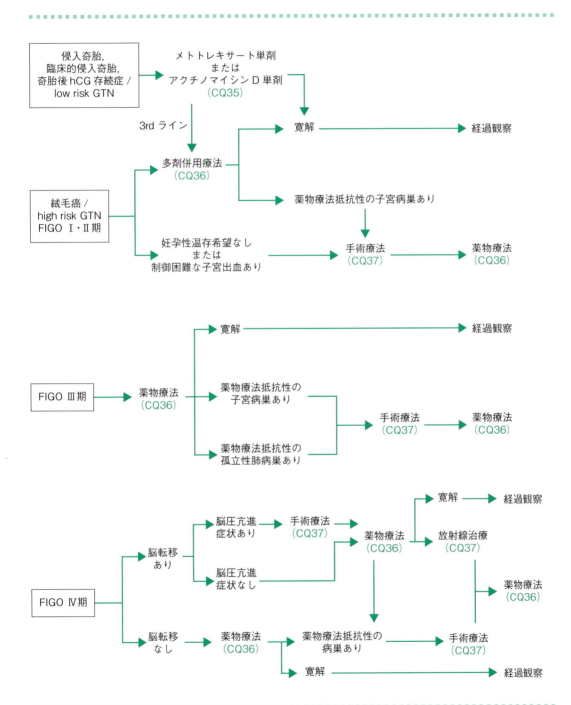

注）hCG 低単位持続例については CQ39 を参照。

本ガイドラインにおける基本事項

Ⅰ 進行期分類

　子宮体癌に対する進行期分類は，FIGO，UICC，WHO などの国際的機関によって提案された規則をもとに，国際標準に準拠した規約にするために『子宮体癌取扱い規約』として日本産科婦人科学会によって策定されてきた。まず，1987 年に最初の『子宮体癌取扱い規約 第1版』が発刊され，子宮体癌の進行期は手術前に決定される，いわゆる臨床進行期分類が用いられてきた(日産婦 1983，FIGO 1982)。その後，1996 年に改訂版の『子宮体癌取扱い規約 第2版』が発刊され[1]，術後に進行期を決定する手術進行期分類が採用された。さらに，2008 年に FIGO 進行期の改定案が出され[2]，本邦では 2012 年に，FIGO 改定案に合わせた『子宮体癌取扱い規約 第3版』が発刊された[3]。その上で日本産科婦人科学会婦人科腫瘍委員会への子宮体癌症例の登録は，2012 年の症例より手術進行期分類(日産婦 2011，FIGO 2008)に基づいて行われるようになった。2014 年には WHO から新しい組織学的分類が提示され[4]，その後，日本産科婦人科学会・日本病理学会において WHO 分類を本邦の実情に合わせた新たな取扱い規約を策定し，『子宮体癌取扱い規約 病理編 第4版』として 2017 年に刊行された[5]。その3年後の 2020 年には WHO 分類 第5版が提示され，これを受けて『子宮体癌取扱い規約 病理編 第5版』が 2022 年 12 月に刊行された[6]。本治療ガイドラインでの本文中の進行期分類に関しては，原則として『子宮体癌取扱い規約 病理編 第5版』に準じて記載している。

　子宮体部肉腫の進行期分類は従来，子宮内膜癌の進行期分類(FIGO 1988)[7]が適用されていたが，子宮内膜癌とは異なる biological behavior を反映させた進行期分類の必要性が高まり，子宮体部肉腫の進行期分類が新たに作成され，FIGO(2008 年)[8]ならびに日本産科婦人科学会(2014 年)[9]で承認され『子宮体癌取扱い規約 病理編 第4版』(2017 年)に掲載された[5]。なお，癌肉腫には子宮肉腫の進行期分類ではなく，子宮内膜癌の進行期分類が適用される[3,5]。

1．子宮内膜癌

(1) 子宮内膜癌　進行期分類(日産婦 2011，FIGO 2008)[2,10]

Ⅰ期：癌が子宮体部に限局するもの
　ⅠA 期：癌が子宮筋層 1/2 未満のもの
　ⅠB 期：癌が子宮筋層 1/2 以上のもの
Ⅱ期：癌が頸部間質に浸潤するが，子宮をこえていないもの*
Ⅲ期：癌が子宮外に広がるが，小骨盤腔をこえていないもの，または領域リンパ節へ広がるもの

ⅢA期：子宮漿膜ならびに／あるいは付属器を侵すもの

ⅢB期：腟ならびに／あるいは子宮傍組織へ広がるもの

ⅢC期：骨盤リンパ節ならびに／あるいは傍大動脈リンパ節転移のあるもの

　ⅢC1期：骨盤リンパ節転移陽性のもの

　ⅢC2期：骨盤リンパ節への転移の有無にかかわらず，傍大動脈リンパ節転移陽性のもの

Ⅳ期：癌が小骨盤腔をこえているか，明らかに膀胱ならびに／あるいは腸粘膜を侵すもの，ならびに／あるいは遠隔転移のあるもの

　ⅣA期：膀胱ならびに／あるいは腸粘膜浸潤のあるもの

　ⅣB期：腹腔内ならびに／あるいは鼠径リンパ節転移を含む遠隔転移のあるもの

＊頸管腺浸潤のみはⅡ期ではなくⅠ期とする。

▶注1　すべての類内膜癌は腺癌成分の形態により Grade 1，2，3 に分類される。

▶注2　腹腔細胞診陽性の予後因子としての重要性については一貫した報告がないので，ⅢA期から細胞診は除外されたが，将来再び進行期決定に際し必要な推奨検査として含まれる可能性があり，すべての症例でその結果は登録の際に記録することとした。

▶注3　子宮内膜癌の進行期分類は癌肉腫にも適用される。癌肉腫，明細胞癌，漿液性癌（漿液性子宮内膜上皮内癌を含む）においては横行結腸下の大網の十分なサンプリングが推奨される。

［分類にあたっての注意事項］

(1) 初回治療として手術がなされなかった症例（放射線や化学療法など）の進行期は，MRI，CT などの画像診断で日産婦 2011 進行期分類を用いて推定する。

(2) 各期とも腺癌の組織学的分化度/異型度を併記する。

(3) 子宮内膜異型増殖症は日産婦 1995 分類により 0 期とされてきたが，FIGO 2008 分類に従って 0 期は削除されている。

(4) 領域リンパ節とは，骨盤リンパ節（閉鎖リンパ節，外腸骨リンパ節，鼠径上リンパ節，内腸骨リンパ節，総腸骨リンパ節，仙骨リンパ節，基靱帯リンパ節）および傍大動脈リンパ節をいう。

(5) 本分類は手術後分類であるから，従来Ⅰ期とⅡ期の区別に用いられてきた部位別掻爬などの所見は考慮しない。

(6) 子宮筋層の厚さは腫瘍浸潤の部位において測定することが望ましい。

(7) 腹腔細胞診陽性は進行期決定には採用しないが，別に記録する。

(8) 頸管腺のみに癌が及ぶ場合は FIGO 1988 分類ではⅡa 期とされていたが，FIGO 2008 分類ではⅠ期にとどまる。

(9) 癌が子宮内膜に限局するものは FIGO 1988 分類ではⅠa 期とされていたが，FIGO 2008 分類では筋層浸潤 1/2 未満のものをⅠA 期，筋層浸潤が 1/2 以上のものをⅠB 期としている。

〔子宮体癌取扱い規約 病理編 第 5 版（2022 年），金原出版 より〕

(2) 子宮内膜癌　TNM分類（UICC第8版）[11, 12]

TNM分類	FIGO分類	
TX		原発腫瘍の評価が不可能
T0		原発腫瘍を認めない
T1	I期*	子宮体部に限局する腫瘍
T1a	IA期	子宮内膜に限局する，または子宮筋層の1/2未満に浸潤する腫瘍
T1b	IB期	子宮筋層の1/2以上に浸潤する腫瘍
T2	II期	子宮頸部間質に浸潤するが，子宮をこえて進展しない腫瘍
T3	III期	下記に特定する局所，および／または領域リンパ節への広がり
T3a	IIIA期	子宮体部の漿膜または付属器に浸潤する腫瘍（直接浸潤または転移）
T3b	IIIB期	腟または子宮傍組織に浸潤（直接進展または転移）
N1, N2	IIIC期	骨盤リンパ節または傍大動脈リンパ節への転移
N1	IIIC1期	骨盤リンパ節への転移
N2	IIIC2期	骨盤リンパ節への転移の有無に関係なく，傍大動脈リンパ節への転移
T4**	IVA期	膀胱粘膜，および／または腸管粘膜に浸潤する腫瘍
M1	IVB期	遠隔転移

*子宮頸管腺浸潤のみはI期とする。
**胞状浮腫のみでT4へ分類しない。生検で確認すべきである。

N：領域リンパ節

NX　　領域リンパ節の評価が不可能

N0　　領域リンパ節転移なし

N1　　骨盤リンパ節への転移あり

N2　　骨盤リンパ節への転移の有無に関係なく，傍大動脈リンパ節への転移あり

M：遠隔転移

M0　　遠隔転移なし

M1　　遠隔転移あり（腟，骨盤漿膜，付属器への転移は除外し，鼠径リンパ節への転移と，傍大動脈リンパ節と骨盤リンパ節以外の腹腔内リンパ節への転移を含む）

[分類にあたっての注意事項]

①初回治療として手術がなされなかった症例（放射線や化学療法など）の進行期は，MRIやCTなどの画像診断を用いて推定する。

②以下はT，N，Mカテゴリーの評価法である。
　Tカテゴリー：身体所見と画像診断，膀胱鏡検査
　Nカテゴリー：身体所見と画像診断
　Mカテゴリー：身体所見と画像診断

③pT，pN，pM分類についてはTNM分類に準じ，病理学的評価に基づいて決定される。

④手術前に他の治療法が行われている例では，y 記号を付けて区別する。

　例：ypT2N1cM0

⑤再発腫瘍では r 記号を付けて区別する。

　例：rM1

〔子宮体癌取扱い規約 病理編 第 5 版（2022 年），金原出版 より〕

2. 子宮体部肉腫

　原発性子宮肉腫の進行期を決定するため，開腹所見による腫瘍の進行度の把握を原則とする。癌肉腫は，子宮肉腫の進行期分類ではなく，子宮内膜癌の進行期分類を使用する。癌肉腫を除く平滑筋肉腫/子宮内膜間質肉腫および腺肉腫に本進行期分類が適用され，組織学的な確定と組織型による分類が必要である。また，平滑筋肉腫/子宮内膜間質肉腫と腺肉腫はⅠ期の分類が異なる。

(1) 平滑筋肉腫/子宮内膜間質肉腫　TNM 分類（UICC 第 8 版）[11, 12]/進行期分類（日産婦 2014 [9]，FIGO 2008 [8, 13]）

TNM 分類	FIGO 分類	
T1	Ⅰ期	子宮に限局する腫瘍
T1a	ⅠA 期	最大径が 5 cm 以下の腫瘍
T1b	ⅠB 期	最大径が 5 cm をこえる腫瘍
T2	Ⅱ期	子宮外に進展するが骨盤内にとどまる腫瘍
T2a	ⅡA 期	付属器に浸潤する腫瘍
T2b	ⅡB 期	他の骨盤組織に浸潤する腫瘍
T3	Ⅲ期	腹部組織に進展する腫瘍
T3a	ⅢA 期	1 部位
T3b	ⅢB 期	2 部位以上
N1	ⅢC 期	領域リンパ節への転移
T4	ⅣA 期	膀胱または直腸への浸潤
M1	ⅣB 期	遠隔転移

N：領域リンパ節

NX　領域リンパ節の評価が不可能

N0　領域リンパ節転移なし

N1　領域リンパ節転移あり

▶注 1　領域リンパ節は，骨盤リンパ節（閉鎖リンパ節，外腸骨リンパ節，鼠径上リンパ節，内腸骨リンパ節，総腸骨リンパ節，仙骨リンパ節，基靱帯リンパ節）および傍大動脈リンパ節である[14]。

▶注 2　リンパ節郭清の未施行例では，触診，視診，画像診断を参考にして転移の有無を判断する。

M：遠隔転移

M0　遠隔転移なし

M1　遠隔転移あり（付属器，骨盤組織，腹部組織への転移は除外）

〔子宮体癌取扱い規約 病理編 第5版（2022年），金原出版 より〕

(2)腺肉腫　TNM 分類（UICC 第8版）[11,12]/進行期分類（日産婦 2014[9]，FIGO 2008[8,13]）

TNM 分類	FIGO 分類	
T1	Ⅰ期	子宮に限局する腫瘍
T1a	ⅠA期	子宮内膜／子宮頸部内膜に限局する腫瘍
T1b	ⅠB期	子宮筋層の1/2未満に浸潤する腫瘍
T1c	ⅠC期	子宮筋層の1/2以上に浸潤する腫瘍
T2	Ⅱ期	子宮外に進展するが骨盤内にとどまる腫瘍
T2a	ⅡA期	付属器に浸潤する腫瘍
T2b	ⅡB期	他の骨盤組織に浸潤する腫瘍
T3	Ⅲ期	腹部組織に進展する腫瘍
T3a	ⅢA期	1部位
T3b	ⅢB期	2部位以上
N1	ⅢC期	領域リンパ節への転移
T4	ⅣA期	膀胱または直腸への浸潤
M1	ⅣB期	遠隔転移

N：領域リンパ節

NX　領域リンパ節の評価が不可能

N0　領域リンパ節転移なし

N1　領域リンパ節転移あり

▶注1　領域リンパ節は，骨盤リンパ節（閉鎖リンパ節，外腸骨リンパ節，鼠径上リンパ節，内腸骨リンパ節，総腸骨リンパ節，仙骨リンパ節，基靱帯リンパ節）および傍大動脈リンパ節である[14]。

▶注2　リンパ節郭清の未施行例では，触診，視診，画像診断を参考にして転移の有無を判断する。

M：遠隔転移

M0　遠隔転移なし

M1　遠隔転移あり（付属器，骨盤組織，腹部組織への転移は除外）

［分類にあたっての注意事項］

①初回治療として手術がなされなかった症例（放射線や化学療法など）の進行期は，MRIやCTなどの画像診断を用いて推定する。

②子宮内膜間質肉腫および腺肉腫については，子宮体部腫瘍と卵巣・骨盤内子宮内膜症を伴う卵巣・骨盤内腫瘍が同時に存在する場合，それぞれ独立した腫瘍として取り扱うことに注意する。

③下記の検索はT，N，M判定のために最低限必要な検査法で，これが行われていない場合にはTX，NX，MXの記号で示す。

　Tカテゴリー：身体所見と画像診断
　Nカテゴリー：身体所見と画像診断
　Mカテゴリー：身体所見と画像診断

④pT，pN，pM分類についてはTNM分類に準じ，病理学的評価に基づいて決定される。

⑤手術前に他の治療法が行われている例では，y記号を付けて区別する。

　例：ypT2N1cM0

⑥再発腫瘍ではr記号を付けて区別する。

　例：rM1

〔子宮体癌取扱い規約 病理編 第5版（2022年），金原出版 より〕

Ⅱ リンパ節の部位と名称

　従来の子宮体癌取扱い規約におけるリンパ節の名称に関しては子宮頸癌取扱い規約ならびに1991年日本癌治療学会リンパ節合同委員会の提唱に基づき命名されてきた。2002年に日本癌治療学会リンパ節規約が改訂された[14]ことを受け，『卵巣腫瘍・卵管癌・腹膜癌取扱い規約 臨床編 第1版』（2015年）よりリンパ節の部位と名称が以下のように定められた[15]。これを勘案して，『子宮体癌取扱い規約 病理編 第5版』（2022年）においても同一の名称が用いられることとなった。

1) リンパ節は，主要血管の走行に沿って存在するものが多い。原則的にその血管名に従って命名される。
2) 近傍に目標となる血管のないものでは，神経，靱帯名などにより命名される。
3) 解剖学における新学名（Nomina Anatomica Parisiensia）を尊重するが，臨床上慣用されてきた名称も許容する。国際的にも採用され得る命名を採る。
4) 命名の極端な細分化を避ける。
5) 原則としてリンパ節番号は用いない。

①傍大動脈リンパ節（腹部大動脈周囲リンパ節）para-aortic nodes

　腹部大動脈および下大静脈に沿うもの。

①-1　高位傍大動脈リンパ節：

　下腸間膜動脈根部より頭側で，横隔膜脚部までの大動脈周囲にあるリンパ節。この領域の下大静脈周辺のリンパ節も含む[16]。

①-2　低位傍大動脈リンパ節：

　下腸間膜動脈根部から大動脈分岐部の高さまでの大動脈および下大静脈周辺のリンパ節を指し，下腸間膜動脈根部の高さに接するリンパ節も含まれる。

大動脈左側から下大静脈右側までのリンパ節を便宜上傍大動脈リンパ節とよぶが，細区分が必要な場合には，大動脈前面から左側にかけてのリンパ節を傍大動脈リンパ節，大動脈と下大静脈の間に存在するリンパ節を大動静脈間リンパ節，下大静脈前面から右側にかけてのリンパ節を下大静脈周囲リンパ節と記載する。

『子宮体癌取扱い規約 第3版』までは高位傍大動脈リンパ節を「左腎静脈下縁から下腸間膜動脈根部上縁までの領域」と規定していたが，『卵巣腫瘍・卵管癌・腹膜癌取扱い規約 臨床編 第1版』(2015年)で，左腎静脈より頭側のリンパ節も含まれるようになった。以後，下腸間膜動脈根部より尾側を「低位傍大動脈リンパ節」とし，下腸間膜動脈根部より頭側で，横隔膜脚部までを「高位傍大動脈リンパ節」として分類されることになった[16]。

②総腸骨リンパ節 common iliac nodes

総腸骨動静脈に沿うリンパ節。浅外側総腸骨リンパ節，深外側総腸骨リンパ節，内側総腸骨リンパ節に細区分される。

③外腸骨リンパ節 external iliac nodes

外腸骨血管分岐部より足方で，外腸骨血管の外側あるいは動静脈間にあるもの。

④鼠径上リンパ節 suprainguinal nodes(大腿上リンパ節 suprafemoral nodes)

外腸骨血管が鼠径靱帯下に入る直前にあるもの。

血管の外側にあって，外腸骨リンパ節に連絡し，深腸骨回旋静脈よりも末梢にあるものを外鼠径上リンパ節といい，血管の内側にあり，閉鎖リンパ節に連絡するものを内鼠径上リンパ節という。

⑤内腸骨リンパ節 internal iliac nodes

内腸骨血管と外腸骨血管とによって作られるいわゆる血管三角部および内腸骨動静脈に沿うもの。

⑥閉鎖リンパ節 obturator nodes

外腸骨血管の背側で閉鎖孔および閉鎖神経，閉鎖動静脈周囲にあるもの。

⑦仙骨リンパ節 sacral nodes

内腸骨血管より内側で仙骨前面とWaldeyer筋膜の間にあるもの。正中仙骨動静脈に沿うものを正中仙骨リンパ節，外側仙骨動静脈に沿うものを外側仙骨リンパ節という。

⑧基靱帯リンパ節 parametrial nodes

基靱帯およびその周辺に存在するもの。子宮傍組織リンパ節，尿管リンパ節などと称せられた表在性のもの(頸部傍組織リンパ節 paracervical nodes)，および基靱帯基部近くに存在する深在性のものすべてを含める。

⑨鼠径リンパ節* inguinal nodes

鼠径靱帯より足方にあるもの。

*子宮内膜癌では同リンパ節への転移を認めるものは遠隔転移と規定されており，ⅣB期となる。

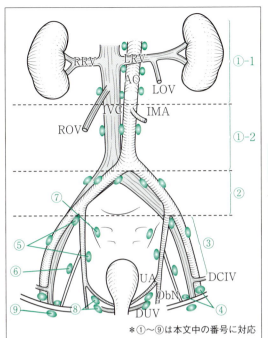

子宮体癌治療に関係するリンパ節の名称
（①～⑨）と解剖学的指標

AO ：腹部大動脈（abdominal aorta）
IVC ：下大静脈（inferior vena cava）
IMA ：下腸間膜動脈（inferior mesenteric artery）
DCIV ：深腸骨回旋静脈（deep circumflex iliac vein）
ObN ：閉鎖神経（obturator nerve）
UA ：子宮動脈（uterine artery）
DUV ：深子宮静脈（deep uterine vein）
ROV ：右卵巣静脈（right ovarian vein）
LOV ：左卵巣静脈（left ovarian vein）
RRV ：右腎静脈（right renal vein）
LRV ：左腎静脈（left renal vein）

＊①～⑨は本文中の番号に対応

[領域リンパ節]

　子宮内膜癌ならびに子宮体部肉腫の領域リンパ節は，骨盤リンパ節（閉鎖リンパ節，外腸骨リンパ節，鼠径上リンパ節，内腸骨リンパ節，総腸骨リンパ節，仙骨リンパ節，基靱帯リンパ節）および傍大動脈リンパ節である[16]。

〔子宮体癌取扱い規約 病理編 第5版（2022年），金原出版 より〕

Ⅲ 組織学的分類

a．はじめに

　WHO分類 第5版（2020年）への移行に伴う『子宮体癌取扱い規約 病理編』第4版（2017年）[5]から第5版（2022年）[6]への主な改訂点のうち，組織学的分類に関する項目を以下にまとめた。

- WHO分類 第5版では，以下に示す分子遺伝学的分類が類内膜癌に明記された。
  - *POLE*-ultramutated endometrioid carcinoma
  - Mismatch repair-deficient endometrioid carcinoma
  - p53-mutant endometrioid carcinoma
  - No specific molecular profile（NSMP）endometrioid carcinoma
- 病理総論的に腺癌に分類される組織型について，WHO分類 第5版では「癌/carcinoma」，「腺癌/adenocarcinoma」の表記が混在しているが，実地臨床では双方とも容認される。

- 『子宮体癌取扱い規約 病理編 第5版』においては，特殊なものを除いて「癌/carcinoma」を用いることとした（類内膜癌 endometrioid carcinoma，漿液性癌 serous carcinoma など）。
- 類内膜癌の亜型 variant とされてきた，扁平上皮分化の顕著な型/with squamous differentiation，絨毛腺管型 villoglandular type，および分泌型 secretory type は，独立した診断項目とはせず解説のなかで紹介するにとどめた。
- 従来粘液性癌と診断されてきたものの多くは本質的には類内膜癌が粘液分化を示したものであるという認識が広く共有され，『子宮体癌取扱い規約 病理編 第5版』でいう粘液癌は胃型/腸型に限定して「その他の上皮性腫瘍」の中に記載された。
- 漿液性子宮内膜上皮内癌 serous endometrial intraepithelial carcinoma は，単独で経験されることもあるが多くは漿液性癌の背景として捉えられるため，初期病変として漿液性癌のなかに位置づけられた。
- 中腎腺癌 mesonephric adenocarcinoma，中腎様腺癌 mesonephric-like adenocarcinoma，粘液性癌，胃/腸型 mucinous carcinoma，gastric/intestinal type などの新たに登場した組織型や，再び診断項目に挙げられることになった扁平上皮癌 squamous cell carcinoma は，WHO 分類 第5版と同様にその他の上皮性腫瘍として取り扱うこととした。
- 神経内分泌腫瘍 neuroendocrine neoplasia（NEN）は，一定の診断基準，治療・管理方針を臨床医および病理医が共有できるようにとの意図に基づいて，子宮体部と子宮頸部にも他臓器でも用いられている普遍性の高い名称や分類が使われることになった。これに伴い，「NEN 組織分類」を独立させた。
- 混合癌は組織型が著しく異なる成分が2種もしくはそれ以上からなるもので，漿液性癌または明細胞癌のどちらかを含む。ただし，半定量的な指標（『子宮体癌取扱い規約 病理編 第4版』では5%以上）は設定されていない。混合癌の多くは，エストロゲン依存性腫瘍とエストロゲン非依存性腫瘍の組み合わせからなり，前者がⅠ型，後者がⅡ型とよばれてきた。
- 癌肉腫は，これまで上皮性・間葉性混合腫瘍に属していたが，腫瘍の本質に則して上皮性腫瘍に位置づけられた。
- 未分化癌/脱分化癌は『子宮体癌取扱い規約 病理編 第4版』のまま診断項目に挙げた。
- 活動性核分裂型平滑筋腫 mitotically active leiomyoma にみられる核分裂は，1 mm^2 あたり2.5～6個とされる。

b. 組織学的分類および ICD-O コード

上皮性腫瘍および前駆病変 Epithelial tumors and precursors

前駆病変 Precursors

	子宮内膜増殖症 Endometrial hyperplasia without atypia
8380/2	子宮内膜異型増殖症 Atypical endometrial hyperplasia/
	類内膜上皮内腫瘍 Endometrioid intraepithelial neoplasia(EIN)

子宮内膜癌 Endometrial (adeno)carcinomas

8380/3	類内膜癌 Endometrioid (adeno)carcinoma NOS
8441/3	漿液性癌 Serous (adeno)carcinoma NOS
8310/3	明細胞癌 Clear cell (adeno)carcinoma NOS
8323/3	混合癌 Mixed cell (adeno)carcinoma
8020/3	未分化癌 Undifferentiated carcinoma NOS
	脱分化癌 Dedifferentiated carcinoma
8980/3	癌肉腫 Carcinosarcoma NOS

その他の上皮性腫瘍 Other epithelial tumors

9110/3	中腎腺癌 Mesonephric adenocarcinoma
8070/3	扁平上皮癌 Squamous cell carcinoma NOS
8144/3	粘液性癌，胃/腸型 Mucinous carcinoma, gastric/intestinal type
9111/3	中腎様腺癌 Mesonephric-like adenocarcinoma

類腫瘍病変 Tumor-like lesions

	子宮内膜ポリープ Endometrial polyp
	化生 Metaplasia
	アリアス-ステラ反応 Arias-Stella reaction

神経内分泌腫瘍 Neuroendocrine neoplasia

神経内分泌腫瘍 Neuroendocrine tumor(NET) NOS

8240/3	神経内分泌腫瘍グレード1 Neuroendocrine tumor, grade 1 (NET G1)
8249/3	神経内分泌腫瘍グレード2 Neuroendocrine tumor, grade 2 (NET G2)

神経内分泌癌 Neuroendocrine carcinoma(NEC)

8041/3	小細胞神経内分泌癌 Small cell neuroendocrine carcinoma (SCNEC)
8013/3	大細胞神経内分泌癌 Large cell neuroendocrine carcinoma (LCNEC)

混合型神経内分泌癌 Combined neuroendocrine carcinoma

8045/3	混合型小細胞神経内分泌癌 Combined small cell neuroendocrine carcinoma
8013/3	混合型大細胞神経内分泌癌 Combined large cell neuroendocrine carcinoma

間葉性腫瘍 Mesenchymal tumors

コード	名称
8890/0	平滑筋腫 Leiomyoma NOS
8892/0	富細胞性平滑筋腫 Cellular leiomyoma
8893/0	奇怪核を伴う平滑筋腫 Leiomyoma with bizarre nuclei
8890/0	活動性核分裂型平滑筋腫 Mitotically active leiomyoma
8890/0	水腫状平滑筋腫 Hydropic leiomyoma
8890/0	卒中性平滑筋腫 Apoplectic leiomyoma
8890/0	脂肪平滑筋腫 Lipoleiomyoma
8891/0	類上皮平滑筋腫 Epithelioid leiomyoma
8896/0	類粘液平滑筋腫 Myxoid leiomyoma
8890/0	解離性（胎盤分葉状）平滑筋腫 Dissecting（cotyledonoid）leiomyoma
8890/1	平滑筋腫症 Leiomyomatosis NOS
8890/1	静脈内平滑筋腫症 Intravenous leiomyomatosis
8898/1	転移性平滑筋腫 Metastasizing leiomyoma
8897/1	悪性度不明な平滑筋腫瘍 Smooth muscle tumor of uncertain malignant potential（STUMP）
8890/3	平滑筋肉腫 Leiomyosarcoma NOS
	紡錘細胞型平滑筋肉腫 Spindle leiomyosarcoma
8891/3	類上皮平滑筋肉腫 Epithelioid leiomyosarcoma
8896/3	類粘液平滑筋肉腫 Myxoid leiomyosarcoma

子宮内膜間質腫瘍と関連病変 Endometrial stromal and related tumors

コード	名称
8930/0	子宮内膜間質結節 Endometrial stromal nodule
8931/3	低異型度子宮内膜間質肉腫 Low-grade endometrial stromal sarcoma
8930/3	高異型度子宮内膜間質肉腫 High-grade endometrial stromal sarcoma
8805/3	未分化子宮肉腫 Undifferentiated uterine sarcoma

その他の間葉性腫瘍 Miscellaneous mesenchymal tumors

コード	名称
8590/1	卵巣性索腫瘍に類似した子宮腫瘍 Uterine tumor resembling ovarian sex cord tumor（UTROSCT）
	血管周囲類上皮細胞腫瘍 Perivascular epithelioid cell tumor（PEComa）
8825/1	炎症性筋線維芽細胞腫瘍 Inflammatory myofibroblastic tumor

上皮性・間葉性混合腫瘍 Mixed epithelial and mesenchymal tumors

コード	名称
8932/0	腺筋腫 Adenomyoma NOS
8932/0	異型ポリープ状腺筋腫 Atypical polypoid adenomyoma
8933/3	腺肉腫 Adenosarcoma

その他の腫瘍 Miscellaneous tumors

アデノマトイド腫瘍 Adenomatoid tumor

9473/3　原始神経外胚葉性腫瘍 Primitive neuroectodermal tumors NOS

9064/3　胚細胞腫瘍 Germ cell tumors NOS

〔子宮体癌取扱い規約 病理編 第5版（2022年），金原出版 より〕

Ⅳ 手術療法

　子宮体癌の治療の第一選択は手術療法である。子宮全摘出術，両側付属器摘出術を基本として骨盤・傍大動脈リンパ節郭清（生検），大網切除術，腹水細胞診/腹腔洗浄細胞診などが行われる。また，子宮肉腫の治療も手術療法が第一選択であり，子宮癌肉腫の場合は骨盤・傍大動脈リンパ節郭清が考慮されるが，子宮平滑筋肉腫に対してのリンパ節郭清の有効性は明らかではない。手術術式名とその内容を下記に列挙した。

1. 単純子宮全摘出術 simple（total）hysterectomy（筋膜外術式 extrafascial hysterectomy）

　一般の単純子宮全摘出術に準ずるが，腫瘍性病変が存在する場合には子宮の組織を残さない術式が必要であり，筋膜内術式（Aldridge 術式）は不適当である。病巣最外端と切創縁との間の距離をおくため，腟壁を多少なりとも切除する必要がある。腟壁の一部（cuff）を切除する場合に拡大単純子宮全摘出術という用語が用いられることもある。

2. 準広汎子宮全摘出術 modified radical hysterectomy

　膀胱子宮靱帯の前層を切断し，尿管を外側に寄せた後に子宮傍組織と腟壁を子宮頸部からやや離れた部位で切断する。深子宮静脈の切断と膀胱子宮靱帯の後層の切除は行わないため，必然的に膀胱神経の大部分は温存される。リンパ節郭清の有無を問わない。

3. 広汎子宮全摘出術 radical hysterectomy with pelvic lymphadenectomy

　子宮および子宮傍組織，腟壁および腟傍組織の一部を摘出し，骨盤リンパ節を郭清する術式である。子宮傍組織は前方の膀胱子宮靱帯（前層および後層），側方の基靱帯，後方の仙骨子宮靱帯，直腸腟靱帯に区分される。

　諸種の術式のうち，欧米諸国では Wertheim 術式，本邦では岡林術式を基本として変遷を経た術式が汎用されている。岡林術式の特徴は膀胱子宮靱帯の前層を処理した後に，後層も切断して尿管と膀胱を完全に子宮・腟から分離して腟を十分に切除することにある。岡林原法とは異なり，現在の広汎子宮全摘出術では，基靱帯の処理にあたってまずリンパ節郭清を行い，血管を露出し，1本ずつ結紮・切断することが多い。膀胱神経を温存する場合には，腟側腔および岡林直腸側腔に入り，下腹神経，骨盤神経叢を外側に授動することで膀胱神経枝が温存される。

〔子宮体癌取扱い規約 第3版（2012年），金原出版 より一部改変〕

Ⅴ 術後再発リスク分類

　子宮体癌の治療の第一選択は手術療法であり，摘出標本による組織学的検索が行われた後に進行期が決定される。その後，症例は術後再発リスクの評価に基づいてリスク分類され，術後補助療法が考慮される。まず，子宮体癌は組織型により予後が異なることが判明しており，3つのグループに分けられる。最も予後が良いのは類内膜癌G1/G2であり，次に，類内膜癌G3で，最も予後が悪いグループは漿液性癌/明細胞癌とされている。そして，症例がどの組織型のグループに属し，どのようなリスク因子を有しているかにより，低リスク群，中リスク群，高リスク群に分類されることとなる。図1に示すリスク分類は，『子宮体がん治療ガイドライン2018年版』を踏襲した再発リスク分類を用いて作成されたものである。なお，臨床試験によって異なったリスク分類が採用されており，現時点で完全にコンセンサスを得た分類はない。

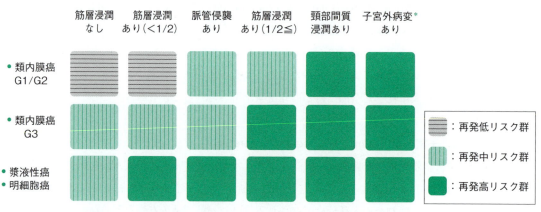

*付属器，腟壁，基靱帯，リンパ節，膀胱，直腸，腹腔内・遠隔転移（子宮漿膜進展含む）
注）腹水細胞診/腹腔洗浄細胞診陽性については予後不良因子との意見もある。

図1　子宮体癌術後再発リスク分類

Ⅵ 薬物療法

　子宮体癌に対する薬物療法は，本邦では術後補助療法として用いられることが多い。また，切除不能または残存病巣を有する進行・再発症例に対しても薬物療法の有効性が示されている。子宮肉腫に対しても同様で，術後補助療法や進行・再発例に対して薬物療法が考慮される。また，絨毛癌や侵入奇胎に対しては薬物療法が著効し治療の中心となる。以下に基本的な使用薬剤と使用方法を列記した。

1. AP療法（CQ13，CQ21）

　　ドキソルビシン（アドリアマイシン）60 mg/m^2（静注）

シスプラチン 50 mg/m²（点滴静注）　3週毎

2. TC療法（CQ13，CQ21）

　パクリタキセル 175 mg/m²（点滴静注）

　カルボプラチン AUC 5～6（点滴静注）　3週毎

3. DP療法（CQ13，CQ21）

　ドセタキセル 70 mg/m²（点滴静注）

　シスプラチン 60 mg/m²（点滴静注）　3週毎

4. TAP療法（CQ21）

　パクリタキセル 160 mg/m²（点滴静注）

　ドキソルビシン（アドリアマイシン）45 mg/m²（静注）

　シスプラチン 50 mg/m²（点滴静注）

　＋G-CSF製剤予防投与　3週毎

5. レンバチニブ＋ペムブロリズマブ併用療法（LP療法）

　レンバチニブ 20 mg/日　連日内服

　ペムブロリズマブ 200 mg/body（点滴静注）　3週毎（400 mg/bodyの場合，6週毎）

6. ペムブロリズマブ単剤療法

　ペムブロリズマブ 200 mg（静注），Day 1　3週毎（400 mg/bodyの場合，6週毎）

7. ドキソルビシン単剤療法（子宮肉腫）

　ドキソルビシン（アドリアマイシン）75 mg/m²（点滴静注）　3週毎

8. パゾパニブ単剤療法

　パゾパニブ 800 mg/日　連日内服

9. トラベクテジン単剤療法

　トラベクテジン 1.2 mg/m²（点滴静注）　3週毎

10. エリブリン単剤療法

　エリブリン 1.4 mg/m²（点滴静注）　Day 1, 8　3週毎

11. メトトレキサート単剤療法（CQ35）

（1）5-day メトトレキサート療法

　メトトレキサート 0.4 mg/kg あるいは 20 mg/body　5日間筋注　2週毎

（2）メトトレキサート-ホリナートカルシウム療法

　メトトレキサート 1.0 mg/kg 筋注（Day 1, 3, 5, 7）

　ホリナートカルシウム（ロイコボリン）0.1 mg/kg 筋注，静注または内服（Day 2, 4, 6, 8）

2週毎

12. アクチノマイシンD単剤療法（CQ35）

（1）5-day アクチノマイシンD療法

　アクチノマイシンD　10 μg/kg あるいは 0.5 mg/body　5日間静注　2週毎

（2）アクチノマイシン D パルス療法

 アクチノマイシン D　1.25 mg/m^2 静注（最大 2 mg/body）　　2 週毎

13. EMA/CO 療法（CQ36）

Day 1

 メトトレキサート 300 mg/m^2（点滴静注）

 エトポシド 100 mg/m^2（点滴静注）

 アクチノマイシン D　0.5 mg/body（静注）

Day 2

 エトポシド 100 mg/m^2（点滴静注）

 アクチノマイシン D　0.5 mg/body（静注）

 ホリナートカルシウム（ロイコボリン）15 mg/body（12 時間おきに 4 回筋注，静注または内服）

Day 8

 シクロホスファミド 600 mg/m^2（点滴静注）

 ビンクリスチン 0.8〜1.0 mg/m^2（静注）

2 週毎

14. MEA 療法（CQ36）

Day 1

 メトトレキサート 300 mg/body（点滴静注）

 メトトレキサート 150 mg/body（静注）

 エトポシド 100 mg/body（点滴静注）

 アクチノマイシン D　0.5 mg/body（静注）

Day 2

 エトポシド 100 mg/body（点滴静注）

 アクチノマイシン D　0.5 mg/body（静注）

 ホリナートカルシウム（ロイコボリン）15 mg/body（12 時間おきに 3 回筋注，静注または内服）

Day 3〜5（ただし Day 3〜4 として，合計 4 日間にしても可）

 エトポシド 100 mg/body（点滴静注）

 アクチノマイシン D　0.5 mg/body（静注）

2〜3 週毎

15. EP/EMA 療法（CQ36, CQ38）

Day 1

 エトポシド 150 mg/m^2（点滴静注）

 シスプラチン 75 mg/m^2（点滴静注）

Day 8

 エトポシド 100 mg/m^2（点滴静注）

 メトトレキサート 300 mg/m^2（点滴静注）

アクチノマイシン D　0.5 mg/body（静注）

Day 9

ホリナートカルシウム（ロイコボリン）15 mg/body（12時間おきに4回筋注，静注または内服）

2週毎

16．FA療法（CQ36）

Day 1～5

フルオロウラシル（5-FU）1,500 mg/body（点滴静注）

アクチノマイシン D　0.5 mg/body（静注）

2～3週毎

17．TP/TE療法（CQ36，CQ38）

Day 1

パクリタキセル 135 mg/m^2（点滴静注）

シスプラチン 60 mg/m^2（点滴静注）

Day 15

パクリタキセル 135 mg/m^2（点滴静注）

エトポシド 150 mg/m^2（点滴静注）

4週毎

Ⅶ　放射線治療

1．放射線治療の目的

(1) **根治的放射線治療** curative radiation therapy, definitive radiation therapy

根治的手術療法を行わずに治癒を目的として行われる。

(2) **術後放射線治療** postoperative radiation therapy

根治的手術療法後に骨盤内再発の予防を目的として行われる。術後再発の一定のリスクがある場合に行われる。

(3) **救済放射線治療** salvage radiation therapy

初回治療後の残存・再発病巣に対して腫瘍の制御を目的に行われる。

(4) **緩和的放射線治療** palliative radiation therapy

根治は難しいが，がんの進展や転移による疼痛，出血等の症状を緩和する目的で行われる。

2．放射線治療の方法

(1) **根治的放射線治療**

原則として，外部照射と腔内照射の併用で行う。

①**外部照射** external beam irradiation

肉眼的腫瘍体積（GTV）に加え，原則として全骨盤領域（子宮頸体部・子宮傍組織・腟・卵巣・骨盤リンパ節領域）を臨床標的体積（CTV）とし，さらに膀胱・消化管など臓器の容量や

動きに伴う子宮の動き・変形を考慮した内的標的体積(ITV)を設定する。これにセットアップ・エラーを考慮した適切なマージンを加えて計画標的体積(PTV)とした，全骨盤照射(whole pelvic radiation therapy)で行われる。3次元原体照射(3D-CRT)，強度変調放射線治療(IMRT)などの方法がある。

②密封小線源治療 brachytherapy

原則として，外部照射を先行する。

Ir-192あるいはCo-60を用いた高線量率(HDR)remote afterloading system(RALS)にて行う。腔内照射(intracavitary brachytherapy)が一般的である。原則として子宮内アプリケータ(チューブ)に線源を留置して行う。

治療ごとにアプリケータ位置確認画像の取得と計算を行う。2方向のX線画像による2次元的計画，あるいはCT，MRIを用いた3次元的計画で治療が行われる〔3次元画像誘導小線源治療(3D-IGBT)〕。

(2) 術後放射線治療

外部照射あるいは腔内照射で行う。外部照射法は「2.(1)根治的放射線治療」に準じる。外部照射のCTVは2.(1)①の定義から子宮頸体部を除いた範囲とする。腟断端部については残存腟と腟傍組織の頭側部を含め，膀胱や消化管等の状態による位置偏位を考慮したITVを設定する。PTVは根治的放射線治療に準じる。有害事象軽減を目的としたIMRTの適用も考慮される。腔内照射は腔内アプリケータ(オボイド)あるいは腟シリンダーアプリケータを用いる。

(3) 救済放射線治療

病変の部位，大きさ，個数などにより，外部照射単独，密封小線源治療単独，あるいは両者の併用にて行われる。外部照射では，定位(的)放射線照射(STI)，強度変調放射線治療(IMRT)など高精度外部照射の適用を積極的に考慮する。

(4) 緩和的放射線治療

主に外部照射単独で行われる。

付記1　3次元原体照射(3D-CRT)

前述のPTVに対し，多分割コリメータ(MLC)を用いて照射野を整形し治療を行う外部照射。対向2門照射法，4門照射法などがある。

付記2　強度変調放射線治療(IMRT)

高エネルギーX線を用いた高精度外部照射の一つである。多方向より強度を変調したX線線束を組み合わせることで，不整形の標的(腫瘍)に対しても均一で線量集中性の高い線量分布を形成し，同時にリスク臓器への線量低減を可能とする。治療計画には逆方向治療計画(inverse planning)とよばれる手法が用いられる。この手法では標的体積への線量集中性とリスク臓器の線量制限の達成基準の数値目標を設定し，高性能の治療計画コンピュータの能力を駆使して，無数のX線線束の条件の組み合わせから最適な線量分布を形成する照射パラメータを逆算し治療計画を作成する。

付記3　定位(的)放射線照射(STI)

　高エネルギーX線を用いた高精度外部照射の一つである。病巣に対して多方向から放射線を集中的に照射することで，腫瘍に限局して大線量を投与し，同時に周囲のリスク臓器への線量を極力減少させることを可能とする。1回照射によるものを定位手術的照射(SRS)，分割照射によるものを定位(的)放射線治療(SRT)という。特に体幹部腫瘍に対してSRTを行う場合に，体幹部定位放射線治療(SBRT)とよばれる。

付記4　3次元画像誘導小線源治療(3D-IGBT)

　腔内照射や組織内照射のアプリケータを装着した状態でCTやMRIを撮像し，腫瘍の大きさや形状に合わせ十分な線量を投与しつつ，周囲正常臓器への被曝線量を低減する線量分布を3次元的に作成し最適化して実施する小線源治療である。

〔子宮体癌取扱い規約　第3版(2012年)，金原出版 より一部改変〕

〔子宮頸癌取扱い規約　臨床編　第4版(2020年)，金原出版より一部改変〕

Ⅷ 緩和ケア

　苦悩からの解放は医療と人権の共通のゴールであり，人はすべからく緩和ケアを受ける権利を有している[17]。WHOの1990年の定義では「緩和ケアとは，治癒を目指した治療が有効でなくなった患者に対する積極的な全人的ケアである」とされていたように，かつて緩和ケアは，積極的な治療が終了した，いわゆる末期状態に行われる医療であると考えられてきた。しかしながら，その後のがん医療を取り巻く環境の変化から，欧米を中心に緩和ケアを早期から積極的に取り込むことが提唱されるようになり，WHOでは2002年に緩和ケアを「生命を脅かすような疾患による問題に直面している患者とその家族に対して，疾患の早期より，痛みや身体的，心理社会的，スピリチュアルな問題の同定と評価と治療を行うことによって，予防したり軽減したりすることでQOLを改善するためのアプローチである」と改めて定義し(図2)，以下のような具体例を挙げている[18]。

・痛みやその他のつらい症状を和らげる
・生命を肯定し，死にゆくことを自然な過程と捉える
・死を早めようとしたり遅らせようとしたりするものではない
・心理的およびスピリチュアルなケアを含む
・患者が最期までできる限り能動的に生きられるように支援する体制を提供する
・患者の病の間も死別後も，家族が対処していけるように支援する体制を提供する
・患者と家族のニーズに応えるためにチームアプローチを活用し，必要に応じて死別後のカウンセリングも行う
・QOLを高める。さらに，病の経過にも良い影響を及ぼす可能性がある
・病の早い時期から薬物療法や放射線治療などの生存期間の延長を意図して行われる治療と組み合わせて適応でき，つらい合併症をよりよく理解し対処するための精査も含む

2012年，ASCOはがん患者とその家族に対し，がん治療の過程で診断早期からの緩和ケアが行われるべきだとするガイドラインを策定した。2017年にはそれを改定し，行うべき緩和ケアとして，①患者と家族に対して信頼関係を結ぶこと，②症状および苦悩，生活機能のコントロールを行うこと(痛み，呼吸困難，疲労，不眠，気分の落ち込み，吐き気，便秘など)，③疾病の理解度とその予後について話し合い教育すること，④治療のゴールを明らかにすること，⑤苦悩にうまく対応することを支援すること(ディグニティセラピーなど)，⑥医療処置に関する意思決定の支援をすること，⑦ケア提供者間の調整をすること，⑧必要に応じて他のケア提供者に紹介すること，を挙げている。さらに，治癒が望めないがん患者では診断の8週以内に緩和ケアが行われることを推奨している[19]。

がん患者の苦痛は全人的苦痛(Total Pain)と称され，苦痛の種類は非常に多岐にわたる。各種治療法の進歩に伴い，末期患者の長期生存が珍しくなくなった今日では，身体的苦痛の軽減のみならず，不安やいらだちといった精神的な苦痛，死生観や人生の意味に対するスピリチュアルな苦痛，家庭内の問題や経済上の問題などの社会的な苦痛に対しても，これまで以上に踏み込んだ緩和ケアが要求されるようになっている。

本邦では，2007年に「がん対策基本法」が施行され，さらに翌年「がん対策推進基本計画」が閣議決定されて，国を挙げてがん医療に取り組むための基盤が整った。厚生労働省の指定するがん診療連携拠点病院は，質の高い緩和ケアの提供を目指し，緩和ケアチームの整備や，緩和ケア外来の設置，患者相談窓口の設置，緩和ケア地域連携の強化，緩和ケア研修会の実施などの機能を指定要件としている。また，基本計画では，がん診療に携わるすべての医師が緩和ケアの知識を習得することが定められており，日本緩和医療学会による「症状の評価とマネジメントを中心とした緩和ケアのための医師の継続教育プログラム」(PEACE)の受講が義務付けられた。2021年末でのPEACE修了者は約15万人で[20]，日本の医師数約33万人[21]の約半数が受講したことになる。

多くの肺がんや固形がんにおけるRCTの結果[22]からは，診断早期からの緩和ケアを治癒と延命を目的としたがん治療と併行して行うことが，QOLの向上，気持ちの落ち込みの減少，治療に対する満足度の増加をもたらすことが明らかとなっている。専門的緩和ケアのみが緩和ケアの目的を達成するものではなく，がん治療医と緩和ケアチームが協働してがん患者のケアを行うことこそが良好な結果を示している。緩和ケア専門職の絶対数は未だ少な

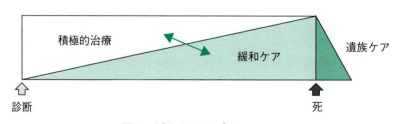

図2　緩和ケアモデル

く，このことからもがん治療医が緩和医療の知識に習熟し，継続的な患者のアセスメントを行いながら，状況に応じて専門職に紹介することが奨励される。

　子宮体がんは生殖器官に発生する悪性腫瘍であり，多くの場合，子宮および卵巣を失うことになる。これは患者にとって精神的に大きな打撃となる。診断の早期から，患者に対するきめ細かい身体的あるいは精神的支援，社会的配慮が不可欠である。また，局所進行・再発癌患者では，がん性疼痛のほか，異常（子宮）出血，悪臭を伴う分泌物，下肢の浮腫といった，不快な身体症状が出現しやすい。症状緩和を適切に行うためにも主治医を中心とした多分野医療職(interdisciplinary team：婦人科，外科，泌尿器科，放射線科など)の密接な連携が必要となる。高齢の患者では，併存する疾病も多く，内科や老年科などとの連携も求められる。高齢者では入院そのものによる身体機能低下が著しいことが知られていることから，入院中の栄養管理とリハビリによる QOL 低下の予防に努める必要がある。

　患者を中心に，医師のみならず看護師，薬剤師，社会福祉士，理学療法士，臨床心理士，栄養士，ソーシャルワーカーなどの多職種でチーム医療を行うとともに，地域病院や在宅療養支援診療所，訪問看護ステーションなどと緊密な地域連携を図り，診断時から看取りまでの切れ目のない緩和ケアを提供する体制をつくることが急務である[23]。また，どのような生活を望み，どのような医療を求めるかを，家族や周囲の信頼する人，医療・ケアチームと前もって話し合い共有すること(advance care planning；ACP，人生会議)が提案されている。患者は治療を受けるために生きているのではなく，かけがえのない日常生活を慈しむために生きているということを，医療提供者は十分に理解し，行政をはじめとする地域コミュニティ，患者会などすべてのリソースと協働し，社会全体で患者の幸せと生き甲斐を支える仕組みをつくることが重要である。

▶ 参考文献

1) 日本産科婦人科学会，日本病理学会，日本医学放射線学会 編．子宮体癌取扱い規約　改訂第 2 版．金原出版，東京，1996
2) FIGO committee on gynecologic oncology. Revised FIGO staging for carcinoma of the vulva, cervix, and endometrium. Int J Gynecol Obstet 2009；105：103-4
3) 日本産科婦人科学会，日本病理学会，日本医学放射線学会，日本放射線腫瘍学会 編．子宮体癌取扱い規約　第 3 版．金原出版，東京，2012
4) Kurman RJ, Carcangiu ML, Herrigton CS, Young RH. WHO classification of tumors of female reproductive organs. 4th ed. International Agency for Research on Cancer, France, 2014, 121-67
5) 日本産科婦人科学会，日本病理学会 編．子宮体癌取扱い規約 病理編 第 4 版．金原出版，東京，2017
6) 日本産科婦人科学会，日本病理学会 編．子宮体癌取扱い規約 病理編 第 5 版．金原出版，東京，2022
7) FIGO announcements, stages-1988 Revision. Gynecol Oncol 1989；35：125-7
8) Prat J. FIGO staging for uterine sarcomas. Int J Gynecol Obstet 2009；104：177-8
9) 小西郁生，青木大輔．卵巣癌・卵管癌・腹膜癌手術進行期分類の改訂および外陰癌，腟癌，子宮肉腫，子宮腺肉腫手術進行期分類の採用について．日産婦誌 2014；66：2736-41
10) 小西郁生，青木陽一．子宮頸癌，子宮体癌進行期分類の改定について．日産婦誌 2012；64：1471-7
11) UICC, TNM Classification of Malignant Tumours, 8th ed. Brierley J, Gospodarowicz M, Wittekind C, eds. John Wiley & Sons, West Sussex, 2017, 171-8
12) UICC 日本委員会 TNM 委員会訳．TNM 悪性腫瘍の分類 第 8 版 日本語版．金原出版，東京，2017，171-7

13) FIGO committee on Gynecologic Oncology. FIGO staging for uterine sarcomas. Int J Gynecol Obstet 2009；104：179
14) 日本癌治療学会 編．日本癌治療学会リンパ節規約．金原出版，東京，2002，14-6
15) 日本産科婦人科学会，日本病理学会 編．卵巣腫瘍・卵管癌・腹膜癌取扱い規約 臨床編 第1版．金原出版，東京，2015，11-3
16) 藤井知行，片渕秀隆，田代浩徳．子宮頸癌取扱い規約，子宮体癌取扱い規約の臨床に関わる改訂点について．日産婦誌 2017；69：1419-20
17) Brennan F. Palliative care as an international human right. J Pain Symptom Manage 2007；33：494-9
18) World Health Organization. WHO Definition of Palliative Care
   http://www.who.int/cancer/palliative/definition/en/
19) Ferrell BR, Temel JS, Temin S, Alesi ER, Balboni TA, Basch EM, et al. Integration of palliative care into standard oncology care. American Society of Clinical Oncology Clinical Practice Guideline update. J Clin Oncol 2017；35：96-112
20) 日本緩和医療学会．緩和ケア研修会修了者
   http://www.jspm-peace.jp/about/pdf/5_syuryo_r2.pdf
21) 厚生労働省．令和2(2020)年 医師・歯科医師・薬剤師統計の概況
   https://www.mhlw.go.jp/toukei/saikin/hw/ishi/20/dl/R02_1gaikyo.pdf
22) Temel JS, Greer JA, Muzikansky A, Gallagher ER, Admane S, Jackson VA, et al. Early palliative care for patients with metastatic non-small-cell lung cancer. N Engl J Med 2010；363：733-42
23) World Health Organization. Comprehensive cervical cancer control；A guide to essential practice (ed 2). Chapter7. World Health Organization, Geneva Switzerland, 2014, 179-97

第1章 ガイドライン総説

Ⅰ 作成の目的

　本ガイドラインでは，本邦で行われる子宮体部に発生する腫瘍の治療において，より良い方法を選択するための一つの基準を示し，現在までに集積しているそれらの根拠を記している。ただし，本書に記載されていない治療法が行われることを制限するものではない。

　主な目的は以下に述べる通りである。

1. 現時点での適正と考えられる子宮内膜癌，肉腫，絨毛性疾患の治療法を示す。
2. これらの治療レベルの施設間差を少なくする。
3. これらの治療の安全性の向上と予後の改善を図る。
4. 適正な治療を行うことによって，患者の心身の負担，そして経済的負担を軽減する。
5. 患者と医療従事者の相互理解に役立てる。

Ⅱ 利用の対象者

　本ガイドラインは，子宮内膜異型増殖症，子宮内膜癌，肉腫，絨毛性疾患の診療に携わる医師をはじめ，看護師・薬剤師などのすべての医療従事者の利用を対象とした。さらに，患者やその家族を含めた一般市民が，子宮内膜異型増殖症，子宮内膜癌，肉腫，絨毛性疾患の治療を理解する上での利用も意図した。また，一般の方々にわかりやすく解説した『患者さんとご家族のための子宮頸がん・子宮体がん・卵巣がん治療ガイドライン』が発刊されている。

Ⅲ 取り扱う疾患

　取り扱う疾患は，子宮内膜異型増殖症，子宮内膜癌，肉腫，絨毛性疾患とその再発である。

Ⅳ 本ガイドラインを使用する場合の注意事項

1) 各項目は，**CQ**（clinical question：**臨床的疑問**）と**推奨**，**目的**，そして**解説**から構成されており，ガイドラインに示された内容の根拠となった参考文献は各CQの最後に，文献収集のための検索式は日本婦人科腫瘍学会ホームページ（https://jsgo.or.jp/guideline/index.html）に掲載している。
2) 解説の中で触れられている事項で，より詳細な解説が必要と判断された場合は，「**付記**」として補足解説をしている。
3) 子宮体がんは，肺がん，乳がん，大腸がんや他の婦人科がんと比べ，治療に関するランダム化比較試験が少なく，エビデンスレベルだけでは治療指針を示せない事項も存在する。日本医学会連合は，「診療ガイドラインと保険収載の関係性に関する提言」として，「診療

ガイドラインは各学術組織の適切な見識の下で学術的姿勢に徹し患者の益と害のバランスを考慮して記載されるべきで，診療報酬制度に制限されるものではない。ただし，保険診療の枠組みに入っていない内容を診療ガイドラインで推奨する場合は，診療報酬の対象となっていない事実とその背景に配慮した記載をするべきである」としている。そこで本ガイドラインにおいても本邦でのエビデンス，臨床的検証が不足しているCQに対して，将来必要とされる検討（臨床試験，検証），今後解決しなくてはならない課題，作成委員会の意見などを，推奨のあとに**「明日への提言」**として提示した。

4）最終会議で合意率が75％に到達しなかったCQに関しては，初回投票での合意率，最終会議での議論や推奨内容の変更過程を**「最終会議の論点」**として提示した。

5）欧米と本邦との様々な背景の違いから，欧米におけるエビデンスの中には本邦で受け入れ難いものもある。逆に，本邦で一般に行われている治療内容が欧米のものとは異なることもある。このような事例では，国内における現時点でのコンセンサスを優先させ「推奨の強さ」を決定している内容もある。

6）世界的に評価・推奨された抗悪性腫瘍薬の中には，本邦の医療保険制度の下では適用上問題が生じるものがある。この点に関して，本ガイドラインでは，「抗がん剤適正使用のガイドライン」[1,2]の中に付記として示されている内容に原則的に従っている。

①本ガイドラインを利用する医師は「保険医」であるとの自覚に基づき，実地医療での抗がん剤使用は承認条件にある適応疾患を尊重する。

②ガイドラインと抗がん剤の承認条件にある適応疾患との相違は，実地医療においては当該患者の状況に応じて医師の裁量で対応する。すなわち，本邦未承認の治療薬と検査法に関するCQでは，保険適用状況について記載し，科学的に患者にとって有益か害であるかの視点で推奨を決定した。

③抗がん剤の単剤使用の場合は，本邦の薬事法による承認条件を満足する投与量や投与方法で施行する。

④抗がん剤の併用療法の場合は，個々の抗がん剤の投与量や投与方法について本邦の薬事法による承認条件の範囲内で施行する。

⑤子宮体癌では治療選択肢が多くないため，医療経済面での損益について比較評価することは容易ではない。ゆえに患者個々における経済的負担や社会全体としての経済的負担については2023年版では基本的に評価を行っていない。

Ⅴ 委員会の構成

ガイドライン作成委員会と評価委員会は産婦人科医以外に，放射線科医，腫瘍内科医，病理医，緩和ケア医により構成されている。ガイドライン委員会の構成員とガイドライン作成委員会副委員長がコアメンバーとなっている。作成委員会には，医師以外に看護師，薬剤師，患者，一般女性・男性が含まれており，外部作成委員としてCQの設定時点から参画した。外部作成委員に対しては，ガイドライン委員会委員長と副委員長が最終版の投票対象となるCQの内容や改訂点を説明し，合意に関する投票に参加していただいた。

Ⅵ 参考文献

1) 文献収集の具体的な手順を以下に記す。
　①作成委員がCQに関連するキーワードと主たる論文を選定し，日本医学図書館協会の担当者がそれをもとに検索式を作成し，網羅的な文献検索を行った。抽出された論文が非常に多い場合は，作成委員と図書館協会員で検討しキーワードの変更や追加を適時行った。作成委員は抽出された論文を吟味し，重要な論文を最終的に20編程度選択した。
　②検索は，PubMed，医中誌，Cochrane Libraryに2017年1月から2021年12月までに報告された文献を対象とした。2016年以前に発表された論文であっても，『子宮体がん治療ガイドライン2018年版』に引用されており推奨決定に必要なものは参考文献として採用した。2022年1月以降に発表された論文に関しては，ガイドライン委員会で個別に協議し参考文献として用いるかを決定した。また，システマティックレビューを行ったCQに関しては文献の期限は区切らずに検索・引用した。
2) 参考文献のうち，検索式で抽出されたものには【検】，2016年以前に発表されたため検索式では抽出されなかったが，2018年版で参考文献として収載されており今回の改訂でも必要と判断されたものには【旧】，ガイドライン委員会で参考文献として引用すべきと判断されたものには【委】を記した。
3) それぞれ参考文献には9種類の研究デザイン(表1)を付記した。
4) 総説の参考文献に関しては，原則として前述の表記を行っていない。

表1　研究デザイン

メタ	システマティックレビュー／ランダム化比較試験のメタアナリシス
ランダム	ランダム化比較試験
非ランダム	非ランダム化比較試験
コホート	分析疫学的研究(コホート研究)
ケースコントロール	分析疫学的研究(症例対照研究)
横断	分析疫学的研究(横断研究)
ケースシリーズ	記述研究(症例報告やケースシリーズ)
ガイドライン	診療ガイドライン
レビュー	専門家によるレビュー

Ⅶ エビデンスレベルと推奨の強さの決定

1)「Minds診療ガイドライン作成マニュアル2020 ver.3.0」[3]に基づき各CQにアウトカムを設定し，一つひとつのアウトカムに対して選択した論文の研究デザイン，バイアスリスク，非直接性を考慮したエビデンス総体を評価し，推奨のエビデンスレベル(表2)を決定した。

2）従来用いられてきた「エビデンスレベル」という表現は，ランダム化第Ⅲ相比較試験といった「試験デザイン」に基づいていたが，本ガイドラインで用いている「エビデンスレベル」は，エビデンス総体を規定する因子を評価して決定されたものである。したがって，ランダム化第Ⅲ相比較試験があっても，臨床試験の「質」によって，「エビデンスレベル」は「A（強）」ではなく「B（中）」になることもある。

3）エビデンスレベル，益と害のバランス，患者の価値観や好みの要素を考慮し，さらに，国内における当該治療法の実施状況や保険適用の有無などを加味して，ガイドライン作成委員が「推奨の強さ」（表3）を評価した。

4）CQ06，CQ15，CQ29については，各CQのアウトカムごとにガイドライン作成委員自らが本ガイドラインのためにシステマティックレビューを行った。定量的評価（メタアナリシス）ができないCQでは，論理性・確実性などを文脈から評価する定性的システマティックレビューのみを行った。

5）第8回子宮体がん治療ガイドライン改訂小委員会で，推奨文と「推奨の強さ」，「エビデンスレベル」を合議し最終決定した。さらに，この決定に対する出席者の合意率を投票により算出した。

6）合意率が75％に達しなかった推奨文に関しては推奨文の内容を再検討し，「推奨の強さ」，「エビデンスレベル」を変更，あるいは推奨内容を変更して再度投票を行った。

7）最終コアメンバー会議で再投票を行った推奨内容に対する意見や合意率，合意率が75％に達していない推奨に関する議論の要点などは，推奨文のあとに付記した。

8）外部作成委員は，最終コアメンバー会議で合意基準に達したCQ02～CQ04，CQ06～CQ08，CQ13～CQ17，CQ23～CQ29，CQ32，CQ33の推奨内容に対して投票を行った。したがって，それらのCQの合意率は，コアメンバーと外部作成委員の投票を合算したものを示している。

表2　推奨決定のための，アウトカムに対するエビデンスの確実性（エビデンスレベル）

A（強）	効果の推定値が推奨を支持する適切さに強く確信がある
B（中）	効果の推定値が推奨を支持する適切さに中程度の確信がある
C（弱）	効果の推定値が推奨を支持する適切さに対する確信は限定的である
D（とても弱い）	効果の推定値が推奨を支持する適切さをほとんど確信できない

表3　推奨の強さ

推奨の強さ	推奨内容	前版の推奨グレード
1	"実施する"ことを推奨する（↑↑） "実施しない"ことを推奨する（↓↓）	A，B または D
2	"実施する"ことを提案する（↑） "実施しない"ことを提案する（↓）	C1 または C2

＊CQ内容や推奨内容に合わせ，適切な表現にしている。

Ⅷ ガイドライン作成過程

1) 『子宮体がん治療ガイドライン 2023 年版』の作成にあたり，2021 年に日本婦人科腫瘍学会（以下，本学会）内の委員会である「ガイドライン委員会」が設置する「子宮体がん治療ガイドライン改訂委員会」の中に「作成委員会」と「評価委員会」を独立して設けた．子宮体がん治療ガイドライン改訂委員会の委員長は，ガイドライン委員会副委員長が兼任した．作成委員会および評価委員会はそれぞれ医師以外に，看護師，薬剤師，患者により構成された．
2) ガイドラインの改訂は，以下のスケジュールで行われた．

2021 年 6 月 11 日　子宮体がん治療ガイドライン作成委員会（正副委員長会議）（Web 会議）
　子宮体がん治療ガイドライン改訂のスケジュール，文献検索の方法と作成委員の選出について協議した．

2021 年 7 月 21 日　第 1 回子宮体がん治療ガイドライン 2023 年版改訂小委員会（コアメンバー会議）（Web 会議）
　改訂委員会副委員長にガイドライン作成方法の概要説明，CQ 作成についての確認を行った．

2021 年 9 月 6 日　第 2 回子宮体がん治療ガイドライン 2023 年版改訂小委員会（コアメンバー会議）（Web 会議）
　CQ の審議，作成委員の推薦，SR 実施者の選定を行った．

2021 年 10 月 12 日　第 3 回子宮体がん治療ガイドライン 2023 年版改訂小委員会（Web 会議）
　文献検索の方法，CQ の内容，および Minds に関する動画視聴について解説した．

2021 年 12 月 14 日　子宮体がん治療ガイドライン 2023 年版改訂小委員会（全体会議プレ会議）
　全体会議に先立ち，SR の作業進捗の確認，各章の作成委員の確認，CQ 項目の検討を行った．

2021 年 12 月 20 日　第 1 回全体会議（Web 会議）
　Minds 診療ガイドライン 2020 の解説，文献検索式の作成と参考文献抽出までの流れ，アウトカムの設定・エビデンス総体の評価方法についての説明の後，章ごとに CQ 項目を検討し各グループに分かれて討議し，今後のスケジュールを確認した．

2022 年 4 月 4 日　第 4 回子宮体がん治療ガイドライン 2023 年版改訂小委員会（コアメンバー会議）（Web 会議）
　章ごとに CQ の作業進捗の確認，問題点について協議した．

2022 年 5 月 15 日
　各改訂委員会副委員長から初稿を提出した．

2022 年 6 月 29 日　第 2 回全体会議（Web 会議）
　各 CQ の問題点について協議した．

2022 年 7 月 15 日　第 64 回日本婦人科腫瘍学会にてコンセンサスミーティング（現地，Web）
　ガイドラインの改訂概要を説明した後，各章の改訂箇所を中心に解説を行い改訂内容のコンセンサスを得るとともに会員の意見を聴取した．

その後，第3回および第4回子宮体がん治療ガイドライン改訂小委員会の意見やコンセンサスミーティングの質疑をもとに，作成委員が第2稿と構造化抄録を作成した。

2022年8月31日
　各改訂委員会副委員長から第2稿を提出した。
2022年10月5日　第5回子宮体がん治療ガイドライン2023年版改訂小委員会（コアメンバー会議）
　第2稿の確認として初稿からの変更点および審議事項について協議した。
2022年10月
　第2稿を評価委員に送付し，評価委員から計575件の意見・指摘を得た。
2023年1月10日，13日　第6回および第7回子宮体がん治療ガイドライン改訂小委員会（コアメンバー会議）（Web会議）
　評価委員からの意見について協議を行い，各章から提出された検討事項について協議した。この会議での検討結果をもとに，改訂委員会副委員長と作成幹事が第2稿の修正を行い，第3稿を作成した。
2023年2月6日
　各改訂委員会副委員長から第3稿を提出した。
2023年4月
　本学会ホームページに第3稿を掲載し，パブリックコメントを募集した。同時に，日本産科婦人科学会，日本産婦人科医会，日本産科婦人科内視鏡学会，婦人科悪性腫瘍研究機構（JGOG），日本放射線腫瘍学会，日本病理学会などの関係する諸学会や諸団体に第3稿を送付し，意見を得た。関連団体やパブリックコメントの意見をメール会議で検討し，第4稿を作成した。
2023年4月28～29日　第8回子宮体がん治療ガイドライン改訂小委員会（最終コアメンバー会議）
　第4稿の推奨内容および推奨の強さ，エビデンスレベルを審議・決定し，CQごとにコアメンバーが投票を行い，その合意率を集計した。さらに，解説文やフローチャートの修正を行った。
2023年4月29日　外部作成委員による投票：対面およびWebで実施
　外部作成委員（看護師1名，薬剤師1名，患者代表1名，一般女性2名，一般男性1名）に対して，ガイドライン委員会委員長と副委員長がいくつかのCQの推奨内容，推奨の強さ，エビデンスレベルについて解説し，投票を行い，合意率を集計した。

　その後，最終コアメンバー会議の議論を反映させた修正を行い，合意率を記載した最終稿を完成させた。

Ⅸ 活用促進のための工夫と情報公開

1) 利用者の利便性を高めるため,フローチャートを設けた。
2) 巻頭の「本ガイドラインにおける基本事項」に,進行期分類,組織学的分類,緩和ケアを含めた治療法の概説を記し,利用者の理解に役立つように工夫した。
3) 広く利用されるために,本ガイドラインの内容は小冊子として出版し,さらに本学会のホームページや日本癌治療学会,Mindsのホームページにも公開する。
4) ガイドライン作成過程で行ったシステマティックレビューの結果は,学術誌に投稿し順次掲載されている。また,本学会ホームページ(https://jsgo.or.jp/guideline/index.html)での資料公開を予定している。

Ⅹ 治療に対する責任

記述のすべての内容に対する責任は本学会が負う。しかし,個々の治療において,本ガイドラインに記載されたそれぞれの内容を用いるかどうかの最終判断は,その利用者が行うべきものである。すなわち,治療の結果に対する責任は直接の治療担当者に帰属すべきものと考えられる。

Ⅺ 出版後のモニタリングと改訂のステップ

1) ガイドライン作成委員会の中にモニタリングチームを設置した。
2) 2023年版である本ガイドラインの作成後に新たに報告されたエビデンスの収集・集積はモニタリングチームが継続して行う。
3) 本ガイドラインの使用にあたり臨床上の不都合が生じた案件について,関連する情報をモニタリングチームが収集する。
4) 次回の冊子体の改訂は2028年に予定している。
5) 上記改訂前に,推奨の強さや推奨内容の変更,新規CQの設定が必要と判断された場合は,モニタリングチームとガイドライン委員会委員長・副委員長の合議により新たに作成委員会を設置し,改訂案または新規推奨案を作成する。
6) 改訂案や新規推奨案は,コンセンサスミーティングやパブリックコメント募集・検討を経て本学会理事会の承認後に本学会のホームページにて公開する。
7) 一部のCQをプロセス指標(quality indicator;QI)または実態指標として測定し,日本産科婦人科学会腫瘍登録データベースの利用や国立がん研究センターとの共同研究により,実施率などを解析してガイドライン推奨内容を評価する予定である。

Ⅻ 作成費用

本ガイドラインの作成費用は,公益社団法人 日本婦人科腫瘍学会が負担しており,その他の組織や企業からの支援は一切受けていない。

ⅩⅢ 利益相反

1）本学会利益相反委員会は，本ガイドラインの作成ならびに評価を担当した委員，およびそれに関連する者（配偶者，一親等内の親族，または収入・資産を共有する者）の2020年および2021年における利益相反の状況を「腫瘍研究の利益相反に関するJSGO指針 https://jsgo.or.jp/topics/index01.html（日本婦人科腫瘍学会作成）」に沿って確認した。その結果，2020年は作成委員26名，評価委員19名，2021年は作成委員48名，評価委員27名で以下の利益相反が申告されたが，「日本医学会診療ガイドライン策定参加資格基準ガイダンス（2017年3月，2020年3月一部改訂）」に記されている「利益相反状態が社会的に容認される範囲を超えていると判断された」作成委員，評価委員はいなかった。

講演料，研究費，奨学寄附金（企業の重複あり，五十音順）

2020年

作成委員：IQVIA サービシーズ ジャパン株式会社（1），株式会社アイコン・ジャパン（1），アストラゼネカ株式会社（3），エーザイ株式会社（3），MSD株式会社（2），小野薬品工業株式会社（1），カシオ計算機株式会社（1），神奈川県厚生農業協同組合連合会（1），SOMPOケア株式会社（1），第一三共株式会社（2），武田薬品工業株式会社（1），中外製薬株式会社（3），テルモ株式会社（1），日本イーライリリー株式会社（1），ファイザー株式会社（1），株式会社Blue ink（1），北海道厚生農業協同組合連合会（1），メルクバイオファーマ株式会社（1）

評価委員：アストラゼネカ株式会社（3），インテュイティブサージカル合同会社（1），MSD株式会社（4），大塚製薬株式会社（1），小野薬品工業株式会社（1），サノフィ株式会社（1），大日本住友製薬株式会社（現：住友ファーマ株式会社）（1），武田薬品工業株式会社（3），中外製薬株式会社（2），バイエル薬品株式会社（1），一般財団法人 明治安田健康開発財団（1）

2021年

作成委員：IQVIA サービシーズ ジャパン株式会社（1），あすか製薬株式会社（2），アストラゼネカ株式会社（7），インテュイティブサージカル合同会社（1），エーザイ株式会社（1），MSD株式会社（3），小野薬品工業株式会社（1），オリンパス株式会社（1），科研製薬株式会社（1），カシオ計算機株式会社（1），神奈川県厚生農業協同組合連合会（1），協和キリン株式会社（1），沢井製薬株式会社（1），SOMPOケア株式会社（1），第一三共株式会社（2），大鵬薬品工業株式会社（1），武田薬品工業株式会社（5），中外製薬株式会社（7），株式会社ツムラ（1），テルモ株式会社（1），日本イーライリリー株式会社（2），ファイザー株式会社（1），富士機械株式会社（1），株式会社Blue ink（1），北海道厚生農業協同組合連合会（1），株式会社みらいワークス（1），Merck（1）

評価委員：アクトメッド株式会社（1），アストラゼネカ株式会社（5），インテュイティブサージカル合同会社（1），MSD株式会社（4），小野薬品工業株式会社（1），株式会社キノファーマ（1），コニカミノルタ株式会社（1），シスメックス株式会社（1），株式会社新日本科学（1），第一三共株式会社（1），大日本住友製薬株式会社（現：住友ファーマ株式会社）（1），

武田薬品工業株式会社(4),中外製薬株式会社(5)
2)本ガイドラインの推奨内容は,ガイドライン委員会の総意であり,特定の団体や製品・技術との利害関係により影響を受けたものではない。

▶ 参考文献

1) 有吉 寛．抗がん剤適正使用のガイドライン(案)：厚生省(現厚生労働省)委託事業における「抗がん剤適正使用のガイドライン」(案)の開示に際して．癌と化学療法 2002；29：969-77
2) 落合和徳，岡本愛光，勝俣範之．抗がん剤適正使用のガイドライン(案)：婦人科癌．癌と化学療法 2002；29：1047-54
3) Minds診療ガイドライン作成マニュアル編集委員会．Minds診療ガイドライン作成マニュアル2020 ver.3.0．公益財団法人日本医療機能評価機構 EBM医療情報部．2021
   https://minds.jcqhc.or.jp/s/manual_2020_3_0

第2章 初回治療（特殊組織型を含む）

総説

子宮体癌は子宮頸癌に比べ放射線感受性が低いこと，卵巣癌ほど薬物療法の効果が高くないことなどから，外科手術が治療法の第一選択で，FIGO も 1988 年から手術進行期分類を採用してきた。本章では子宮体癌に対する初回手術療法を中心に解説する。

Ⅰ 子宮摘出術式

子宮摘出術式を論ずる場合には，①各術式の内容自体に対する施設間差と，②各術式を適応とする患者選択の施設間差を考慮する必要がある。①に関して，本邦の広汎子宮全摘出術はかなり一致した術式で行われているが，拡大単純子宮全摘出術や準広汎子宮全摘出術などの術式は施設間で切除範囲や手技に差があると推測される。加えて，海外からの報告を参考にする場合には，本邦との術式の違いについて考慮する必要がある。欧米では子宮全摘出術をⅠ型からⅤ型に分類することが多い[1]が，名称上は同じ術式であっても切除範囲や手技が本邦と異なることがあり，海外のエビデンスをそのまま本邦に当てはめることには慎重さが求められる。②については，2005 年の婦人科悪性腫瘍研究機構（JGOG）の調査研究[2]で子宮体癌に対する各施設での基本術式を調査し，「単純子宮全摘出術を行う」，「拡大単純子宮全摘出術を行う」および「術前の推定進行期により術式を変更する」と答えた施設が，それぞれ 1/3 ずつであった。約 70％の施設は「子宮体癌に対しては広汎子宮全摘出術を施行しない」と答えた。このように国内でも，患者ごとの術式選択に関する施設間差は大きい。

術前にⅠ期と推定される患者に対する子宮の摘出術式は，国内外とも筋膜外単純子宮全摘出術が標準とされ（CQ01），開腹術式に加えて低侵襲の内視鏡手術の適用が一般化してきている[3]（CQ10）。傍大動脈リンパ節の郭清を必要としない再発低リスクの術前推定Ⅰ期患者を対象に，本邦でも 2014 年に腹腔鏡下子宮悪性腫瘍手術が，2018 年にロボット支援下子宮悪性腫瘍手術が保険適用となった。今後は内視鏡手術[4,5]がさらに増えてくると思われる。

術前にⅡ期と推定される患者に対する子宮の摘出術式に関しては，術後進行期との不一致例が少なからずあること[6]に留意する必要がある（CQ01）。また，術前推定Ⅱ期患者が子宮傍組織浸潤を有する率は比較的低く[7]，子宮傍組織の十分な切除を特徴とする広汎子宮全摘出術の適用に関しては，否定的な報告もある[7,8]。さらに，近年の多数例に関する後方視的解析の結果，単純子宮全摘出術に対する準広汎子宮全摘出術相当以上の拡大術式の生存に対する優越性は見いだせないとの報告[9]もあることから，術前推定Ⅱ期に対する子宮摘出術式としては，筋膜外単純子宮全摘出術，拡大単純子宮全摘出術が基本となる（CQ01）。

術前に腟壁や子宮傍組織への明らかな浸潤を認める場合には，それらの十分な切除マージンを確保するために，準広汎子宮全摘出術あるいは広汎子宮全摘出術を選択する（CQ01）。

Ⅱ リンパ節郭清

　子宮体癌の正確な進行期決定のためにはリンパ節郭清（生検）が必要であるが，その範囲に関して統一した見解は得られていない。米国の婦人科腫瘍専門医に対するアンケート調査[10]では，後腹膜リンパ節郭清を施行する割合は69％と推測され，65％の医師がリンパ節郭清は治療的意義があると判断していた。また45％が自分の手技を完全なリンパ節郭清と考えていたが，31％は傍大動脈リンパ節の生検を行っていなかった。欧州ではリンパ節の検索は視診と触診によってなされていることが多く[11]，スコットランドではそのことが患者の予後不良の原因の一つと報告された[12]。本邦では前述のJGOG調査研究[2]で，骨盤リンパ節郭清はほぼ全施設で施行されていたが，全例に傍大動脈リンパ節郭清（生検）を施行する施設は13％であり，大多数の施設は条件付きで郭清（生検）を行っていた。このように骨盤リンパ節郭清が比較的ルーチンに行われる本邦においても，傍大動脈リンパ節郭清を併用するか否かに関しては施設間差が大きく，骨盤リンパ節（CQ02）や傍大動脈リンパ節（CQ03）の郭清を省略しうる対象を確立していくためには，リンパ節郭清の範囲や程度に関する施設間差を少なくした臨床試験を行っていく必要があると思われる。さらに，センチネルリンパ節生検に関して，本邦では実施体制が整備されている限られた施設において臨床試験として行われているのが現状であり，今後の本邦での本格的導入が待たれる（CQ04）。

　リンパ節郭清の治療的意義に関しても未だ明確でない。米国国立がん研究所（NCI）の多数登録例の解析では，再発中・高リスク患者の場合，郭清されたリンパ節の個数が予後の改善に寄与すると報告された[13]が，欧州からの2つのRCTでは，骨盤リンパ節郭清は生存期間の延長に寄与しないと報告された（ASTEC試験：NCT00003749，PTC-CBM-15試験：NCT00482300）[14,15]。ただし，これらのRCTの結果には再発低リスク患者を40％前後含んでいること，傍大動脈リンパ節を含めた系統的郭清を行っていないことが影響している可能性がある（CQ02）。一方，本邦における比較的大規模な後方視的検討では，再発中・高リスク患者では傍大動脈リンパ節郭清の追加が予後改善に寄与するとしている（SEPAL study）[16]（CQ03）。これを検証するために現在，リンパ節郭清法を多施設間で統一した上で骨盤リンパ節郭清に傍大動脈リンパ節郭清を加えることの優越性を検証するRCT（JCOG1412試験）が行われている（CQ03）。このように子宮体癌に対するリンパ節郭清の意義や方法，範囲については世界的なコンセンサスが得られにくい状況にあり，国内でも未だ議論が尽きない段階である。しかし，近年の複数のメタアナリシス[17,18]の結果，再発中・高リスクと推定される患者に対しては骨盤～傍大動脈リンパ節郭清を行うことが予後改善につながることが報告されている。したがって，骨盤リンパ節郭清に加えて腎静脈下までの傍大動脈リンパ節郭清を施行することが提案される（CQ03）。今後増加が予想される高齢者についても同様にリンパ節郭清の省略については慎重に検討すべきであり，高齢者機能評価等を用いた耐術能評価の導入を検討する必要がある（CQ07）。

Ⅲ 病理組織型

日本産科婦人科学会の報告では，類内膜癌 G1 および G2 の 5 年生存率はそれぞれ 95%，90% と良好であり，G3 では 74%，漿液性癌および明細胞癌ではそれぞれ 62%，66% と不良である[19]。

子宮体癌は従来，臨床病理学的／分子病理学的観点から Ⅰ 型と Ⅱ 型に区別されてきた[20]。Ⅰ 型を代表する亜型はエストロゲン依存性の類内膜癌と粘液性癌（『子宮体癌取扱い規約 病理編 第 5 版』[21]では，粘液分化を示す類内膜癌がその本態と考えられている），Ⅱ 型を代表する亜型はエストロゲン非依存性の漿液性癌，明細胞癌と考えられてきた。

近年，子宮体癌（類内膜癌と漿液性癌）は The Cancer Genome Atlas（TCGA）project による網羅的分子遺伝学的解析で以下の 4 型に分けられることが示され[21,22]，Ⅰ／Ⅱ 型の分類に替わって受け入れられつつある。

① POLE（ultramutated）

POLE 遺伝子の変異と TMB が極めて高いことにより特徴づけられる。POLE は DNA ポリメラーゼ ε の触媒サブユニットをコードする遺伝子である。DNA ポリメラーゼ ε は DNA 合成とともにエキソヌクレアーゼ活性をもち，複製時に生じる誤った塩基の組み合わせを修復する働きをもつ。POLE の変異によりエキソヌクレアーゼ活性が損なわれると誤った塩基が修復されず，TMB が極めて高くなる。しばしば高異型度類内膜癌や漿液性癌様形態を示すが予後は良好である。

② MSI（hypermutated）

高頻度マイクロサテライト不安定性（MSI-High），および TMB が高い腫瘍からなる。それらの多くは DNA 塩基配列の組み合わせの誤りの修復機構（MMR）に関与する MLH1 遺伝子のプロモーター領域の過剰メチル化により mRNA の転写が抑制されるか，MLH1，PMS2，MSH2，MSH6 のいずれかにバリアント（変異）があるために MMR の機能不全をきたして（dMMR）多くの変異が蓄積する。類内膜癌が多く，しばしば高異型度を示す。POLE 変異症例と copy-number high 症例の中間の予後を示す。

③ Copy-number high

遺伝子のコピー数変化が多いものである。TP53 の変異をみることが多く，組織型としては漿液性癌（従来の Ⅱ 型に相当する）や高異型度の類内膜癌が多く，予後不良である。

④ Copy-number low

遺伝子のコピー数の変化が少なく，上記 3 つのいずれにも当てはまらないものである。従来 Ⅰ 型とされてきた低異型度の類内膜癌が多く，予後は中間～良好である。

近年，明細胞癌[23]，未分化癌／脱分化癌[24,25]もそれぞれ上記分子分類の 4 型を示す，分子遺伝学的に heterogenous な腫瘍であることが報告されている。

今後は，本邦においても分子遺伝学的分類の有用性を検証し，臨床導入について検討する必要がある。

▶ 参考文献

1) DiSaia PJ, Creasman WT. Chapter 3. invasive cervical cancer. In：DiSaia PJ, Creasman WT, eds. Clinical Gynecologic Oncology. Mosby, St. Louis, 1997, 71-4
2) Watanabe Y, Aoki D, Kitagawa R, Takeuchi S, Sagae S, Sakuragi N, et al. Status of surgical treatment procedures for endometrial cancer in Japan：results of a Japanese Gynecologic Oncology Group survey. Gynecol Oncol 2007；105：325-8
3) Wright JD, Burke WM, Tergas AI, Hou JY, Huang Y, Hu JC, et al. Comparative effectiveness of minimally invasive hysterectomy for endometrial cancer. J Clin Oncol 2016；34：1087-96
4) Ran L, Jin J, Xu Y, Bu Y, Song F. Comparison of robotic surgery with laparoscopy and laparotomy for treatment of endometrial cancer：a meta-analysis. PLoS One 2014；9：e108361
5) Coronado PJ, Fasero M, Magrina JF, Herraiz MA, Vidart JA. Comparison of perioperative outcomes and cost between robotic-assisted and conventional laparoscopy for transperitoneal infrarenal para-aortic lymphadenectomy（TIPAL）. J Minim Invasive Gynecol 2014；21：674-81
6) Creasman WT, DeGeest K, DiSaia PJ, Zaino RJ. Significance of true surgical pathologic staging：a Gynecologic Oncology Group Study. Am J Obstet Gynecol 1999；181：31-4
7) Takano M, Ochi H, Takei Y, Miyamoto M, Hasumi Y, Kaneta Y, et al. Surgery for endometrial cancers with suspected cervical involvement：is radical hysterectomy needed（a GOTIC study）? Br J Cancer 2013；109：1760-5
8) Phelippeau J, Koskas M. Impact of radical hysterectomy on survival in patients with stage 2 type1 endometrial carcinoma：a matched cohort study. Ann Surg Oncol 2016；23：4361-7
9) Nasioudis D, Sakamuri S, Ko EM, Haggerty AF, Giuntoli RL 2nd, Burger RA, et al. Radical hysterectomy is not associated with a survival benefit for patients with stage II endometrial carcinoma. Gynecol Oncol 2020；157：335-9
10) Naumann RW, Higgins RV, Hall JB. The use of adjuvant radiation therapy by members of the Society of Gynecologic Oncologists. Gynecol Oncol 1999；75：4-9
11) Amadori A, Bucchi L, Gori G, Falcini F, Saragoni L, Amadori D. Frequency and determinants of lymphadenectomy in endometrial carcinoma：a population-based study from northern Italy. Ann Surg Oncol 2001；8：723-8
12) Crawford SC, DeCaestecker L, Gillis CR, Hole D, Davis JA, Penney G, et al. Staging quality is related to the survival of women with endometrial cancer：a Scottish population based study. Deficient surgical staging and omission of adjuvant radiotherapy is associated with poorer survival of women diagnosed with endometrial cancer in Scotland during 1996 and 1997. Br J Cancer 2002；86：1837-42
13) Chan JK, Urban R, Cheung MK, Shin JY, Husain A, Teng NN, et al. Lymphadenectomy in endometrioid uterine cancer staging：how many lymph nodes are enough? A study of 11,443 patients. Cancer 2007；109：2454-60
14) Kitchener H, Swart AM, Qian Q, Amos C, Parmar MK. Efficacy of systematic pelvic lymphadenectomy in endometrial cancer（MRC ASTEC trial）：a randomized study. Lancet 2009；373：125-36
15) Benedetti Panici P, Basile S, Maneschi F, Alberto Lissoni A, Signorelli M, Scambia G, et al. Systematic pelvic lymphadenectomy vs. no lymphadenectomy in early-stage endometrial carcinoma：randomized clinical trial. J Natl Cancer Inst 2008；100：1707-16
16) Todo Y, Kato H, Kaneuchi M, Watari H, Takeda M, Sakuragi N. Survival effect of para-aortic lymphadenectomy in endometrial cancer（SEPAL study）：a retrospective cohort analysis. Lancet 2010；375：1165-72
17) Guo W, Cai J, Li M, Wang H, Shen Y. Survival benefits of pelvic lymphadenectomy versus pelvic and para-aortic lymphadenectomy in patients with endometrial cancer：a meta-analysis. Medicine（Baltimore）2018；97：e9520
18) Petousis S, Christidis P, Margioula-Siarkou C, Papanikolaou A, Dinas K, Mavromatidis G, et al. Combined pelvic and para-aortic is superior to only pelvic lymphadenectomy in intermediate and high-risk endometrial cancer：a systematic review and meta-analysis. Arch Gynecol Obstet 2020；302：249-63
19) 八重樫伸生．日本産科婦人科学会婦人科腫瘍委員会報告．第62回治療年報．日産婦誌 2021；73：717-95

20) 日本産科婦人科学会，日本病理学会 編．子宮体癌取扱い規約 病理編 第4版．金原出版，東京，2017
21) 日本産科婦人科学会，日本病理学会 編．子宮体癌取扱い規約 病理編 第5版．金原出版，東京，2022
22) Cancer Genome Atlas Research Network；Kandoth C, Schultz N, Cherniack AD, Akbani R, Liu Y, Shen H, et al. Integrated genomic characterization of endometrial carcinoma. Nature 2013；497：67-73
23) DeLair DF, Burke KA, Selenica P, Lim RS, Scott SN, Middha S, et al. The genetic landscape of endometrial clear cell carcinomas. J Pathol 2017；243：230-41
24) Rosa-Rosa JM, Leskelä S, Cristóbal-Lana E, Santón A, López-García MÁ, Muñoz G, et al. Molecular genetic heterogeneity in undifferentiated endometrial carcinomas. Mod Pathol 2016；29：1390-8
25) Espinosa I, Lee CH, D'Angelo E, Palacios J, Prat J. Undifferentiated and dedifferentiated endometrial carcinomas with POLE exonuclease domain mutations have a favorable prognosis. Am J Surg Pathol 2017；41：1121-8

CQ 01

初回手術療法として単純子宮全摘出術は勧められるか？

推奨

①腟や子宮傍組織に病変がないと推定される患者に対しては，単純子宮全摘出術（筋膜外術式）あるいは拡大単純子宮全摘出術を推奨する。

推奨の強さ　1（↑↑）　エビデンスレベル　B　合意率 100%（16/16 人）

②腟や子宮傍組織に病変があると推定される患者に対しては，完全切除を行うための準広汎あるいは広汎子宮全摘出術を提案する。

推奨の強さ　2（↑）　エビデンスレベル　C　合意率 100%（16/16 人）

▶▶ 目 的

初回治療として，完全切除可能と推定される子宮体癌患者に単純子宮全摘出術は妥当な術式であるかを検討する。

▶▶ 解 説

まず，術前推定Ⅰ期の子宮体癌症例に対する子宮摘出術式に関しては，筋膜外単純子宮全摘出術が基本とされているのが現状である。子宮体癌における広汎子宮全摘出術の意義を検討したレビューでは，単純子宮全摘出術でも予後良好なため，侵襲の大きい広汎子宮全摘出術は不要と結論付けられており[1]，実際に単純子宮全摘出術＋両側付属器摘出術を施行した術前推定Ⅰ期症例の5年生存率は90%をこえることが以前より報告されている[2,3]。術前推定Ⅰ期520例に対するPiver-Rutledge classⅠ（筋膜外単純子宮全摘出術相当）と classⅡ（拡大単純あるいは準広汎子宮全摘出術相当）を比較したRCTであるILIADE試験では，両群間に全生存率や無病生存率の差はなく，再発率も同等であったことから，拡大術式による治療成績の改善はないとしている。しかし，同試験の単純子宮全摘出術は腟壁を中央値で15 mm，子宮傍組織を中央値で5 mm 切除しているため，本邦の拡大単純または準広汎子宮全摘出術に相当する可能性がある[4]。

術式決定に際して，術後進行期との不一致は大きな考慮点である。術前推定Ⅰ期と診断しても術後進行期は15～20%の頻度で一致しないことを念頭に置いておく必要がある。子宮全摘出術式の決定において特に考慮すべきは子宮傍組織浸潤の問題である。術前推定進行期別の検討で，子宮傍組織浸潤の頻度はⅠ期で0～4%，Ⅱ期で6～14%，Ⅲ期で17～53%と報告されている[5-8]。

筋層浸潤の深さや腫瘍サイズなどの再発リスク因子を有する術前推定Ⅰ期症例に対しては拡大術式により予後が向上する可能性に言及した後方視的研究はみられるものの[9]，未だ十分

な根拠となる臨床試験は行われておらず,原則として筋膜外単純子宮全摘出術が推奨される。

　術前推定Ⅱ期症例に対する子宮摘出術式に関しては,後方視的研究によるエビデンスにとどまる。Ⅱ期に対して単純子宮全摘出術を行う海外施設では,本邦と異なり術後の放射線治療の追加が一般的[10]である点には留意する必要がある。Ⅱ期症例における単純子宮全摘出術に対する広汎子宮全摘出術の意義に関して,2018年までに発表された10論文のメタアナリシスの結果が報告されている[11]。それによると,両群間で全生存期間および無増悪生存期間ともに差はなく,術後放射線治療因子が調整された解析でも全生存期間の結果は一貫していた。同メタアナリシスにも含まれている本邦の報告(GOTIC-005試験)では,7施設で1995〜2009年に子宮全摘出術を施行された300例(広汎74例,準広汎112例,単純114例)が対象であった。追跡期間47カ月で局所再発までの期間,無病生存率および全生存率は全群において有意差はなく,広汎術式では合併症のリスクが増加するデメリットのみで,有用性はないと結論付けている[5]。同メタアナリシス以降に報告された,Ⅱ期子宮体癌(FIGO 2008)に関して米国NCDBを用いて準広汎子宮全摘出術相当以上の712例 vs. 単純子宮全摘出術5,955例を比較した検討でも,全生存期間に差はなかった[12]。術前推定Ⅱ期症例の術式決定に際しても,術後進行期との不一致は留意すべきである。術前評価として,子宮頸部の生検に加えてMRIが推奨される。頸部間質浸潤に関するMRIの正診率は感度69%,特異度96%,陽性的中率69%,陰性的中率95%で,特異度と陰性的中率に関して有用とした報告がある[13]。術前推定Ⅱ期症例における子宮傍組織浸潤の頻度は,前述のように10%前後と決して低くないことも十分に考慮すべきである。以上のように,術前推定Ⅱ期症例の子宮摘出術式としては,筋膜外単純〜拡大単純子宮全摘出術が中心として検討される。しかしながら,子宮頸部間質浸潤と子宮傍組織浸潤の術前診断の不確実性から,完全切除を行うための拡大術式(準広汎あるいは広汎子宮全摘出術)が選択されうる。同様に術前に腟や子宮傍組織に病変があると診断できる症例に関しては,十分な切除マージン確保を完遂するための拡大術式を選択すべきである。

　また,本邦のⅠ〜Ⅲ期子宮体癌1,335例(FIGO 2008,術後補助療法は化学療法のみ)を対象として準広汎子宮全摘出術353例 vs. 単純子宮全摘出術982例を比較した検討では,追跡期間51.8カ月で両群の局所再発率に有意差はなく,進行期別(Ⅰ期1,050例,Ⅱ期101例,Ⅲ期184例)の解析でも同様に局所再発率に差はなかったと報告されている[14]。

　なお,組織型によって子宮全摘出術の拡大術式が予後を改善するという報告はないことから,類内膜癌G3や特殊組織型についても上記の記載に従った子宮摘出術式の選択が勧められる。

　内視鏡手術の適応に関しては,CQ10を参照されたい。

▶ 参考文献

1) Rutledge F. The role of radical hysterectomy in adenocarcinoma of the endometrium. Gynecol Oncol 1974 ; 2 : 331-47(レビュー)【旧】
2) Carey MS, O'Connel GJ, Jonhanson CR, Goodyear MD, Murphy KJ, Daya DM, et al. Good outcome asso-

ciated with a standardized treatment protocol using selective postoperative radiation in patients with clinical stage I adenocarcinoma of the endometrium. Gynecol Oncol 1995 ; 57 : 138-44(ケースコントロール)【旧】
3) Belinson JL, Lee KR, Badger GJ, Pretorius RG, Jarrell MA. Clinical stage I adenocarcinoma of the endometrium : analysis of recurrences and the potential benefit of staging lymphadenectomy. Gynecol Oncol 1992 ; 44 : 17-23(ケースシリーズ)【旧】
4) Signorelli M, Lissoni AA, Cormio G, Katsaros D, Pellegrino A, Sevaggi L, et al. Modified radical hysterectomy versus extrafascial hysterectomy in the treatment of stage I endometrial cancer : results from the ILIADE randomized study. Ann Surg Oncol 2009 ; 16 : 3431-41(ランダム)【旧】
5) Takano M, Ochi H, Takei Y, Miyamoto M, Hasumi Y, Kaneta Y, et al. Surgery for endometrial cancers with suspected cervical involvement : is radical hysterectomy needed (a GOTIC study)? Br J Cancer 2013 ; 109 : 1760-5(ケースコントロール)【旧】
6) Yura Y, Tauchi K, Koshiyama M, Konishi I, Yura S, Mori T, et al. Parametrial involvement in endometrial carcinomas : its incidence and correlation with other histological parameters. Gynecol Oncol 1996 ; 63 : 114-9(ケースシリーズ)【旧】
7) Sato R, Jobo T, Kuramoto H. Parametrial spread is a prognostic factor in endometrial carcinoma. Eur J Gynaecol Oncol 2003 ; 24 : 241-5(ケースシリーズ)【旧】
8) Watanabe Y, Satou T, Nakai H, Etoh T, Dote K, Fujinami N, et al. Evaluation of parametrial spread in endometrial carcinoma. Obstet Gynecol 2010 ; 116 : 1027-34(ケースシリーズ)【旧】
9) Sun L, Sheng XG, Wei L, Gao F, Li X, Liu NF, et al. Which is the appropriate surgical procedure for stage I endometrial carcinoma? Eur J Gynaecol Oncol 2015 ; 36 : 637-42(ケースコントロール)【旧】
10) Concin N, Matias-Guiu X, Vergote I, Cibula D, Mirza MR, Marnitz S, et al. ESGO/ESTRO/ESP guidelines for the management of patients with endometrial carcinoma. Int J Gynecol Cancer 2021 ; 31 : 12-39(ガイドライン)【検】
11) Liu T, Tu H, Li Y, Liu Z, Liu G, Gu H. Impact of radical hysterectomy versus simple hysterectomy on survival of patients with stage 2 endometrial cancer : a meta-analysis. Ann Surg Oncol 2019 ; 26 : 2933-42(メタ)【検】
12) Nasioudis D, Sakamuri S, Ko EM, Haggerty AF, Giuntoli RL 2nd, Burger RA, et al. Radical hysterectomy is not associated with a survival benefit for patients with stage II endometrial carcinoma. Gynecol Oncol 2020 ; 157 : 335-9(ケースコントロール)【検】
13) Rockall AG, Meroni R, Sohaib SA, Reynolds K, Alexander-Sefre F, Shepherd JH, et al. Evaluation of endometrial carcinoma on magnetic resonance imaging. Int J Gynecol Cancer 2007 ; 17 : 188-96(横断)【旧】
14) Hasegawa T, Furugori M, Kubota K, Asai-Sato M, Yashiro-Kawano A, Kato H, et al. Does the extension of the type of hysterectomy contribute to the local control of endometrial cancer? Int J Clin Oncol 2019 ; 24 : 1129-36(ケースコントロール)【検】

CQ 02
術前に再発低リスク群と推定される患者に対して，骨盤リンパ節郭清の省略は勧められるか？

推奨

類内膜癌 G1, G2 で術前にⅠA期と推定される患者には，骨盤リンパ節郭清の省略を提案する。

推奨の強さ　2（↑）　　エビデンスレベル　C　　合意率91%（20/22人）

▶▶▶ 目 的

術前に再発低リスク群と推定される患者に対する骨盤リンパ節郭清の適応について検討する。

▶▶▶ 解 説

骨盤リンパ節郭清あるいは骨盤－傍大動脈リンパ節郭清は，リンパ節転移が術後再発の強い独立したリスク因子であり[1]，術後療法の要否に影響を与えることから，診断的意義は確立されており，正確な手術進行期決定に必要である。

一方，類内膜癌 G1, G2 で術前にⅠA期と推定される患者には，慎重な評価を行いリンパ節郭清の省略を提案できると考えられる。その理由として，これらの症例ではリンパ節転移の頻度は極めて低く，ステージング手術としてリンパ節郭清を行う意義は小さいからである。GOG33試験でリンパ節転移の頻度は，筋層浸潤 2/3 未満の G1 と G2 では 4%，G3 では 7%，筋層浸潤 2/3 以上の G1 と G2 では 17%，G3 では 34% と報告している[2]。また，G1 か G2 で筋層浸潤 1/2 未満かつ腫瘍径が 2 cm 以下の例や[3]，筋層浸潤のない例ではリンパ節転移は 1〜2% と低率であったことが報告されている[4,5]。また，リンパ節転移の独立したリスク因子として，上記のほか，脈管侵襲陽性が報告されている[6]。

2008 年以降，海外の 2 つのグループから骨盤リンパ節郭清の有無による予後の差異を検証する RCT の結果が報告され（ASTEC 試験：NCT00003749, PTC-CBM-15 試験：NCT00482300）[7,8]，骨盤リンパ節郭清の治療的意義は見出せなかった。ASTEC 試験は術前病期，組織型，リンパ節腫大の有無にかかわらずランダム化された 2 群間での解析であるが，サブグループ解析で術後再発低リスク症例において骨盤リンパ節郭清の予後改善への寄与は認められなかった。PTC-CBM-15 試験では，系統的骨盤リンパ節郭清が予後改善に寄与するかどうかが RCT として検証され，同様に骨盤リンパ節郭清の予後改善への寄与は認められなかった。この試験では筋層浸潤のないⅠA期類内膜癌 G1 は術中迅速診断で除外され，筋層浸潤 1/2 未満の症例と 1/2 以上の症例がほぼ同じ比率（38%，36%）で含まれる。Cochrane Library のメタアナリシス[9]では，上記の 2 つの RCT を解析し，骨盤リンパ節郭清について

診断的意義は確立しているが，全生存期間と無再発生存期間の延長に寄与するという確証はなく，治療的意義は確立していないとされている．さらに，リンパ節郭清を行うことにより，外科的侵襲に伴う障害，リンパ浮腫，リンパ嚢胞のリスクは明らかに増加するとしている．

骨盤リンパ節郭清を省略するためには，リンパ節転移リスクの低い症例を確実に術前診断するシステムの確立が望まれる．近年，リンパ節転移の低リスク群を抽出するための術前評価に関して，MRI 所見（筋層浸潤，頸部浸潤，リンパ節腫大，子宮外病変，volume index），CA125，組織学的異型度/組織型，Ki-67 染色率などの組み合わせが有用であるとの報告が散見される[10-14]．この中で，多施設 529 例を前方視的に解析した報告では，類内膜癌症例のうち MRI で深い筋層浸潤，腫大リンパ節，子宮外病変がなく，血中 CA125 値が 35 U/mL 未満の症例をリンパ節転移の低リスク群とし，その中で実際のリンパ節転移は 2.9%（陰性的中率 97%）と低率であったとされている[13]．このような術前評価システムを用いてリンパ節転移の低リスク群を術前に的確に抽出することで，リンパ節郭清を省略できる可能性がある．

一方で，2017 年の本邦における子宮体がん治療ガイドラインの検証論文[15]によると，再発低リスク群のみならず再発中・高リスク群においても郭清を省略している症例の割合が本邦で増加しており，安易に骨盤リンパ節郭清を省略している施設の増加が示唆された．今後は，本邦においても検討が進められているセンチネルリンパ節生検を日常臨床に導入することで，系統的な骨盤リンパ節郭清が省略可能な症例を的確に抽出することが期待される（CQ04 参照）．しかしながら，リンパ節転移の高リスク症例を確実に術前診断するシステムがない現状では，追加治療が必要な症例を適切に選別する意味でも，明らかにリンパ節転移の低リスク群と術前診断できない場合は，骨盤リンパ節郭清を提案すべきであろう．

▶ 参考文献

1) Kato T, Watari H, Endo D, Mitamura T, Odagiri T, Konno Y, et al. New revised FIGO 2008 staging system for endometrial cancer produces better discrimination in survival compared with the 1988 staging system. J Surg Oncol 2012 ; 106 : 938-41（コホート）【旧】
2) Creasman WT, Morrow CP, Bundy BN, Homesley HD, Graham JE, Heller PB. Surgical pathologic spread patterns of endometrial cancer. a Gynecologic Oncology Group study. Cancer 1987 ; 60 : 2035-41（横断）【旧】
3) Mariani A, Dowdy SC, Cliby WA, Gostout BS, Jones MB, Wilson TO, et al. Prospective assessment of lymphatic dissemination in endometrial cancer : a paradigm shift in surgical staging. Gynecol Oncol 2008 ; 109 : 11-8（横断）【旧】
4) Boronow RC, Morrow CP, Creasman WT, Disaia PJ, Silverberg SG, Miller A, et al. Surgical staging in endometrial cancer : clinical-pathologic findings of a prospective study. Obstet Gynecol 1984 ; 63 : 825-32（横断）【旧】
5) Chi DS, Barakat RR, Palayekar MJ, Levine DA, Sonoda Y, Alektiar K, et al. The incidence of pelvic lymph node metastasis by FIGO staging for patients with adequately surgically staged endometrial adenocarcinoma of endometrioid histology. Int J Gynecol Cancer 2008 ; 18 : 269-73（横断）【旧】
6) Gilani S, Anderson I, Fathallash L, Mazzara P. Factors predicting nodal metastasis in endometrial cancer. Arch Gynecol Obstet 2014 ; 290 : 1187-93（横断）【旧】
7) Kitchener H, Swart AM, Qian Q, Amos C, Parmar MK. Efficacy of systematic pelvic lymphadenectomy in endometrial cancer (MRC ASTEC trial) : a randomized study. Lancet 2009 ; 373 : 125-36（ランダム）【旧】

8) Benedetti Panici P, Basile S, Maneschi F, Alberto Lissoni A, Signorelli M, Scambia G, et al. Systematic pelvic lymphadenectomy vs. no lymphadenectomy in early-stage endometrial carcinoma : randomized clinical trial. J Natl Cancer Inst 2008 ; 100 : 1707-16(ランダム)【旧】
9) Frost JA, Webster KE, Bryant A, Morrison J. Lymphadenectomy for the management of endometrial cancer. Cochrane Database Syst Rev 2017 ;（10）: CD007585(メタ)【検】
10) Todo Y, Okamoto K, Hayashi M, Minobe S, Nomura E, Hareyama H, et al. A validation study of a scoring system to estimate the risk of lymph node metastasis for patients with endometrial cancer for tailoring the indication of lymphadenectomy. Gynecol Oncol 2007 ; 104 : 623-8(コホート)【旧】
11) Sadowski EA, Robbins JB, Guite K, Patel-Lippmann K, Munoz del Rio A, Kushner DM, et al. Preoperative pelvic MRI and serum Cancer Antigen-125 : selecting women with grade 1 endometrial cancer for lymphadenectomy. Am J Roentgenol 2015 ; 205 : W556-64(コホート)【旧】
12) Imai K, Kato H, Katayama K, Nakanishi K, Kawano A, Iura A, et al. A preoperative risk-scoring system to predict lymph node metastasis in endometrial cancer and stratify patients for lymphadenectomy. Gynecol Oncol 2016 ; 142 : 273-7(コホート)【委】
13) Kang S, Nam JH, Bae DS, Kim JW, Kim MH, Chen X, et al. Preoperative assessment of lymph node metastasis in endometrial cancer : a Korean Gynecologic Oncology Group study. Cancer 2017 ; 123 : 263-72(非ランダム)【旧】
14) Zhang Y, Zhao W, Chen Z, Zhao X, Ren P, Zhu M. Establishment and evaluation of a risk-scoring system for lymph node metastasis in early-stage endometrial carcinoma : achieving preoperative risk stratification. J Obstet Gynaecol Res 2020 ; 46 : 2305-13(コホート)【検】
15) Shigeta S, Nagase S, Mikami M, Ikeda M, Shida M, Sakaguchi I, et al. Assessing the effect of guideline introduction on clinical practice and outcome in patients with endometrial cancer in Japan : a project of the Japan Society of Gynecologic Oncology（JSGO）guideline evaluation committee. J Gynecol Oncol 2017 ; 28 : e76(コホート)【委】

CQ 03
術前に再発中・高リスク群と推定される患者に対して，骨盤リンパ節・傍大動脈リンパ節郭清は勧められるか？

推奨

①骨盤リンパ節郭清を施行することを推奨する。
　推奨の強さ　1（↑↑）　エビデンスレベル　B　合意率 100%（22/22人）

②骨盤リンパ節郭清に加えて腎静脈下までの傍大動脈リンパ節郭清を施行することを提案する。
　推奨の強さ　2（↑）　エビデンスレベル　C　合意率 82%（18/22人）

最終会議の論点
　推奨②に関して，作成委員コアメンバーの合意率は76%であった。傍大動脈リンパ節郭清が安易に省略される懸念がある一方で，JCOG1412試験の標準治療群は骨盤リンパ節郭清であり，傍大動脈リンパ節郭清の治療的意義についてはまだ不明であるとの意見もあった。

▶▶▶ 目　的

術前に再発中・高リスク群と推定される患者に対する骨盤リンパ節・傍大動脈リンパ節郭清の適応について検討する。

▶▶▶ 解　説

骨盤リンパ節および傍大動脈リンパ節転移は予後を左右する重要な因子であるため[1,2]，骨盤リンパ節および傍大動脈リンパ節郭清により正確な手術進行期および追加治療の要否を決定することは重要である。一方，再発中・高リスク症例は術後に薬物療法を追加することが推奨されており（CQ13参照），術前診断の段階で術後薬物療法が必須と判断される場合に，骨盤リンパ節および傍大動脈リンパ節郭清を必要とするか否か，さらには骨盤リンパ節および傍大動脈リンパ節郭清の治療的意義に関しては検討の余地が残されている。

米国における281例（類内膜癌G1またはG2で筋層浸潤1/2以下かつ腫瘍径2 cm以下を満たす低リスク群を含まない）の検討では，類内膜癌の16%，特殊組織型の40%にリンパ節転移を認めた[3]。これら転移陽性例の62%（全体の14%）に傍大動脈リンパ節転移がみられ，骨盤および傍大動脈リンパ節の両方に転移のあったものが46%（全体の10%），傍大動脈リンパ節にのみ転移がみられたものは16%（全体の4%）であった。

傍大動脈リンパ節転移の頻度に関しては，上記の骨盤リンパ節転移[4-6]をはじめとして筋層浸潤1/2以上で10〜33%[5,7,8]，子宮頸部浸潤陽性で18〜24%[5,6,8]，腹腔細胞診陽性で20〜30%[8,9]，類内膜癌G3で15〜50%[5,7,8,10]，リンパ管侵襲陽性で17〜32%[5,6,8]に転移がみられると報告され，それぞれ重要なリスク因子である。また，2個以上の骨盤リンパ節転移や

脈管侵襲を傍大動脈リンパ節転移のリスク因子とする報告がある[11]。傍大動脈リンパ節への単独転移が2～4％と低率であることを理由に[7,12]，骨盤リンパ節に転移がない場合に傍大動脈リンパ節郭清を省略できるかについては，未だコンセンサスが得られていない。

現在まで再発中・高リスク患者に対する骨盤リンパ節・傍大動脈リンパ節郭清の治療的意義に関して，RCTによるエビデンスは得られていない。本邦の671症例に対する比較的大規模な後方視的検討（SEPAL study）では，再発中・高リスク群では傍大動脈リンパ節郭清の追加が予後改善に寄与するとしている[2]。2018年の米国NCDBの7,250例の解析では，漿液性癌，明細胞癌，癌肉腫の症例において，骨盤リンパ節郭清は死亡リスクを減少させ，傍大動脈リンパ節郭清を追加することによりさらに死亡リスクを減少させたとしている[13]。また2019年のSEERデータを用いたⅢC期の3,650例の解析では，ⅢC1期，ⅢC2期ともに骨盤リンパ節郭清のみよりも傍大動脈リンパ節郭清まで施行することで予後が改善したと報告されている[14]。一方，NCDBの解析ではⅠ期の類内膜癌40,611例から統計学的にマッチングさせて解析し，すべての組織学的異型度において，骨盤リンパ節郭清は5年生存率を改善し，傍大動脈リンパ節郭清を加えることでさらに改善するが，傍大動脈リンパ節郭清を加える効果は少ないと報告している[15]。

骨盤リンパ節郭清に傍大動脈リンパ節郭清を追加した効果について，後方視的比較研究を用いたメタアナリシスの結果が報告されている。その中で，7論文を用いた解析では，1,456例の骨盤リンパ節郭清施行群と1,337例の骨盤および傍大動脈リンパ節郭清施行群を比較し，骨盤リンパ節郭清のみの群より骨盤および傍大動脈リンパ節郭清まで施行した群の方が全生存率・無増悪生存率ともに有意に良好であったとしている[16]。さらに再発リスク別のサブグループ解析では，再発中・高リスク症例で骨盤および傍大動脈リンパ節郭清まで施行した群の方が，骨盤リンパ節郭清のみの群より全生存率が改善していた。さらに近年，再発中・高リスク症例に対し傍大動脈リンパ節郭清の予後改善効果を検討した13論文からの7,349例のメタアナリシスの結果が示され，骨盤リンパ節郭清に加えて傍大動脈リンパ節郭清を施行した群が，骨盤リンパ節郭清のみの群よりも有意に5年生存率および5年無病生存率が良好であったと報告している[17]。

傍大動脈リンパ節転移陽性例のうち77％が下腸間膜動脈レベルより上に存在し，46％の例では下腸間膜動脈より下には転移がなかったと報告され[3]，近年のメタアナリシスでも腎静脈下までの系統的郭清が予後に寄与することが示され[16]，摘出リンパ節数が予後に寄与する可能性も報告されている[13,18]ことから，リンパ節郭清を行う場合には摘出範囲やその徹底度など郭清の質を担保して行うべきである。

このように，再発中・高リスク群に対する骨盤リンパ節郭清，さらには傍大動脈リンパ節郭清の治療的意義が後方視的研究から示されている。子宮体癌における領域リンパ節は骨盤リンパ節群のみならず，傍大動脈リンパ節群が解剖学的に含まれること，骨盤リンパ節転移陽性例ではそのおよそ半数に傍大動脈リンパ節転移が陽性であることから，傍大動脈リンパ節郭清を安易に省略するべきではないと考えられる。

骨盤リンパ節郭清および傍大動脈リンパ節郭清の治療的意義に関して，現在2つのRCTが進行中である。日本臨床腫瘍研究グループ（JCOG）で行われている第Ⅲ相試験（JCOG1412，SEPAL-P3試験）[19]ではⅠB期〜ⅢC1期の一部の症例を対象に傍大動脈リンパ節郭清の治療的意義について，また，ドイツを拠点に行われているEndometrial Cancer Lymphadenectomy Trial（ECLAT. AGO-OP.6）ではⅠ/Ⅱ期の再発高リスク症例に対する骨盤リンパ節郭清および傍大動脈リンパ節郭清の治療的意義について検証されており[20]，その結果が待たれるところである。

▶ 参考文献

1) Kato T, Watari H, Endo D, Mitamura T, Odagiri T, Konno Y, et al. New revised FIGO 2008 staging system for endometrial cancer produces better discrimination in survival compared with the 1988 staging system. J Surg Oncol 2012 ; 106 : 938-41（コホート）【旧】
2) Todo Y, Kato H, Kaneuchi M, Watari H, Takeda M, Sakuragi N. Survival effect of para-aortic lymphadenectomy in endometrial cancer (SEPAL study) : a retrospective cohort analysis. Lancet 2010 ; 375 : 1165-72（コホート）【旧】
3) Mariani A, Dowdy SC, Cliby WA, Gostout BS, Jones MB, Wilson TO, et al. Prospective assessment of lymphatic dissemination in endometrial cancer : a paradigm shift in surgical staging. Gynecol Oncol 2008 ; 109 : 11-8（横断）【旧】
4) Faught W, Krepart GV, Lotocki R, Heywood M. Should selective paraaortic lymphadenectomy be part of surgical staging for endometrial cancer? Gynecol Oncol 1994 ; 55 : 51-5（横断）【旧】
5) Hirahatake K, Hareyama H, Sakuragi N, Nishiya M, Makinoda S, Fujimoto S. A clinical and pathologic study on para-aortic lymph node metastasis in endometrial carcinoma. J Surg Oncol 1997 ; 65 : 82-7（横断）【旧】
6) Solmaz U, Mat E, Dereli ML, Turan V, Tosun G, Dogan A, et al. Lymphovascular space invasion and positive pelvic lymph nodes are independent risk factors for para-aortic nodal metastasis in endometroid endometrial cancer. Eur J Obstet Gynecol Reprod Biol 2015 ; 186 : 63-7（横断）【旧】
7) Ayhan A, Tuncer R, Tuncer ZS, Yüce K, Küçükali T. Correlation between clinical and histopathologic risk factors and lymph node metastases in early endometrial cancer(a multivariate analysis of 183 cases). Int J Gynecol Cancer 1994 ; 4 : 306-9（横断）【旧】
8) Gilani S, Anderson I, Fathallah L, Mazzara P. Factors predicting nodal metastasis in endometrial cancer. Arch Gynecol Obstet 2014 ; 290 : 1187-93（横断）【旧】
9) Creasman WT, Morrow CP, Bundy BN, Homesley HD, Graham JE, Heller PB. Surgical pathologic spread patterns of endometrial cancer : a Gynecologic Oncology Group study. Cancer 1987 ; 60 : 2035-41（横断）【旧】
10) Todo Y, Okamoto K, Hayashi M, Minobe S, Nomura E, Hareyama H, et al. A validation study of a scoring system to estimate the risk of lymph node metastasis for patients with endometrial cancer for tailoring the indication of lymphadenectomy. Gynecol Oncol 2007 ; 104 : 623-8（コホート）【旧】
11) Altay A, Toptas T, Dogan S, Simsek T, Pestereli E. Analysis of metastatic regional lymph node locations and predictors of para-aortic lymph node involvement in endometrial cancer patients at risk for lymphatic dissemination. Int J Gynecol Cancer 2015 ; 25 : 657-64（横断）【旧】
12) Baiocchi G, Faloppa CC, Mantoan H, Camarço WR, Badiglian-Filho L, Kumagai LY, et al. Para-aortic lymphadenectomy can be omitted in most endometrial cancer patients at risk of lymph node metastasis. J Surg Oncol 2017 ; 116 ; 220-6（横断）【検】
13) Venigalla S, Chowdhry AK, Shalowitz DI. Survival implications of staging lymphadenectomy for non-endometrioid endometrial cancers. Gynecol Oncol 2018 ; 149 : 531-8（コホート）【検】
14) Cosgrove CM, Cohn DE, Rhoades J, Felix AS. The prognostic significance of aortic lymph node metas-

tasis in endometrial cancer : potential implications for selective aortic lymph node assessment. Gynecol Oncol 2019 ; 153 : 505-10(コホート)【検】
15) Seagle BL, Kocherginsky M, Shahabi S. Association of pelvic and para-aortic lymphadenectomy with survival in stage I endometrioid endometrial cancer : matched cohort analyses from the National Cancer Database. JCO Clin Cancer Inform 2017 ; 1 : 1-14(コホート)【検】
16) Guo W, Cai J, Li M, Wang H, Shen Y. Survival benefits of pelvic lymphadenectomy versus pelvic and para-aortic lymphadenectomy in patients with endometrial cancer : a meta-analysis. Medicine (Baltimore) 2018 ; 97 : e9520(メタ)【検】
17) Petousis S, Christidis P, Margioula-Siarkou C, Papanikolaou A, Dinas K, Mavromatidis G, et al. Combined pelvic and para-aortic is superior to only pelvic lymphadenectomy in intermediate and high-risk endometrial cancer : a systematic review and meta-analysis. Arch Gynecol Obstet 2020 ; 302 : 249-63(メタ)【検】
18) Seagle BL, Gilchrist-Scott D, Graves S, Strohl AE, Nieves-Neira W, Shahabi S. Association of lymph node count and overall survival in node-negative endometrial cancers. JCO Clin Cancer Inform 2017 ; 1 : 10(コホート)【委】
19) Watari H, Katayama H, Shibata T, Ushijima K, Satoh T, Onda T, et al. Phase III trial to confirm the superiority of pelvic and para-aortic lymphadenectomy to pelvic lymphadenectomy alone for endometrial cancer : Japan Clinical Oncology Group study 1412 (SEPAL-P3). Jpn J Clin Oncol 2017 ; 47 : 986-90(ランダム)【検】
20) Emons G, Kim JW, Weide K, de Gregorio N, Wimberger P, Trillsch F, et al. Endometrial cancer lymphadenectomy trial (ECLAT) (pelvic and para-aortic lymphadenectomy in patients with stage I or II endometrial cancer with high risk of recurrence ; AGO-OP.6). Int J Gynecol Cancer 2021 ; 31 : 1075-9(ランダム)【検】

CQ 04
センチネルリンパ節転移陰性の患者において，リンパ節郭清の省略は可能か？

推奨

センチネルリンパ節生検の手技に習熟し，病理医による術中診断の協力体制が整った施設においては，臨床試験としてリンパ節郭清の省略を提案する。

推奨の強さ　2(↑)　　エビデンスレベル　B　　合意率91%（20/22人）

明日への提言

　センチネルリンパ節転移陰性の患者に対する系統的リンパ節郭清の省略は，バックアップ郭清とともにセンチネルリンパ節生検を十分に行って安全性を確認した施設が，臨床試験としての倫理審査を受けた上で行うべきである。近年，日本婦人科腫瘍学会ではセンチネルリンパ節関連委員会を設置し，他学会とともにトレーサーの公知申請およびセンチネルリンパ節の術中生検の保険収載に向けて準備してきた。今後，保険収載されるまでは臨床試験として，センチネルリンパ節生検の安全性や有用性をエンドポイントとしてデータを集積していくことが必要である。

▶▶ 目　的

　センチネルリンパ節転移陰性の患者において，リンパ節郭清の省略が推奨されるか否かを検討する。

▶▶ 解　説

　センチネルリンパ節を同定するトレーサーの種類には，パテントブルーなどを用いる色素法[1]，^{99m}テクネチウムなどを用いるRI法[2]，インドシアニングリーン（ICG）による蛍光法[3]があり，多施設の前方視的検討（SENTI-ENDO試験：NCT00987051）では併用法の方がより高い検出率が得られ，有用であると報告された[4]。多施設の前方視的検討（FIRES試験：NCT01673022）ではロボット手術時のICGによるセンチネルリンパ節生検の有用性が報告され[5]，国内の実態調査でも63%（25/40施設）でICGが使用され，トレーサーとしてのICG使用が普及されつつある[6]。

　トレーサーをどの部位に投与するかは議論のあるところである。これまでに子宮鏡下に子宮内腔の粘膜下に投与する方法，直視下（または腹腔鏡下）に子宮漿膜下筋層に投与する方法[2]，直視下（経腟的）に子宮頸部に投与する方法などが報告されている[7]。55の研究を対象としたメタアナリシスでは投与方法による検出率の違いについても検討しているが，子宮体部への投与に比べ子宮頸部へのトレーサー投与は，骨盤領域のセンチネルリンパ節検出率と両側検出率が有意に上昇する一方，傍大動脈領域のセンチネルリンパ節の検出率は有意に低下した[8]。一方で，子宮鏡下でのトレーサー投与では傍大動脈リンパ節の検出率，感度，陰

性的中率ともに100％であり[9]，子宮頸部からの投与とのRCTでも統計学的有意差はないものの子宮鏡下からの投与が傍大動脈リンパ節領域の検出に優れていた[10]。しかしながら，NCCNガイドライン2022年版ではトレーサーの投与部位は子宮頸部とされており，簡便で再現性に優れている点が長所であるが，傍大動脈リンパ節領域の検出には適当とは考えられず，骨盤内のセンチネルリンパ節検出に限定した投与方法と考えるべきである。また，子宮頸部の表層（1～3 mm）への注射と深部（1～2 cm）への注射を組み合わせることで，頸部および体部におけるリンパ経路の起始部の主要な層にトレーサーを送達するとされている[11]。

　センチネルリンパ節生検は子宮に限局した低異型度組織型で行われることが一般的であるが，高異型度組織型に対しても許容されつつある。I期の高異型度組織型（類内膜癌G3，漿液性癌，明細胞癌，癌肉腫など）において9つの研究429症例のメタアナリシスでは，センチネルリンパ節同定の感度92％，偽陰性率8％，陰性的中率97％であり，低異型度同様にセンチネル検査は可能としている[12]。

　センチネルリンパ節生検により，リンパ節転移の詳細な検索（ultrastaging）が可能となり，リンパ節転移の発見率が上昇することが期待され[13]，転移サイズにより2 mm以上のMAC，0.2～2 mmのMIC，0.2 mm以下のITCに分類される。ITCとMICに関して8つの研究286症例（MIC 187例，ITC 99例）でのメタアナリシスにおいて再発のRRは1.34（MIC 1.07，ITC 1.67）と，リンパ節転移陰性例に対して再発率が高いことが報告されている[14]。また，リンパ節転移の分子生物学的診断法としてOSNA法を用いた報告もされている[15,16]。

　センチネルリンパ節生検と系統的リンパ節郭清を比較した報告では，15の研究5,820症例（センチネル生検2,152例，リンパ節郭清3,668例）のメタアナリシスにおいてセンチネルリンパ節生検は系統的リンパ節郭清に対して骨盤リンパ節転移陽性例を有意に検出し，術中出血量も有意に低下させ，2群間で全生存率や無再発生存率も差がないと報告されている[17]。同様に6つの研究3,536症例（センチネル生検1,249例，リンパ節郭清2,287例）でも，全生存率およびリンパ節領域の再発において2群間に差はないとされている[18]。今後はENDO-3試験[19]，SNEC試験[20]など進行中の多施設共同RCTの結果が待たれるところである。現在，トレーサーに関して子宮体癌に保険適用があるものはなく，保険収載されるまでは臨床試験として，センチネルリンパ節生検の安全性や有用性および術中病理学的診断法などに関するデータを集積していくことが必要である。

▶参考文献

1) Altgassen C, Pagenstecher J, Hornung D, Diedrich K, Hornemann A. A new approach to label sentinel nodes in endometrial cancer. Gynecol Oncol 2007 ; 105 : 457-61（ケースコントロール）【旧】
2) Niikura H, Okamura C, Utsunomiya H, Yoshinaga K, Akahira J, Ito K, et al. Sentinel lymph node detection in patients with endometrial cancer. Gynecol Oncol 2004 ; 92 : 669-74（ケースコントロール）【旧】
3) Ruscito I, Gasparri ML, Braicu EI, Bellati F, Raio L, Sehouli J, et al. Sentinel node mapping in cervical and endometrial cancer : indocyanine green versus other conventional dyes : a meta-analysis. Ann Surg Oncol 2016 ; 23 : 3749-56（ケースコントロール）【旧】
4) Ballester M, Dubernard G, Lécuru F, Heitz D, Mathevet P, Marret H, et al. Detection rate and diagnos-

tic accuracy of sentinel-node biopsy in early stage endometrial cancer : a prospective multicentre study(SENTI-ENDO). Lancet Oncol 2011 ; 12 : 468-76(ケースコントロール)【旧】

5) Rossi EC, Kowalski LD, Scalici J, Cantrell L, Schuler K, Hanna RK, et al. A comparison of sentinel lymph node biopsy to lymphadenectomy for endometrial cancer staging (FIRES TRIAL) : multicentre, prospective, cohort study. Lancet Oncol 2017 ; 18 : 384-92(コホート)【旧】

6) Togami S, Kobayashi H, Niikura H, Shimada M, Susumu N, Tanaka T, et al. Survey of the clinical practice pattern of using sentinel lymph node biopsy in patients with gynecological cancers in Japan : the Japan Society of Gynecologic Oncology study. Int J Clin Oncol 2021 ; 26 : 971-9(レビュー)【検】

7) Niikura H, Kaiho-Sakuma M, Tokunaga H, Toyoshima M, Utsunomiya H, Nagase S, et al. Tracer injection sites and combinations for sentinel lymph node detection in patients with endometrial cancer. Gynecol Oncol 2013 ; 131 : 299-303(ケースコントロール)【旧】

8) Bodurtha Smith AJ, Fader AN, Tanner EJ. Sentinel lymph node assessment in endometrial cancer : a systematic review and meta-analysis. Am J Obstet Gynecol 2017 ; 216 : 459-76(メタ)【旧】

9) Kataoka F, Susumu N, Yamagami W, Kuwahata M, Takigawa A, Nomura H, et al. The importance of para-aortic lymph nodes in sentinel lymph node mapping for endometrial cancer by using hysteroscopic radio-isotope tracer injection combined with subserosal dye injection : prospective study. Gynecol Oncol 2016 ; 140 : 400-4(ケースコントロール)【旧】

10) Ditto A, Casarin I, Pinelli C, Perrone AM, Scollo P, Martinelli F, et al. Hysteroscopic versus cervical injection for sentinel node detection in endometrial cancer : a multicenter prospective randomised controlled trial from the Multicenter Italian Trials in Ovarian cancer (MITO) study group. Eur J Cancer 2020 ; 140 : 1-10(ランダム)【検】

11) Uterine Neoplasms (Version 1. 2022) NCCN Clinical Practice Guidelines in Oncology
http://www.nccn.org/professionals/physician_gls/f_guidelines.asp(ガイドライン)【委】

12) Marchocki Z, Cusimano MC, Clarfield L, Kim SR, Fazelzad R, Espin-Garcia O, et al. Sentinel lymph node biopsy in high-grade endometrial cancer : a systematic review and meta-analysis of performance characteristics. Am J Obstet Gynecol 2021 ; 225 : 367.e1-367.e39(メタ)【検】

13) Kim CH, Soslow RA, Park KJ, Barber EL, Khoury-Collado F, Barlin JN, et al. Pathologic ultrastaging improves micrometastasis detection in sentinel lymph nodes during endometrial cancer staging. Int J Gynecol Cancer 2013 ; 23 : 964-70(ケースコントロール)【旧】

14) Gómez-Hidalgo NR, Ramirez PT, Ngo B, Pérez-Hoyos S, Coreas N, Sanchez-Iglesias JL, et al. Oncologic impact of micrometastases or isolated tumor cells in sentinel lymph nodes of patients with endometrial cancer : a meta-analysis. Clin Transl Oncol 2020 ; 22 : 1272-9(メタ)【検】

15) Nagai T, Niikura H, Okamoto S, Nakabayashi K, Matoda M, Utsunomiya H, et al. A new diagnostic method for rapid detection of lymph node metastases using a one-step nucleic acid amplification (OSNA) assay in endometrial cancer. Ann Surg Oncol 2015 ; 22 : 980-6(ケースコントロール)【旧】

16) Monterossi G, Buca D, Dinoi G, La Fera E, Zannoni GF, Spadola S, et al. Intra-operative assessment of sentinel lymph node status by one-step nucleic acid amplification assay(OSNA) in early endometrial cancer : a prospective study. Int J Gynecol Cancer 2019 ; 29 : 1016-20(ケースコントロール)【検】

17) Gu Y, Cheng H, Zong L, Kong Y, Xiang Y. Operative and oncological outcomes comparing sentinel node mapping and systematic lymphadenectomy in endometrial cancer staging : meta-analysis with trial sequential analysis. Front Oncol 2021 ; 10 : 580128(メタ)【検】

18) Bogani G, Murgia F, Ditto A, Raspagliesi F. Sentinel node mapping vs. lymphadenectomy in endometrial cancer : a systematic review and meta-analysis. Gynecol Oncol 2019 ; 153 : 676-83(メタ)【検】

19) Obermair A, Nicklin J, Gebski V, Hayes SC, Graves N, Mileshkin L, et al. A phase III randomized clinical trial comparing sentinel node biopsy with no retroperitoneal node dissection in apparent early-stage endometrial cancer-ENDO-3 : ANZGOG trial 1911/2020. Int J Gynecol Cancer 2021 ; 31 : 1595-601(ランダム)【検】

20) Guan J, Xue Y, Zang RY, Liu JH, Zhu JQ, Zheng Y, et al. Sentinel lymph node mapping versus systematic pelvic lymphadenectomy on the prognosis for patients with intermediate-high-risk Endometrial Cancer confined to the uterus before surgery : trial protocol for a non-inferiority randomized controlled trial (SNEC trial). J Gynecol Oncol 2021 ; 32 : e60(ランダム)【検】

CQ 05
肉眼的に大網転移を認めない患者に対して，大網切除術は勧められるか？

推奨

特殊組織型または類内膜癌 G3 と考えられる場合あるいは術中に子宮外病変を認める場合には，ステージング手術手技として大網切除術を提案する。

推奨の強さ　2(↑)　　エビデンスレベル　C　　合意率 81%（13/16 人）

> **最終会議の論点**
> 当初は推奨文に「深い筋層浸潤」や「腹腔細胞診陽性」の文言が入っていたが，合意率は 38% であった。「腹腔細胞診陽性」に関しては解説内に記載がなく，また推奨と解説の内容の一部が一致しないとの意見があり，修正した結果，合意率 81% となった。

▶▶ 目　的

肉眼的に大網転移を認めない子宮体癌患者に対する大網切除術の診断的・治療的意義と適応について検討する。

▶▶ 解　説

病理組織学的に大網転移が確認された場合は手術進行期ⅣB期となり，術後の治療法を選択する上で重要な情報となる。正確な手術進行期決定のためには，全例で慎重な大網の術中検索を行うべきであるが，surgical staging における大網切除術の意義に関しては以前より多くの後方視的検討・報告がなされている。

肉眼的に大網転移を認めないⅠ期が推定される症例において，顕微鏡的大網転移の頻度およびリスク因子を明らかにする目的で，2014 年までに発表された 10 論文[1-10]のメタアナリシスの結果が報告されている[11]。それによると，1,163 例中 22 例（1.9%）に顕微鏡的大網転移を認め，すべての大網転移例に占める割合は 27% であった。リンパ節転移陽性，付属器転移陽性，虫垂播種（インプラント）が顕微鏡的な大網転移と強く関連していたことから，これらのリスク因子を有する例には大網切除術が推奨されるとしている。深い筋層浸潤，腹腔細胞診陽性，類内膜癌 G3 については顕微鏡的大網転移との関連は認めるものの，有意な因子とはならなかった。これらの因子を有する症例に対しては個別に大網切除術の適応を検討する必要があろう。一般的に類内膜癌よりも生物学的悪性度が高い特殊組織型（漿液性癌，明細胞癌等）では大網転移の頻度も高い傾向[12]にあるため大網切除術が考慮される一方で，画像および臨床的に大網転移を疑わない 39 例の漿液性癌の症例においては，1 例も大網転移を認めなかったとする報告もある[13]。

治療的意義に関しては，これまでに大網切除術が単独で予後を改善させるという明らかな

エビデンスはない。臨床的Ⅰ期の特殊組織型（漿液性癌，明細胞癌，癌肉腫）や類内膜癌G3症例において大網切除術を施行した4,951例と未施行2,799例との比較で全生存率に有意差を認めなかったとの報告がある[14]。

NCCNガイドライン2022年版[15]では，漿液性癌，明細胞癌，癌肉腫症例に対して大網生検が推奨されている。一方で，ESGO/ESTRO/ESPガイドライン2021[16]では，漿液性癌，癌肉腫，未分化癌に対しては大網切除術が推奨されるが，明細胞癌は類内膜癌と同様に推奨とはされていない。大網切除術を伴う手術を行った非類内膜癌218例のうち，オカルトおよび視触診でも確認できた大網転移率は，漿液性癌（8.2%，9.2%），癌肉腫（10%，10%），明細胞癌（2.0%，8.0%）という結果であり，明細胞癌ではオカルトな転移率が低かったという報告がある[17]。また，術前診断で類内膜癌と診断され，最終病理診断で漿液性癌と診断された52例の検討で，大網切除術を施行した30例のうち大網転移を認めたのは3例であり，大網切除術の有無で予後に有意な差異を認めなかったことから，最終病理診断で漿液性癌と判明した場合でも大網切除術を追加する意義は少ないとする報告がある[18]。

大網の検索方法については，肉眼的に大網に異常所見を認めない顕微鏡的転移陽性44例の婦人科腫瘍症例（子宮体癌16例，卵巣癌21例，境界悪性卵巣腫瘍7例）において，顕微鏡的転移陽性を診断するために必要な切り出し断面数について検討した結果が報告されている。その診断感度について，5個では82%，10個で95%であったことから[19]，大網転移の顕微鏡的検索を行う場合には十分な吟味が必要である。施設事情を鑑みた実行可能な切り出し方法によって検索を行うことが望まれる。

以上の結果をまとめると，肉眼的に大網転移を疑わない患者に対して，肉眼的な子宮外病変（付属器転移，リンパ節転移，腹膜播種病変）の存在，転移・再発リスクの高い特殊組織型（漿液性癌，明細胞癌，癌肉腫，未分化癌）や類内膜癌G3と考えられる場合には，大網切除術を行うことが考慮される。しかしながら，大網切除術を子宮体癌のsurgical stagingにルーチンに組み入れるべきかについては議論の余地があると考えられる。

▶ 参考文献

1) Freij M, Burbos N, Mukhopadhyay D, Lonsdale R, Crocker S, Nieto J. The role of omental biopsy in endometrial cancer staging. Gynecol Surg 2009 ; 6 : 251-3（ケースシリーズ）【旧】
2) Fujiwara H, Saga Y, Takahashi K, Ohwada M, Enomoto A, Konno R, et al. Omental metastases in clinical stage I endometrioid adenocarcinoma. Int J Gynecol Cancer 2008 ; 18 : 165-7（コホート）【旧】
3) Dilek S, Dilek U, Dede M, Deveci MS, Yenen MC. The role of omentectomy and appendectomy during the surgical staging of clinical stage I endometrial cancer. Int J Gynecol Cancer 2006 ; 16 : 795-8（ケースシリーズ）【旧】
4) Metindir J, Dilek GB. The role of omentectomy during the surgical staging in patients with clinical stage I endometrioid adenocarcinoma. J Cancer Res Clin Oncol 2008 ; 134 : 1067-70（ケースシリーズ）【旧】
5) Chen SS, Spiegel G. Stage I endometrial carcinoma. Role of omental biopsy and omentectomy. J Reprod Med 1991 ; 36 : 627-9（ケースシリーズ）【旧】
6) Gehrig PA, Van Le L, Fowler WC Jr. The role of omentectomy during the surgical staging of uterine

serous carcinoma. Int J Gynecol Cancer 2003 ; 13 : 212-5（ケースシリーズ）【旧】
7) Marino BD, Burke TW, Tornos C, Chuang L, Mitchell MF, Toltolero-Luna G, et al. Staging laparotomy for endometrial carcinoma : assessment of peritoneal spread. Gynecol Oncol 1995 ; 56 : 34-8（ケースシリーズ）【旧】
8) Nieto JJ, Gornall R, Toms E, Clarkson S, Hogston P, Woolas RP. Influence of omental biopsy on adjuvant treatment field in clinical stage I endometrial carcinoma. BJOG 2002 ; 109 : 576-8（ケースシリーズ）【旧】
9) Saygili U, Kavaz S, Altunyurt S, Uslu T, Koyuncuoglu M, Erten O. Omentectomy, peritoneal biopsy and appendectomy in patients with clinical stage I endometrial carcinoma. Int J Gynecol Cancer 2001 ; 11 : 471-4（ケースシリーズ）【旧】
10) Usubutun A, Ozseker HS, Himmetoglu C, Balci S, Ayhan A. Omentectomy for gynecologic cancer : how much sampling is adequate for microscopic examination? Arch Pathol Lab Med 2007 ; 131 : 1578-81（ケースシリーズ）【旧】
11) Joo WD, Schwartz PE, Rutherford TJ, Seong SJ, Ku J, Park H, et al. Microscopic omental metastasis in clinical stage I endometrial cancer : a meta-analysis. Ann Surg Oncol 2015 ; 22 : 3695-700（メタ）【旧】
12) Sakai K, Yamagami W, Susumu N, Nomura H, Kataoka F, Banno K, et al. Pathological factors associated with omental metastases in endometrial cancer. Eur J Gynaecol Oncol 2015 ; 36 : 397-401（ケースシリーズ）【委】
13) Touhami O, Trinh XB, Gregoire J, Sebastianelli A, Renaud MC, Grondin K, et al. Is a more comprehensive surgery necessary in patients with uterine serous carcinoma? Int J Gynecol Cancer 2015 ; 25 : 1266-70（ケースシリーズ）【旧】
14) Nasioudis D, Heyward Q, Gysler S, Giuntoli RL, Cory L, Kim S, et al. Is there a benefit of performing an omentectomy for clinical stage I high-grade endometrial carcinoma? Surg Oncol 2021 ; 37 : 101534（ケースコントロール）【検】
15) Uterine Neoplasms（Version 1. 2022）NCCN Clinical Practice Guidelines in Oncology
http://www.nccn.org/professionals/physician_gls/f_guidelines.asp（ガイドライン）【委】
16) Concin N, Matias-Guiu X, Vergote I, Cibula D, Mirza MR, Marnitz S, et al. ESGO/ESTRO/ESP guidelines for the management of patients with endometrial carcinoma. Int J Gynecol Cancer 2021 ; 31 : 12-39（ガイドライン）【検】
17) Kaban A, Topuz S, Erdem B, Sozen H, Numanoğlu C, Salihoğlu Y. Is omentectomy necessary for non-endometrioid endometrial cancer? Gynecol Obstet Invest 2018 ; 83 : 482-86（ケースシリーズ）【検】
18) Peled Y, Aviram A, Krissi H, Gershoni A, Sabah G, Levavi H, et al. Uterine papillary serous carcinoma pre-operatively diagnosed as endometrioid carcinoma : is omentectomy necessary? Aust N Z J Obstet Gynecol 2015 ; 55 : 498-502（ケースコントロール）【旧】
19) Skala SL, Hagemann IS. Optimal sampling of grossly normal omentum in staging of gynecologic malignancies. Int J Gynecol Pathol 2015 ; 34 : 281-7（横断）【旧】

CQ 06

Systematic Review

術前に I・II 期と推定され，肉眼的に卵巣転移を認めない患者に対して，卵巣温存は勧められるか？

推奨

①初回治療において原則として卵巣温存をしないことを推奨する。
　推奨の強さ　1(↓↓)　　エビデンスレベル　A　　合意率 86%（19/22 人）

②類内膜癌 G1 で術前に I A 期と推定される若年患者で卵巣温存の強い希望がある場合には，危険性を十分に説明した上で温存を提案する。
　推奨の強さ　2(↑)　　エビデンスレベル　C　　合意率 95%（20/21 人）

最終会議の論点

推奨②は当初，「I 期，類内膜癌 G1 で筋層浸潤の浅い若年患者には，卵巣温存に伴う危険性を十分に説明した上で温存を提案する。推奨の強さ 2(↑)，エビデンスレベル C」で，作成委員コアメンバーの合意率が 71% であった。付属器切除が原則であること，卵巣温存の希望がない患者にも提案するのか？などの意見があり，修正した結果，合意率 95% となった。

▶▶ 明日への提言

今回のシステマティックレビューでは卵巣温存が予後に影響しないと結論付けたが，外科的閉経に伴う問題点については解析ができていない。また，長期的な予後に差がある可能性は否定できず，今後のさらなる検討が期待される。

▶▶ 目　的

子宮体癌症例における卵巣温存の問題点と温存の適応について，システマティックレビューを行うことにより検討する。

▶▶ 解　説

術前に I・II 期と推定された症例の卵巣転移率は，それぞれ 5%[1]，17〜20%[2-4] と報告され，臨床的に無視できない頻度である。そのため進行期にかかわらず一般に両側付属器摘出術が選択されているが，早期癌におけるこの治療的意義を前方視的に検討した報告はみられない。そこで，肉眼的に卵巣転移を認めない患者に対して卵巣温存が勧められるか，システマティックレビューを実施し，I 期を主とした 6 本の後方視的研究について検討した。そのうち死亡と再発に関するアウトカムについて検討可能な 4 本の論文を用いてシステマティックレビューを行ったところ，卵巣温存群と両側付属器摘出群では死亡，再発いずれにおいても有意な差を認めなかった[4-7]。

卵巣を温存する場合に問題となるのは，卵巣への転移の危険性，卵巣癌重複の危険性などである。若年患者も増加しつつある今日，両側付属器摘出術後の卵巣欠落症状に加え，心血管疾患，骨粗鬆症などの病態が若年から生じうることを鑑みると，若年患者における卵巣温

存の可否は一つの大きな問題である。しかし，子宮体癌においてアウトカムを卵巣欠落症状とした卵巣温存の意義を検討した報告はない。

　卵巣転移は1/2以上の筋層浸潤，骨盤リンパ節転移，類内膜癌G3，類内膜癌以外の組織型，リンパ管・脈管侵襲，頸部への腫瘍浸潤がある際にリスクが高いという報告があり，両側付属器摘出術の施行が考慮されるべきである[8]。なお，卵巣温存が問題となる若年症例における卵巣転移については，45歳以下と46歳以上の2群で差がないと報告されている[9,10]。米国SEERのデータベースを用いて，45歳以下の手術進行期Ⅰ期子宮体癌3,269例を後方視的に検討した報告が発表された[4]。それによると，卵巣温存群と摘出群で生存率に有意差がないこと，最も予後に影響する因子は組織学的異型度と筋層浸潤であることが示された。同じくSEERデータベースを用いて40歳以下の筋層浸潤のない類内膜癌G1症例489例に対象を絞って解析した結果，子宮摘出時の卵巣温存の有無にかかわらず，いずれも癌関連死亡例は認められなかった[11]。韓国の多施設による後方視的検討では[12]，卵巣を温存した子宮体癌症例175例において，中央値55カ月の観察期間で5年無再発生存率は94％，5年全生存率は93％であり，Ⅰ期の類内膜癌症例では再発を認めていない。このことから卵巣温存は再発率上昇に関与しないと結論付け，卵巣温存の条件として，①卵巣機能温存の強い希望がある，②術中観察にて子宮外進展がない，③肉眼的に両側卵巣が正常である，④転移が疑われるリンパ節が迅速病理組織検査で陰性である，⑤術前の組織学的検索で類内膜癌である，⑥乳癌・卵巣癌の家族歴がない，ことを挙げている。同じ韓国の後方視的研究で，同時期に閉経前で両側付属器摘出術を施行した手術進行期Ⅰ・Ⅱ期類内膜癌319例と長期予後を比較した結果が報告され[5]，5年全生存率は卵巣温存群で95％，切除群で98％であり，10年時でもそれぞれ95％，91％であった。再発に関しては，卵巣温存群で176例中4例（2.3％）に再発し，うちⅠA期1例で18カ月目に両側付属器再発を認めた。一方，切除群での再発率は2.5％であり，全生存率，無再発生存率のいずれも有意差はなかった。なお有意ではないものの，35歳未満では41歳以上に比較して，温存群の方が全生存期間において予後良好な傾向を示していた。また，中国からのシステマティックレビューでは切除群よりも温存群の予後が良好であったとの報告もなされているが，対象症例の88％が筋層浸潤のない症例であった[13]。

　若年発症の症例においては，Lynch症候群や遺伝性乳癌卵巣癌など遺伝性疾患の可能性を考慮する必要がある。50歳以下の子宮体癌では9％にLynch症候群に関連する生殖細胞系列遺伝子のバリアント（変異）が認められるとの報告があり，家族歴や重複癌の存在に留意すべきである[14]。

　子宮体癌と卵巣癌の重複の頻度については，若年症例では高いとする報告が多い[11,14]。45歳以下の子宮体癌17例中5例（29％）[14]に，また閉経前の子宮体癌102例中26例（25％）[15]に卵巣腫瘍（23例は重複卵巣癌，3例は転移，15％は肉眼的異常なし）を認めたという報告がある。スウェーデンでの1961～1998年に登録されたほぼすべての子宮体癌（19,128例）と卵巣癌（19,440例）における検討[16]では，子宮体癌と卵巣癌が強い相関を示すことが明らかにされ

ている．特に，40歳以下の類内膜癌では卵巣癌を合併する頻度が非常に高くなることが指摘されている．本邦では，子宮体癌における卵巣癌の重複の頻度は2〜10%と報告されている[17-19]が，いずれも年齢に関する検討はなされていない．韓国からの多施設後方視的調査研究[20]において，少なくとも子宮全摘出術と両側付属器摘出術が施行された子宮体癌3,240例のうち，卵巣に悪性腫瘍を認め重複癌と判定されたのは40歳未満では4.5%，40歳以上では3.7%であり，従来の報告よりは低頻度であると報告された．なお，子宮体癌の組織型は類内膜癌が20/21例(95%)で，全例が，術前CA125値40 IU/mL以上，画像検査で卵巣に悪性所見を疑う，筋層浸潤が1/2以上，組織学的異型度がG2以上，のうちいずれかを満たしていた．術前にこれら4項目すべてが該当しない低リスク例では摘出卵巣に重複癌を認めなかった．しかしながら，卵巣を温存した後に生じる異時性重複癌については検討されていない．

このように，類内膜癌G1で筋層浸潤が1/2未満の若年症例では卵巣温存が考慮される．ただし，卵巣摘出後のホルモン補充療法(HRT)の安全性と有効性の検討結果(**CQ25**参照)は卵巣温存の議論に影響を与えると考えられ，卵巣温存の適応については慎重に検討するべきである．

▶ 参考文献

1) Takeshima N, Hirai Y, Yano K, Tanaka N, Yamauchi K, Hasumi K. Ovarian metastasis in endometrial carcinoma. Gynecol Oncol 1998 ; 70 : 183-7（コホート）【旧】
2) Creasman WT, DeGeest K, DiSaia PJ, Zaino RJ. Significance of true surgical pathologic staging : a Gynecologic Oncology Group study. Am J Obstet Gynecol 1999 ; 181 : 31-4（横断）【旧】
3) Yura Y, Tauchi K, Koshiyama M, Konishi I, Yura S, Mori T, et al. Parametrial involvement in endometrial carcinomas : its incidence and correlation with other histological parameters. Gynecol Oncol 1996 ; 63 : 114-9（横断）【旧】
4) Wright JD, Buck AM, Shah M, Burke WM, Schiff PB, Herzog TJ. Safety of ovarian preservation in premenopausal women with endometrial cancer. J Clin Oncol 2009 ; 27 : 1214-9（コホート）【旧】
5) Lee TS, Lee JY, Kim JW, Oh S, Seong SJ, Lee JM, et al. Outcomes of ovarian preservation in a cohort of premenopausal women with early-stage endometrial cancer : a Korean Gynecologic Oncology Group study. Gynecol Oncol 2013 ; 131 : 289-93（コホート）【検】
6) Lyu T, Guo L, Chen X, Jia N, Gu C, Zhu M, et al. Ovarian preservation for premenopausal women with early-stage endometrial cancer : a Chinese retrospective study. J Int Med Res 2019 ; 47 : 2492-8（コホート）【検】
7) Shin W, Park SY, Kang S, Lim MC, Seo SS. The survival effect of ovary preservation in early stage endometrial cancer : a single institution retrospective analysis. J Ovarian Res 2020 ; 13 : 97（コホート）【検】
8) Liang X, Zeng H, Chen S, Jiang M, Liu S, Fan J. Ovarian metastasis risk factors in endometrial carcinoma : a systematic review and meta-analysis. Eur J Obstet Gynecol Reprod Biol 2021 ; 267 : 245-55（メタ）【委】
9) Yamazawa K, Seki K, Matsui H, Kihara M, Sekiya S. Prognostic factors in young women with endometrial carcinoma : a report of 20 cases and review of literature. Int J Gynecol Cancer 2000 ; 10 : 212-22（コホート）【旧】
10) Evans-Metcalf ER, Brooks SE, Reale FR, Baker SP. Profile of women 45 years of age and younger with endometrial cancer. Obstet Gynecol 1998 ; 91 : 349-54（横断）【旧】
11) Koskas M, Bendifallah S, Luton D, Daraï E, Rouzier R. Safety of uterine and/or ovarian preservation in

young women with grade 1 intramucous endometrial adenocarcinoma : a comparison of survival according to the extent of surgery. Fertil Steril 2012 ; 98 : 1229-35(コホート)【委】

12) Lee TS, Kim JW, Kim TJ, Cho CH, Ryu SY, Ryu HS, et al ; Korean Gynecologic Oncology Group. Ovarian preservation during the surgical treatment of early stage endometrial cancer : a nation-wide study conducted by the Korean Gynecologic Oncology Group. Gynecol Oncol 2009 ; 115 : 26-31(コホート)【旧】

13) Jia P, Zhang Y. Ovarian preservation improves overall survival in young patients with early-stage endometrial cancer. Oncotarget 2017 ; 8 : 59940-9(メタ)【検】

14) Gitsch G, Hanzal E, Jensen D, Hacker NF. Endometrial cancer in premenopausal women 45 years and younger. Obstet Gynecol 1995 ; 85 : 504-8(コホート)【旧】

15) Walsh C, Holschneider C, Hoang Y, Tieu K, Karlan B, Cass I. Coexisting ovarian malignancy in young women with endometrial cancer. Obstet Gynecol 2005 ; 106 : 693-9(コホート)【旧】

16) Hemminki K, Aaltonen L, Li X. Subsequent primary malignancies after endometrial carcinoma and ovarian carcinoma. Cancer 2003 ; 97 : 2432-9(コホート)【旧】

17) 笹川 基，田村 希，塚田清二，本間 滋，高橋 威．子宮体癌における重複癌．日産婦誌 2000 ; 52 : 756-60(コホート)【旧】

18) Kamikatahira S, Jobo T, Kuramoto H. Endometrial carcinoma with synchronous ovarian malignancy-differentiation between independent and metastatic carcinomas. Int J Clin Oncol 1996 ; 1 : 100-8(コホート)【旧】

19) Nishimura N, Hachisuga T, Yokoyama M, Iwasaka T, Kawarabayashi T. Clinicopathologic analysis of the prognostic factors in women with coexistence of endometrioid adenocarcinoma in the endometrium and ovary. J Obstet Gynaecol Res 2005 ; 31 : 120-6(コホート)【旧】

20) Song T, Seong SJ, Bae DS, Suh DH, Kim DY, Lee KH, et al. Synchronous primary cancers of the endometrium and ovary in young women : a Korean Gynecologic Oncology Group Study. Gynecol Oncol 2013 ; 131 : 624-8(コホート)【旧】

CQ 07
高齢患者に対して手術を行う場合，リンパ節郭清の省略は勧められるか？

推奨

高齢患者に対しては，まず高齢者機能評価を行い，再発中・高リスクと推定される手術可能な患者においてはリンパ節郭清を省略しないことを提案する。

推奨の強さ　2（↓）　　エビデンスレベル　C　　合意率91％（20/22人）

▶▶ 目　的

超高齢社会が進むなか，高齢患者に対して手術を行う場合，リンパ節郭清の省略は勧められるかを検討する。

▶▶ 解　説

子宮体癌の罹患率は40代後半から増加して50代にピークを認め，その後は緩やかに低下する。2018年の新規罹患数17,089名のうち65歳以上は39％を占めるが，死亡数2,601名のうち70％と，より多くの割合を占める[1]。高齢子宮体癌患者では非類内膜癌の割合が高いこと，より進んだ進行期での診断となることなどから，再発中・高リスク群の割合が高くなっていると報告されており[2-4]，さらに高齢者であること自体が予後不良因子となっていることなどを踏まえると[2-6]，年齢のみを理由としてリンパ節郭清の省略をすることには懸念が生じる。本邦では世界保健機関（WHO）と同様に，65歳以上を高齢者と定義しているが，高齢者の生理的および身体的な老化現象の程度については個人差が非常に大きく，年齢のみで単純に規定することは難しい。このため，様々なガイドラインにおいても，厳密に高齢者を定義したものは多くない。

CQ02で解説されているように，術前に再発低リスク群（ⅠA期，類内膜癌G1，G2）と推定される患者では郭清の省略は一般的に提案できるとされており，この推奨は高齢患者においても同様でよいと考えられる。一方で，術前に再発中・高リスク群と推定される患者に対しては，骨盤リンパ節郭清を施行することが推奨されており，傍大動脈リンパ節郭清を加えることも提案される（CQ03）。高齢の再発中・高リスク子宮体癌患者に対し，リンパ節郭清の有無が予後に与える影響に関して検討したエビデンスレベルの高い研究の報告はこれまでに存在しないが，米国における48,871例の子宮体癌症例データベースを解析した検討では，80歳以上の高齢患者においてリンパ節郭清を行った群では，行わなかった群と比較してOSにおいてHRが0.65，摘出リンパ節数が10個以上の場合のHRは0.82と，有意に予後良好と報告されている[7]。また高齢の再発中・高リスク患者を検討した研究において，リンパ節郭清の省略が，がん特異的生存期間の短縮と有意に相関すると報告されている[8]。しかしな

がら高齢患者は過小治療されることが多く，リンパ節郭清が実施された割合は非高齢患者と比較し有意に低いことが報告されている[3,4,7,9,10]。高齢患者に対するリンパ節郭清は周術期合併症・死亡のリスクであるとの報告[11]がある一方，高齢患者においてもリンパ節郭清を含めた標準的治療は安全に実施可能であるとの報告も複数あり[12-15]，高齢患者における合併症に関して評価するデータの蓄積が望まれる。その上で手術可能な症例を適切に選択することで，高齢患者においても治療強度を下げないことが検討されるべきである。

　高齢患者は加齢に伴う心身の機能低下があり，しかも個人差が極めて大きい。このため，高齢患者に対して侵襲性のある治療を行う際には，元気な非高齢患者と同じ標準治療を受けることができる状態の「fit」か，そうではない「unfit」かを判断し，患者家族と相談して診療方針を決定することが極めて重要になる。「unfit」の中には積極的な治療の適応とならない状態の患者(frail)と，治療強度を弱めるか，毒性が少ない治療なら治療可能な患者(vulnerable)が含まれる。近年の健康寿命の延長と，加齢に伴う身体的機能変化の出現の遅延を踏まえ，状態が良好で標準治療が可能な「fit」な高齢患者以外に，身体的・社会的機能に障害を伴うが，何らかの治療が可能である「vulnerable」な高齢患者も今後ますます増加することが予想される。高齢患者における治療の可否を判断する上で，スクリーニングツールである高齢者機能評価(GA)を複数組み合わせて，高齢者の身体的・精神的・社会的な機能を多面的に評価し，介入することを目的とした高齢者総合機能評価(CGA)を行うことが重要である。しかしCGAの実施には患者あたり1時間程度の時間を要するため，実際の診療において難しいと考えられる。代表的なGAの一つとしてGeriatric-8(G-8)[16]があり，8項目にわたり特に栄養面を評価するもので，CGAとの関連において感度が高く，高齢がん患者の生存期間を予測しうる因子として報告されている[17,18]。NCCN高齢者ガイドライン2021年版[19]や日本臨床腫瘍研究グループ(JCOG)高齢者委員会が高齢患者を対象とした治療，臨床試験を行うにあたって使用することを推奨しており，8項目の質問に対し回答するもので，数分で回答が可能なことから比較的簡便に高齢患者のスクリーニングを行うことができる[19,20]。G-8にて障害あり(14点以下)と判定された場合，より詳細にCGAを行い障害の程度を評価し，高齢患者の治療内容を検討することが望ましい。

　高齢がん患者の増加に伴い，日常診療において参照できる「高齢者がん診療ガイドライン」[21]が作成された。高齢患者の身体機能や認知機能は個人差が非常に大きいことを念頭に置き，社会的背景などを含めて一人ひとりに最適な治療方針を検討することが重要である。他がん腫においてはpre-operative assessment of cancer in the elderly(PACE)による評価と周術期合併症との関連について報告がなされており[22]，婦人科領域においても高齢患者にどのような治療が適切であるのか，今後エビデンスの構築が必要となっている。

▶ 参考文献

1) 国立がん研究センターがん情報サービス．がん統計
　https://ganjoho.jp/reg_stat/index.html (全国がん登録) 【委】

2) Bishop EA, Java JJ, Moore KN, Spirtos NM, Pearl ML, Zivanovic O, et al. Surgical outcomes among elderly women with endometrial cancer treated by laparoscopic hysterectomy : a NRG/Gynecologic Oncology Group study. Am J Obstet Gynecol 2018 ; 218 : 109.e1-e11（ケースコントロール）【検】
3) Eggemann H, Ignatov T, Burger E, Costa SD, Ignatov A. Management of elderly women with endometrial cancer. Gynecol Oncol 2017 ; 146 : 519-24（コホート）【委】
4) Poupon C, Bendifallah S, Ouldamer L, Canlorbe G, Raimond E, Hudry N, et al. Management and survival of elderly and very elderly patients with endometrial cancer : an age-stratified study of 1228 women from the FRANCOGYN group. Ann Surg Oncol 2017 ; 24 : 1667-76（コホート）【委】
5) Zusterzeel PL, Bekkers RL, Hendriks JC, Neesham DN, Rome RM, Quinn MA. Prognostic factors for recurrence in patients with FIGO stage I and II, intermediate or high risk endometrial cancer. Acta Obstet Gynecol Scand 2008 ; 87 : 240-6（コホート）【委】
6) Benedetti Panici P, Basile S, Salerno MG, Di Donato V, Marchetti C, Perniola G, et al. Secondary analyses from a randomized clinical trial : age as the key prognostic factor in endometrial carcinoma. Am J Obstet Gynecol 2014 ; 210 : 363.e1-e10（コホート）【委】
7) Torgeson A, Boothe D, Poppe MM, Suneja G, Gaffney DK. Disparities in care for elderly women with endometrial cancer adversely effects survival. Gynecol Oncol 2017 ; 147 : 320-8（ケースコントロール）【委】
8) Racin A, Raimond E, Bendifallah S, Nyangoh Timoh K, Ouldamer L, Canlorbe G, et al. Lymphadenectomy in elderly patients with high-intermediate-risk, high-risk or advanced endometrial cancer : time to move from personalized cancer medicine to personalized patient medicine! Eur J Surg Oncol 2019 ; 45 : 1388-95（コホート）【検】
9) Rousselin A, Bendifallah S, Nyangoh Timoh K, Ouldamer L, Canlorbe G, Raimond E, et al. Patterns of care and the survival of elderly patients with high-risk endometrial cancer : A case-control study from the FRANCOGYN group. Eur J Surg Oncol 2017 ; 43 : 2135-42（ケースコントロール）【委】
10) Rauh-Hain JA, Pepin KJ, Meyer LA, Clemmer JT, Lu KH, Rice LW, et al. Management for elderly women with advanced-stage, high-grade endometrial cancer. Obstet Gynecol 2015 ; 126 : 1198-206（コホート）【委】
11) De Marzi P, Ottolina J, Mangili G, Rabaiotti E, Ferrari D, Viganò R, et al. Surgical treatment of elderly patients with endometrial cancer（≥65 years）. J Geriatr Oncol 2013 ; 4 : 368-73（コホート）【委】
12) Bourgin C, Lambaudie E, Houvenaeghel G, Foucher F, Levêque J, Lavoué V. Impact of age on surgical staging and approaches（laparotomy, laparoscopy and robotic surgery）in endometrial cancer management. Eur J Surg Oncol 2017 ; 43 : 703-9（コホート）【委】
13) Koual M, Ngo C, Girault A, Lécuru F, Bats AS. Endometrial cancer in the elderly : does age influence surgical treatments, outcomes, and prognosis? Menopause 2018 ; 25 : 968-76（ケースコントロール）【検】
14) Zhou L, Guo F, Li D, Qi J, Chan L, Yuan Y. Short- and long-term outcomes of laparoscopic surgery for elderly patients with clinical stage I endometrial cancer. J BUON 2020 ; 25 : 764-71（コホート）【検】
15) Giannice R, Susini T, Ferrandina G, Poerio A, Margariti PA, Carminati R, et al. Systematic pelvic and aortic lymphadenectomy in elderly gynecologic oncologic patients. Cancer 2001 ; 92 : 2562-8（ケースコントロール）【委】
16) Bellera CA, Rainfray M, Mathoulin-Pélissier S, Mertens C, Delva F, Fonck M, et al. Screening older cancer patients : first evaluation of the G-8 geriatric screening tool. Ann Oncol 2012 ; 23 : 2166-72（コホート）【委】
17) Martinez-Tapia C, Paillaud E, Liuu E, Tournigand C, Ibrahim R, Fossey-Diaz V, et al. Prognostic value of the G8 and modified-G8 screening tools for multidimensional health problems in older patients with cancer. Eur J Cancer 2017 ; 83 : 211-9（コホート）【委】
18) Ditzel HM, Giger AW, Lund CM, Ditzel HJ, Mohammadnejad A, Pfeiffer P, et al. Predictive value of geriatric oncology screening and geriatric assessment in older patients with solid cancers : protocol for a Danish prospective cohort study（PROGNOSIS-G8）. J Geriatr Oncol 2021 ; 12 : 1270-6（コホート）【委】
19) Older Adult Oncology（Version 1, 2021）NCCN Guidelines（ガイドライン）【委】

20) 日本臨床腫瘍研究グループ高齢者研究委員会 G8 Screening tool
http://www.jcog.jp/basic/org/committee/A_040_gsc_ 20170530.pdf【委】
21) 高齢者がん診療ガイドライン作成委員会. 高齢者がん診療ガイドライン 2022 年版
http://www.chotsg.com/saekigroup/goggles_cpg_2022.pdf(ガイドライン)【委】
22) Pope D, Ramesh H, Gennari R, Corsini G, Maffezzini M, Hoekstra HJ, et al. Pre-operative assessment of cancer in the elderly(PACE): a comprehensive assessment of underlying characteristics of elderly cancer patients prior to elective surgery. Surg Oncol 2006;15:189-97(ガイドライン)【委】

CQ 08
高度肥満患者に対して，体重の減量を目的とした手術の待機は勧められるか？

推奨

①進行例や特殊組織型や類内膜癌 G3 の場合には，減量を目的とした手術の待機を行わないことを推奨する。
推奨の強さ　1（↓↓）　　エビデンスレベル　C　　合意率 100%（22/22 人）

②類内膜癌 G1 で術前に I A 期と推定される場合には，多職種の協力体制の整った施設で行う原則のもと，手術前の減量を提案する。
推奨の強さ　2（↑）　　エビデンスレベル　D　　合意率 91%（20/22 人）

▶▶ 目 的
高度肥満患者に対して，体重の減量を目的とした手術の待機が推奨されるか否かを検討する。

▶▶ 解 説
肥満は子宮体癌のリスク因子であるが，新規に子宮体癌と診断された症例のうち欧米では BMI 30 kg/m² 以上の高度肥満を合併した子宮体癌症例の割合が 61% であるのに対して[1]，本邦では 10% と欧米に比較して少なく[2]，多くの施設で高度肥満症例の手術や周術期管理に不慣れな状況である。高度肥満を合併した子宮体癌では手術の難度が高く，手術の合併症が増加するが[3,4]，従来の開腹手術ではなく低侵襲手術，特にロボット手術を行うことで開腹への移行や手術の合併症が減少することが報告されている[4-6]。また高度肥満を有する患者は高血圧や糖尿病などを合併していることが多く，周術期管理に難渋する。そのため，高度肥満患者に対して術前に可及的な減量を行うことで手術の合併症を減らすことができる可能性がある。しかしながら，子宮体癌の術前に待機期間を設けることによる原病の進行が懸念される。

腹腔鏡手術が予定された高度肥満を合併した子宮体癌患者に対して術前減量を行い，周術期アウトカムを解析した臨床研究は本邦からの 1 件のみである[7]。BMI 30 kg/m² 以上の 14 例を対象に，術前減量入院施行群（7 例：I 期 5 例，II 期 1 例，III 期 1 例）と外来管理群（7 例：I 期 6 例，III 期 1 例）で初診時の体重，手術までの減量の程度，手術までに要した期間，手術内容や周術期合併症の有無などを比較した。減量入院群の初診時の体重，BMI の中央値はそれぞれ 105.7 kg と 37.0 kg/m² で，外来管理群では 93.3 kg と 33.3 kg/m² であった。減量入院群の管理入院期間の中央値は 23 日であった。減量入院群の体重減少量，減量率の中央値はそれぞれ 12.7 kg，12% で，外来管理群の 4.3 kg，5.3% と比べ有意に減少した。初診時または子宮体癌診断から手術までに要した日数の中央値は 67 日で外来管理群の 48 日と

比較して長い傾向にあったが，その間に原病の進行が疑われる症例はなかった。手術に関して予期せぬ開腹移行はなく，減量入院群で特記すべき周術期合併症は認めなかった。この研究では待機期間中の病変の進行は認めなかったが，欧米からの報告では BMI 40 kg/m^2 以上でⅠA期の類内膜癌 G1 と推定された子宮体癌の患者 24 例に対して減量のため 12 週間の低カロリー管理を行ったところ，術後ⅠB期以上であった症例が 2 例，G2 と G3 と診断された症例が 6 例あった[8]。

　子宮体癌における診断から手術までの待機期間と予後との関連については，手術までの待機期間が 6 週をこえた症例では予後不良であるという報告がある[9]。一方で，子宮体癌において手術までの待機期間が 70 日をこえても予後に影響しないという報告もある[10]。いずれにしても，子宮体癌において許容できる手術待機期間の明確な基準はない。少なくとも進行例や類内膜癌 G3 や特殊組織型の場合には手術待機中に増悪することが懸念され，減量を目的とした手術の待機は行うべきでない。

　他がん種における減量を目的とした手術の待機に関する報告としては，胃癌で術前 20 日間の超低カロリー食減量プログラムが腹腔鏡下胃切除術前の肥満治療として有望であること[11]，10〜30 日間の術前減量プログラムを受けた患者は BMI 28 kg/m^2 以上の患者と比較して手術時間の短縮，出血量の減少，術後合併症の発生頻度の低下が認められたことが報告されている[12]。しかしながら，減量を目的とした手術の待機が予後にどのような影響を与えるかを検討した報告は，他がん種においてもみられない。

　子宮体癌に対する術前減量については，明確な減量基準や周術期アウトカムの改善効果，安全性が確立されておらず，十分なエビデンスに乏しい。しかしながら，術前減量によって体重・BMI が減少することで，開腹への移行や手術の合併症を減少できる可能性がある。また術前減量を行う場合，糖尿病合併症例では急激な減量によって低血糖を引き起こすリスクがあり，術前減量には適切な血糖管理を行うために内科医や管理栄養士，理学療法士の協力が必要と言える。術前減量のリスク，ベネフィットを十分に説明し，インフォームドコンセントを得た上で，類内膜癌 G1 で術前ⅠA期と推定される場合には，内科医，管理栄養士，理学療法士等の多職種による協力体制の整った施設で行う原則のもと，高度肥満を合併した子宮体癌患者に対して減量を目的とした手術の待機も提案できる。

▶ 参考文献

1) Kitson SJ, Lindsay J, Sivalingam VN, Lunt M, Ryan NAJ, Edmondson RJ, et al. The unrecognized burden of cardiovascular risk factors in women newly diagnosed with endometrial cancer : a prospective case control study. Gynecol Oncol 2018 ; 148 : 154-60（コホート）【委】
2) 寺井義人, 橋田宗祐, 芦原敬允, 藤原聡枝, 田中良道, 田中智人, 他. 肥満子宮体がんに対する腹腔鏡下手術の安全性評価の検討. 産婦人科手術 2017 ; 28 : 67-72（ケースコントロール）【検】
3) Simpson AN, Sutradhar R, Ferguson SE, Robertson D, Cheng SY, Li Q, et al. Perioperative outcomes of women with and without class III obesity undergoing hysterectomy for endometrioid endometrial cancer : a population-based study. Gynecol Oncol 2020 ; 158 : 681-8（コホート）【検】
4) Åkesson Å, Wolmesjö N, Adok C, Milsom I, Dahm-Kähler P. Lymphadenectomy, obesity and open sur-

gery are associated with surgical complications in endometrial cancer. Eur J Surg Oncol 2021;47:2907-14(コホート)【検】
5) Cusimano MC, Simpson AN, Dossa F, Liani V, Kaur Y, Acuna SA, et al. Laparoscopic and robotic hysterectomy in endometrial cancer patients with obesity: a systematic review and meta-analysis of conversions and complications. Am J Obstet Gynecol 2019;221:410-28(メタ)【検】
6) Yoshida K, Kondo E, Nimura R, Maki S, Kaneda M, Nii M, et al. Laparoscopic versus robotic hysterectomy in obese patients with early-stage endometrial cancer: a single-centre analysis. Anticancer Res 2021;41:4163-7(ケースコントロール)【検】
7) 宮本泰斗, 山口 建, 安彦 郁, 堀江昭史, 濱西潤三, 近藤英治, 他. 高度な肥満を合併した子宮体癌患者に対する術前減量入院の有効性. 産婦人科の進歩 2019;71:81-6(ケースコントロール)【検】
8) Aubrey C, Skeldon M, Chapelsky S, Giannakopoulos N, Ghosh S, Steed H, et al. Preoperative weight loss in women with obesity in gynaecologic oncology: a retrospective study. Clin Obes 2021;11:e12445(横断)【検】
9) Strohl AE, Feinglass JM, Shahabi S, Simon MA. Surgical wait time: a new health indicator in women with endometrial cancer. Gynecol Oncol 2016;141:511-5(横断)【委】
10) Marcickiewicz J, Åvall-Lundqvist E, Holmberg ECV, Borgfeldt C, Bjurberg M, Dahm-Kähler P, et al. The wait time to primary surgery in endometrial cancer: impact on survival and predictive factors: a population-based SweGCG study. Acta Oncol 2022;61:30-7(横断)【検】
11) Inoue K, Yoshiuchi S, Yoshida M, Nakamura N, Nakajima S, Kitamura A, et al. Preoperative weight loss program involving a 20-day very low-calorie diet for obesity before laparoscopic gastrectomy for gastric cancer. Asian J Endosc Surg 2019;12:43-50(コホート)【検】
12) Kashihara H, Shimada M, Yoshikawa K, Higashijima J, Tokunaga T, Nishi M, et al. Pre-operative weight loss program for obese patients undergoing laparoscopic gastrectomy. J Med Invest 2021;68:165-9(ケースコントロール)【検】

CQ 09

治療方針決定に MRI, CT, PET/CT は勧められるか？

推奨

①筋層浸潤・子宮頸部間質浸潤などの局所進展を MRI で評価することを推奨する。

推奨の強さ　1（↑↑）　エビデンスレベル　A　合意率 100％（16/16 人）

②リンパ節転移・遠隔転移を CT，MRI で評価することを推奨する。

推奨の強さ　1（↑↑）　エビデンスレベル　A　合意率 100％（16/16 人）

③CT や MRI によるリンパ節転移・遠隔転移の評価が困難な場合は PET/CT で評価することを提案する。

推奨の強さ　2（↑）　エビデンスレベル　C　合意率 94％（15/16 人）

▶▶ 目 的

MRI，CT，PET/CT により，術前に筋層浸潤，頸部間質浸潤，リンパ節転移，遠隔転移を評価することができるかを検討する。

▶▶ 解 説

画像検査による筋層浸潤の推定は，手術術式の決定に有用である。1999 年の 47 論文のメタアナリシスでは，筋層浸潤の評価において造影 MRI は単純 MRI，経腟超音波断層法検査よりも有意に有用であり，CT に対してもより有用である傾向が示された[1]。その後，MRI は深部筋層浸潤（筋層 1/2 以上）の評価に対しては有用であるが，筋層浸潤がないか浅い症例に対しては有用性が低下するという報告[2,3]がなされた。拡散強調像が有用であるという報告も多く，近年の 19 論文のメタアナリシス[4]では，深部筋層浸潤の判定における拡散強調像とダイナミック造影の感度は 82％，78％，特異度は 89％，85％と同等であったと報告している。別の 14 論文のメタアナリシス[5]においても，深部筋層浸潤の評価における造影 MRI と拡散強調像の有用性が報告されている。頸部間質浸潤の評価に関して，1998 年から 2019 年の 12 論文をまとめたメタアナリシス[6]では MRI の感度は 69％，特異度は 91％と報告されている。他の報告[5,7]においても特異度は 90％以上と高いが，感度にばらつきがあり概ね 50％程度と推定されている。拡散強調像に関する報告は少ないが，造影 MRI と比較して有用であるという報告[8]や，有用性は同等であるとの報告[9]がある。

本邦の『画像診断ガイドライン 2021 年版』[10]では，子宮体癌の局所進展度診断において造影 MRI を推奨しているが，T2 強調画像と拡散強調像による評価も可能であるとしている。NCCN ガイドライン 2022 年版[11]では，深部筋層浸潤および頸部間質浸潤などの局所進展の

評価に造影 MRI を推奨している．以上より，深部筋層浸潤や頸部間質浸潤の評価において造影 MRI が有用と考えられるが，造影剤を使用できない症例においては T2 強調画像と拡散強調像の併用が代替検査法になり得る．

リンパ節転移の評価における CT, MRI の有用性はこれまでも報告されているが，現時点では短径 1 cm がリンパ節転移の測定限界と考えられている[12]．それに対して PET/CT は糖代謝をターゲットにした病巣検出法であり，リンパ節転移に対して従来の画像検査より有用との報告[13,14]はあるが，最近の前方視的多施設共同研究[15]（ACRIN6671/GOG0233 試験）では，造影 CT と PET/CT の感度はそれぞれ 54％と 63％，特異度は 85％と 83％で統計学的な有意差は認められなかった．また最近のメタアナリシス[16]では，リンパ節転移の CT, MRI, PET/CT の感度は，それぞれ 44％，48％，67％，特異度は 93％，93％，91％と報告されており，有意差の情報は示されていないが若干 PET/CT で感度が良好な傾向がみられる．別のメタアナリシス[17]でも FDG-PET または PET/CT によるリンパ節転移の感度，特異度は 68％，96％であり，同程度の感度，特異度が得られている．遠隔転移に関しては本邦では広く CT が用いられているが，PET/CT を推奨する論文もある[14]．近年の前方視的多施設共同研究[18]（ACRIN6671/GOG0233 試験）では，PET/CT を用いた遠隔転移評価の感度，特異度は，それぞれ 67％，94％と報告している．

本邦の『画像診断ガイドライン 2021 年版』[10]では，婦人科悪性腫瘍の病期診断の転移評価において造影 CT が推奨されており，その理由として，広範囲の検査が可能であること，検査へのアクセシビリティが良好であることが挙げられている．また同ガイドラインでは，婦人科がんの転移・再発の評価を目的に，造影 CT に加えて PET/CT を追加で行うことの有効性を検証するシステマティックレビューが行われており，PET/CT を追加することで診断精度が高まる可能性があることから臨床的意義はあると考えられるものの，造影 CT と同様に被曝を伴う検査であること，検査へのアクセスに地域差があること，悪性腫瘍における保険適用の条件が規定されていることなどの状況を考慮し，PET/CT の追加は弱い推奨となっている．NCCN ガイドライン 2022 年版[11]では，臨床的または他検査により転移が疑われる症例に対しては PET/CT の施行を検討できるとしている．以上より，リンパ節転移や遠隔転移の評価において，現時点では造影 CT，MRI が第一選択と考えられるが，造影剤アレルギーなどの医学的理由により造影 CT を施行できない症例や，他画像検査での転移の診断確定が困難な症例においては，PET/CT の施行を考慮してもよい．

付記　術中迅速病理診断の位置付け

術中迅速病理診断による類内膜癌の異型度診断は組織学的異型度が上がるほど正診率が低く，問題が残る．また筋層浸潤の程度については，肉眼的診断よりも術中迅速病理診断の方が正確で，術中迅速病理診断による筋層浸潤の程度の正診率は 87～95％とされるが[19-21]，G3 症例の筋層浸潤診断では永久標本との不一致が 33％と高いため[22]，組織型，組織学的異型度，筋層浸潤の確定診断を行う目的では術中迅速病理診断は勧められない．

▶ 参考文献

1) Kinkel K, Kaji Y, Yu KK, Segal MR, Lu Y, Powell CB, et al. Radiologic staging in patients with endometrial cancer : a meta-analysis. Radiology 1999 ; 212 : 711-8(メタ)【旧】
2) Nakao Y, Yokoyama M, Hara K, Koyamatsu Y, Yasunaga M, Araki Y, et al. MR imaging in endometrial carcinoma as a diagnostic tool for the absence of myometrial invasion. Gynecol Oncol 2006 ; 102 : 343-7(横断)【旧】
3) Cade TJ, Quinn MA, McNally OM, Neesham D, Pyman J, Dobrotwir A. Predictive value of magnetic resonance imaging in assessing myometrial invasion in endometrial cancer : is radiological staging sufficient for planning conservative treatment? Int J Gynecol Cancer 2010 ; 20 : 1166-9(横断)【旧】
4) Wang LJ, Tseng YJ, Wee NK, Low JJH, Tan CH. Diffusion-weighted imaging versus dynamic contrast-enhanced imaging for pre-operative diagnosis of deep myometrial invasion in endometrial cancer : a meta-analysis. Clin Imaging 2021 ; 80 : 36-42(メタ)【検】
5) Bi Q, Chen Y, Wu K, Wang J, Zhao Y, Wang B, et al. The diagnostic value of MRI for preoperative staging in patients with endometrial cancer : a meta-analysis. Acad Radiol 2020 ; 27 : 960-8(メタ)【検】
6) Alcazar JL, Carazo P, Pegenaute L, Gurrea E, Campos I, Neri M, et al. Preoperative assessment of cervical involvement in endometrial cancer by transvaginal ultrasound and magnetic resonance imaging : a systematic review and meta-analysis. Ultraschall Med 2023 ; 44 : 280-9(メタ)【委】
7) Goel G, Rajanbabu A, Sandhya CJ, Nair IR. A prospective observational study evaluating the accuracy of MRI in predicting the extent of disease in endometrial cancer. Indian J Surg Oncol 2019 ; 10 : 220-4(コホート)【検】
8) Lin G, Huang YT, Chao A, Lin YC, Yang LY, Wu RC, et al. Endometrial cancer with cervical stromal invasion : diagnostic accuracy of diffusion-weighted and dynamic contrast enhanced MR imaging at 3T. Eur Radiol 2017 ; 27 : 1867-76(横断)【検】
9) Bonatti M, Stuefer J, Oberhofer N, Negri G, Tagliaferri T, Schifferle G, et al. MRI for local staging of endometrial carcinoma : is endovenous contrast medium administration still needed? Eur J Radiol 2015 ; 84 : 208-14(横断)【委】
10) 日本医学放射線学会 編. 画像診断ガイドライン 2021 年版. 金原出版, 東京, 2021(ガイドライン)【委】
11) Uterine Neoplasms（Version 1. 2022）NCCN Clinical Practice Guidelines in Oncology http://www.nccn.org/professionals/physician_gls/f_guidelines.asp(ガイドライン)【委】
12) Rockall AG, Sohaib SA, Harisinghani MG, Babar SA, Singh N, Jeyarajah AR, et al. Diagnostic performance of nanoparticle-enhanced magnetic resonance imaging in the diagnosis of lymph node metastases in patients with endometrial and cervical cancer. J Clin Oncol 2005 ; 23 : 2813-21(横断)【旧】
13) Antonsen SL, Jensen LN, Loft A, Berthelsen AK, Costa J, Tabor A, et al. MRI, PET/CT and ultrasound in the preoperative staging of endometrial cancer-a multicenter prospective comparative study. Gynecol Oncol 2013 ; 128 : 300-8(コホート)【旧】
14) Kitajima K, Murakami K, Yamasaki E, Fukasawa I, Inaba N, Kaji Y, et al. Accuracy of 18F-FDG PET/CT in detecting pelvic and paraaortic lymph node metastasis in patients with endometrial cancer. AJR Am J Roentgenol 2008 ; 190 : 1652-8(コホート)【旧】
15) Atri M, Zhang Z, Dehdashti F, Lee SI, Marques H, Ali S, et al. Utility of PET/CT to evaluate retroperitoneal lymph node metastasis in high-risk endometrial cancer : results of ACRIN 6671/GOG 0233 trial. Radiology 2017 ; 283 : 450-9(非ランダム)【検】
16) Reijnen C, IntHout J, Massuger LFAG, Strobbe F, Küsters-Vandevelde HVN, Haldorsen IS, et al. Diagnostic accuracy of clinical biomarkers for preoperative prediction of lymph node metastasis in endometrial carcinoma : a systematic review and meta-analysis. Oncologist 2019 ; 24 : e880-e890(メタ)【検】
17) Hu J, Zhang K, Yan Y, Zang Y, Wang Y, Xue F. Diagnostic accuracy of preoperative 18F-FDG PET or PET/CT in detecting pelvic and para-aortic lymph node metastasis in patients with endometrial cancer : a systematic review and meta-analysis. Arch Gynecol Obstet 2019 ; 300 : 519-29(メタ)【検】
18) Gee MS, Atri M, Bandos AI, Mannel RS, Gold MA, Lee SI. Identification of distant metastatic disease in uterine cervical and endometrial cancers with FDG PET/CT : Analysis from the ACRIN 6671/GOG 0233 multicenter trial. Radiology 2018 ; 287 : 176-84(非ランダム)【検】

19) Zorlu CG, Kuscu E, Ergun Y, Aydogdu T, Cobanoglu O, Erdas O. Intraoperative evaluation of prognostic factors in stage I endometrial cancer by frozen section : how reliable? Acta Obstet Gynecol Scand 1993 ; 72 : 382-5（ケースシリーズ）【旧】
20) Kayikçioğlu F, Boran N, Meydanli MM, Tulunay G, Köse FM, Bülbül D. Is frozen-section diagnosis a reliable guide in surgical treatment of stage I endometrial carcinoma? Acta Oncol 2002 ; 41 : 444-6（ケースシリーズ）【旧】
21) Quinlivan JA, Petersen RW, Nicklin JL. Accuracy of frozen section for the operative management of endometrial cancer. BJOG 2001 ; 108 : 798-803（ケースシリーズ）【旧】
22) Altintas A, Cosar E, Vardar MA, Demir C, Tuncer I. Intraoperative assessment of depth of myometrial invasion in endometrial carcinoma. Eur J Gynaecol Oncol 1999 ; 20 : 329-31（ケースシリーズ）【旧】

CQ 10

初回治療で内視鏡(腹腔鏡・ロボット)手術は勧められるか？

推奨

① Ⅰ期と推定される患者に対しては内視鏡手術を推奨する。
　推奨の強さ　1(↑↑)　　エビデンスレベル　B　　合意率 94%(15/16 人)
② Ⅱ期と推定される患者に対しては内視鏡手術を提案する。
　推奨の強さ　2(↑)　　エビデンスレベル　C　　合意率 88%(14/16 人)
③ 進行例に対しては内視鏡手術を施行しないことを提案する。
　推奨の強さ　2(↓)　　エビデンスレベル　C　　合意率 88%(14/16 人)

1. 内視鏡手術は手術手技に十分に習熟した婦人科腫瘍専門医により，あるいは内視鏡技術認定医と婦人科腫瘍専門医の協力体制の下で，保険適用および関係学会の指針に基づいて実施すべきである。
2. 内視鏡手術の術式決定に際しては CQ01〜CQ03 の基本方針に従う。

▶▶ 目 的

子宮体癌に対する内視鏡手術の適応について検討する。

▶▶ 解 説

子宮体癌に対する腹腔鏡手術は，1992 年に米国アリゾナ大学のグループが初めて報告した[1]。その後，欧米では早期子宮体癌において腹腔鏡手術やロボット手術による低侵襲手術の施行率が増加し[2]，米国 NCDB では 2010 年から 2015 年に施行された子宮体癌に対する術式は，開腹手術が 34%，腹腔鏡手術が 18%，ロボット手術が 49% となっている[3]。また米国で，SEER データベースを用いた子宮体癌Ⅰ〜Ⅲ期を対象とした 2006 年から 2011 年に治療を受けた症例では，開腹手術と比較して内視鏡手術を受けた症例において有意に周術期の合併症が少なく，予後は同等であった[4]。

長期予後に関しては，Ⅰ・Ⅱ期を対象とした LAP2 試験[5]とⅠ期を対象とした LACE 試験[6]があり，いずれも全生存期間，無再発生存期間において腹腔鏡手術の治療成績は開腹手術での治療成績と同等であると報告されている。近年ではロボット手術と腹腔鏡手術を合わせて低侵襲手術とし，開腹手術との治療成績を比較した報告が増えてきており，サブグループ解析ではロボット手術は腹腔鏡手術と比較して，予後を含めた治療成績において遜色ないとされている[3,7,8]。本邦における中・高リスクの早期子宮体癌に対する多施設共同後方視的

研究で[9]，腹腔鏡下に傍大動脈リンパ節郭清を施行した群(54例)と同施設での開腹手術群(99例)を比較した研究からも，中・高リスクのⅠ・Ⅱ期子宮体癌に対する腹腔鏡下傍大動脈リンパ節郭清は安全に施行することができると考えられ，2020年4月からは子宮体癌に対して，腹腔鏡下傍大動脈リンパ節郭清術が保険適用となった。また海外において，高リスクと考えられるⅠ・Ⅱ期子宮体癌に対するロボット手術のリンパ節郭清術を開腹手術と比較するRCT[10]が行われた。骨盤リンパ節摘出数は開腹群の28±10個と比較してロボット手術群で22±8個と有意に少なかったが，傍大動脈リンパ節摘出数は開腹群の22±11個と比較して20.9±9.6個であり，非劣性が証明された。この試験ではロボット手術群で手術時間は有意に延長したものの，出血量は少なく，入院期間は短縮され，ロボット支援下の傍大動脈リンパ節郭清術は有用な選択肢であると報告された。ただし，本邦で2023年時点において保険適用となるロボット手術の対象もⅠA期のみとなっていることには注意が必要である。

　子宮体癌に対して腹腔鏡手術を行う場合に危惧される問題点として，肥満症例が多いことが挙げられるが，肥満症例に対する腹腔鏡手術の有用性を示すデータが増えてきており，特に近年では，肥満症例に対しては，腹腔鏡手術よりロボット手術において安全性が高いと報告されている[11, 12]。

　子宮マニピュレーターの使用に関しては，腹腔内への腫瘍細胞の散布などの懸念があるが，腹腔鏡手術における子宮マニピュレーター使用群と非使用群によるメタアナリシスでは，腹腔細胞診や脈管侵襲の陽性率を有意に上げることはなく，予後への影響もなかった[13]。しかし，この研究においても子宮マニピュレーターの使用時は経卵管的に腹腔内へ腫瘍細胞を散布する可能性を危惧しており，子宮への手術操作前に両側卵管の電気凝固等を行っている研究も含まれる。したがって，子宮マニピュレーターを使用する場合には，腫瘍細胞の腹腔内への散布を予防する目的で，手術操作前に卵管へのクリッピングか凝固を行うことが推奨される。また，卵巣癌では比較的高率と報告されたトロカー挿入部転移(port-site metastasis)については，子宮体癌においては0.3%と低率であり，腹腔内播種などの転移性病変を有さない症例ではほとんど生じないと報告されている[14]。

　子宮体癌に対する内視鏡手術の臨床試験は，ほとんどが術前推定Ⅰ期を中心としたものに限られている。LAP2試験，LACE試験いずれのサブグループ解析においても，術後の手術進行期がⅢ，Ⅳ期であっても腹腔鏡手術と開腹手術の再発リスクに有意差を認めていない[6, 15]。また，スウェーデンの7,275例を対象として行われた内視鏡手術と開腹手術の治療成績を比較する後方視的研究では，Ⅰ～Ⅲ期の症例が含まれており，予後に差がないことが報告されているが[8]，転移性病変を有するような進行子宮体癌に腹腔鏡手術を行った大規模報告は存在せず，NCCNガイドライン2022年版でも，子宮外進展のある進行子宮体癌に対する内視鏡手術は勧められていない[16]。また，LAP2試験，LACE試験において，類内膜癌以外の組織型(漿液性癌など)はそれぞれ20%，3.3%含まれていたものの[6, 15]，再発高リスク群を対象とした内視鏡手術の前方視的研究は存在しないため，注意が必要である。

　腹腔鏡手術やロボット手術をはじめとする内視鏡手術は未だ歴史が浅く，手術手技の習熟

度や長期予後なども今後評価・検討していく必要がある。しかし一方で，早期子宮体癌に対する内視鏡手術の有用性は明らかであり，手術手技に十分に習熟した婦人科腫瘍専門医により術式の決定と手術を行うことで，安全な普及を図るべきである。

▶ 参考文献

1) Childers JM, Surwit EA. Combined laparoscopic and vaginal surgery for the management of two cases of stage I endometrial cancer. Gynecol Oncol 1992 ; 45 : 46-51（ケースシリーズ）【旧】
2) Kroft J, Li Q, Saskin R, Elit L, Bernardini MQ, Gien LT. Trends over time in the use of laparoscopic hysterectomy for the treatment of endometrial cancer. Gynecol Oncol 2015 ; 138 : 536-41（コホート）【旧】
3) Bixel K, Barrington DA, Vetter MH, Suarez AA, Felix AS. Determinants of surgical approach and survival among women with endometrial carcinoma. J Minim Invasive Gynecol 2022 ; 29 : 219-30（コホート）【検】
4) Wright JD, Burke WM, Tergas AI, Hou JY, Huang Y, Hu JC, et al. Comparative effectiveness of minimally invasive hysterectomy for endometria cancer. J Clin Oncol 2016 ; 34 : 1087-96（コホート）【委】
5) Walker JL, Piedmonte MR, Spirtos NM, Eisenkop SM, Schlaerth JB, Mannel RS, et al. Laparoscopy compared with laparotomy for comprehensive surgical staging of uterine cancer : Gynecologic Oncology Group Study LAP2. J Clin Oncol 2009 ; 27 : 5331-6（ランダム）【旧】
6) Jand M, Gebski V, Davies LC, Forder P, Brand A, Hogg R, et al. Effect of total laparoscopic hysterectomy vs total abdominal hysterectomy on disease-free survival among women with stage I endometrial cancer : a randomized clinical trial. JAMA 2017 ; 317 : 1224-33（ランダム）【検】
7) Jørgensen SL, Mogensen O, Wu CS, Korsholm M, Lund K, Jensen PT. Survival after a nationwide introduction of robotic surgery in women with early-stage endometrial cancer : a population-based prospective cohort study. Eur J Cancer 2019 ; 109 : 1-11（コホート）【検】
8) Borgfeldt C, Holmberg E, Marcickiewicz J, Stålberg K, Tholander B, Lundqvist EÅ, et al. Survival in endometrial cancer in relation to minimally invasive surgery or open surgery : a Swedish Gynecologic Cancer Group (SweGCG) study. BMC Cancer 2021 ; 21 : 658（ケースコントロール）【検】
9) Tanaka T, Terai Y, Hayashi S, Aoki D, Miki M, Kobayashi E, et al. Comparison between laparoscopy and laparotomy in systematic para-aortic lymphadenectomy for patients with endometrial cancer : a retrospective multicenter study. J Gynecol Surg 2017 ; 33 : 105-10（コホート）【旧】
10) Salehi S, Åvall-Lundqvist E, Legerstam B, Carlson JW, Falconer H. Robot-assisted laparoscopy versus laparotomy for infrarenal paraaortic lymphadenectomy in women with high-risk endometrial cancer : a randomized controlled trial. Eur J Cancer 2017 ; 79 : 81-9（ランダム）【検】
11) Gracia M, García-Santos J, Ramirez M, Bellón M, Herraiz MA, Coronado PJ. Value of robotic surgery in endometrial cancer by body mass index. Int J Gynaecol Obstet 2020 ; 150 : 398-405（ケースコントロール）【検】
12) Corrado G, Vizza E, Cela V, Mereu L, Bogliolo S, Legge F, et al. Laparoscopic versus robotic hysterectomy in obese and extremely obese patients with endometrial cancer : a multi-institutional analysis. Eur J Surg Oncol 2018 ; 44 : 1935-41（ケースコントロール）【検】
13) Meng Y, Liu Y, Lin S, Cal C, Wu P, Gao P, et al. The effects of uterine manipulators in minimally invasive hysterectomy for endometrial cancer : a systematic review and meta-analysis. Eur J Surg Oncol 2020 ; 46 : 1225-32（メタ）【検】
14) Martinez A, Querleu D, Leblanc E, Narducci F, Ferron G. Low incidence of port-site metastases after laparoscopic staging of uterine cancer. Gynecol Oncol 2010 ; 118 : 145-50（メタ）【旧】
15) Walker JL, Piedmonte MR, Spirtos NM, Eisenkop SM, Schlaerth JB, Mannel RS, et al. Recurrence and survival after random assignment to laparoscopy versus laparotomy for comprehensive surgical staging of uterine cancer : Gynecologic Oncology Group LAP2 study. J Clin Oncol 2012 ; 30 : 695-700（ランダム）【旧】
16) Uterine Neoplasms（Version 1. 2022）NCCN Clinical Practice Guidelines in Oncology http://www.nccn.org/professionals/physician_gls/f_guidelines.asp（ガイドライン）【委】

CQ 11
術前にⅣ期と推定される患者に対して，手術療法は勧められるか？

推奨
子宮全摘出術に加え最大限の腫瘍減量術が実施可能であれば，手術療法を提案する。

推奨の強さ　2(↑)　　エビデンスレベル　C　　合意率88％（14/16人）

▶▶▶ 目　的
術前にⅣ期と考えられる患者に対する手術療法の有用性を検討する。

▶▶▶ 解　説
　子宮体癌Ⅳ期に対する手術適応・術式の有用性を検証した前方視的臨床試験の報告は存在しないが，子宮外病変を有する病態であっても初回治療として手術療法が行われることが多く，諸外国のガイドラインもそれを支持している[1-3]。しかし一方で，膀胱や直腸浸潤，遠隔転移などの多様な病態を呈しているⅣ期に対する手術の可否や術式は，その「根治性」と「侵襲性」のバランスから個別に判断されるべきである。

　膀胱・直腸粘膜浸潤のあるⅣA期の治療成績に関しては，詳細な報告はない。NCCNガイドライン2022年版では[1]，膀胱・直腸浸潤例には放射線治療が選択され，症例によって薬物療法や手術療法の併用が推奨されている。子宮外進展を伴う症例において，子宮摘出が困難な症例を除き，子宮全摘出術に加え最大限の腫瘍減量術が可能であれば手術療法を検討する[1,4,5]。子宮体癌Ⅳ期に対する腫瘍減量術が予後を改善することを証明したRCTの報告はないが，従来の文献を検討すると，腫瘍減量を図ることにより有意に予後が改善したという報告が多い[6-14]。腫瘍減量術が施行されたⅢ期以上の進行子宮体癌についての34文献（2,920症例）を系統的にレビューしメタアナリシスを行った報告では[15]，Ⅳ期においてもoptimal surgery（残存腫瘍径1 cm未満）を施行し得た頻度は63％と高率であり，また残存病変なしを達成した割合は41％であった。それらはoptimal surgeryを施行できなかった例と比較し，無増悪生存期間，全生存期間において有意に良好な予後を示していた。また，レビューされたいくつかの文献ではoptimalの定義を2 cm未満としており[9,16,17]，ⅢC期を含む163名のうち69％がoptimal surgeryを施行されたが，optimalを1 cm未満と定義した報告と比較して，全生存率が有意に劣っていることが示されている[15]。しかし，いずれの報告も後方視的研究の結果であり，大半の症例で術後に化学療法あるいは放射線治療が併用されているため手術のみの有用性は不明であるが，腫瘍減量術は術前化学療法や術後補助療法を組み合わせることにより予後を改善する可能性がある（薬物療法先行については**CQ18**参照）。

本邦で行われた，初回治療として手術療法が施行されたⅣB期248例を対象とした多施設共同調査研究では，PS，組織型，術後補助療法の有無および残存腫瘍径（1 cm以下）が，独立した予後因子として抽出されている[11]。漿液性癌や明細胞癌については，optimal surgeryの達成率は類内膜癌と比較して同等であったこと，Ⅳ期においては化学療法のみの治療に対して術前化学療法に続いて手術を行った群で有意に予後良好であったことが報告されている[15, 18]。

　FIGO進行期分類では，鼠径リンパ節転移を有する症例はⅣB期に相当する。しかし鼠径リンパ節転移の頻度はⅣB期症例のうち4％程度[11]であり，子宮体癌症例全体を対象とした場合，その発生頻度は極めて低率と言える。そのため，鼠径リンパ節生検を日常診療として行うことは勧められないが，術前の診察や画像診断などで腫大したリンパ節が認められた場合には，鼠経リンパ節摘出手術を行うことには診断的意義があると考えられる。

　子宮体癌の骨盤外腹腔内進展に対する腫瘍減量術は有用である可能性が高く，本術式を行う場合，目指すべきは完全切除であるが，遠隔転移を有するⅣB期においてはQOL維持のための子宮全摘出術も考慮される。しかし，全例に腫瘍減量術が適応となるわけではなく，子宮全摘出術が可能な症例であっても，PSや合併症などを十分に検討した上で，腹腔内腫瘍の減量手術，あるいは薬物療法，放射線治療，対症療法などを選択すべきである。

　なお，術前推定ⅣB期子宮体癌に対して，術前化学療法とその後の腫瘍減量術も許容されることが本邦の臨床試験（JGOG2046）[19]の結果から示されている。

▶ 参考文献

1) Uterine Neoplasms（Version 1. 2022）　NCCN Clinical Practice Guidelines in Oncology　http://www.nccn.org/professionals/physician_gls/f_guidelines.asp（ガイドライン）【委】
2) Concin N, Creutzberg CL, Vergote I, Cibula D, Mirza MR, Marnitz S, et al. ESGO/ESTRO/ESP Guidelines for the management of patients with endometrial carcinoma. Virchows Archiv 2021；478：153-90（ガイドライン）【委】
3) Colombo N, Preti E, Landoni F, Carinelli S, Colombo A, Marini C, et al. Endometrial cancer：ESMO Clinical Practice Guidelines for diagnosis, treatment and follow-up. Ann Oncol 2013；24（Suppl 6）：vi33-vi38（ガイドライン）【委】
4) Brooks RA, Fleming GF, Lastra RR, Lee NK, Moroney JW, Son CH, et al. Current recommendations and recent progress in endometrial cancer. CA Cancer J Clin 2019；69：258-79（レビュー）【委】
5) Rajkumar S, Nath R, Lane G, Mehra G, Begum S, Sayasneh A. Advanced stage（IIIC/IV）endometrial cancer：role of cytoreduction and determinants of survival. Eur J Obstet Gynecol Reprod Biol 2019；234：26-31（ケースコントロール）【検】
6) Bristow RE, Zerbe MJ, Rosenshein NB, Grumbine FC, Montz FJ. Stage IVB endometrial carcinoma：the role of cytoreductive surgery and determinants of survival. Gynecol Oncol 2000；78：85-91（ケースコントロール）【旧】
7) Ayhan A, Taskiran C, Celik C, Yuce K, Kucukali T. The influence of cytoreductive surgery on survival and morbidity in stage IVB endometrial cancer. Int J Gynecol Cancer 2002；12：448-53（ケースコントロール）【旧】
8) Shih KK, Yun E, Gardner GJ, Barakat RR, Chi DS, Leitao MM Jr. Surgical cytoreduction in stage IV endometrioid endometrial carcinoma. Gynecol Oncol 2011；122：608-11（ケースコントロール）【旧】
9) Ueda Y, Enomoto T, Miyatake T, Egawa-Takata T, Ugaki H, Yoshino K, et al. Endometrial carcinoma

with extra-abdominal metastasis : improved prognosis following cytoreductive surgery. Ann Surg Oncol 2010 ; 17 : 1111-7（ケースコントロール）【旧】
10) Tanioka M, Katsumata N, Sasajima Y, Ikeda S, Kato T, Onda T, et al. Clinical characteristics and outcomes of women with stage IV endometrial cancer. Med Oncol 2010 ; 27 : 1371-7（ケースコントロール）【旧】
11) Eto T, Saito T, Kasamatsu T, Nakanishi T, Yokota H, Satoh T, et al. Clinicopathological prognostic factors and the role of cytoreduction in surgical stage IVb endometrial cancer : a retrospective multi-institutional analysis of 248 patients in Japan. Gynecol Oncol 2012 ; 127 : 338-44（ケースコントロール）【旧】
12) Wang Y, Yu M, Yang JX, Cao DY, Shen K, Lang JH. Clinicopathological and survival analysis of uterine papillary serous carcinoma : a single institutional review of 106 cases. Cancer Manag Res 2018 ; 10 : 4915-28（ケースコントロール）【委】
13) Tai YJ, Hsu HC, Chiang YC, Chen YL, Chen CA, Cheng WF. Impact of adjuvant modalities on survival in patients with advanced stage endometrial carcinoma : a retrospective analysis from a tertiary medical center. Int J Environ Res Public Health 2019 ; 16 : 2561（ケースコントロール）【委】
14) Rauh L, Staples JN, Duska LR. Chemotherapy alone may have equivalent survival as compared to suboptimal surgery in advanced endometrial cancer patients. Gynecol Oncol Rep 2020 ; 32 : 100535（ケースコントロール）【委】
15) Albright BB, Monuszko KA, Kaplan SJ, Davidson BA, Moss HA, Huang AB, et al. Primary cytoreductive surgery for advanced stage endometrial cancer : a systematic review and meta-analysis. Am J Obstet Gynecol 2021 ; 225 : 237.e1-237.e24（メタ）【検】
16) Chi DS, Welshinger M, E S Venkatraman ES, Barakat RR. The role of surgical cytoreduction in Stage IV endometrial carcinoma. Gynecol Oncol 1997 ; 67 : 56-60（ケースコントロール）【委】
17) Lambrou NC, Gómez-Marín O, Mirhashemi R, Beach H, Salom E, Almeida-Parra Z, et al. Optimal surgical cytoreduction in patients with Stage III and Stage IV endometrial carcinoma : a study of morbidity and survival. Gynecol Oncol 2004 ; 93 : 653-8（ケースコントロール）【委】
18) Chambers LM, Jia X, Rose PG, AlHilli M. Impact of treatment modality on overall survival in women with advanced endometrial cancer : a National Cancer Database analysis. Gynecol Oncol 2021 ; 160 : 405-12（ケースコントロール）【検】
19) Nakanishi T, Saito T, Aoki D, Watanabe Y, Ushijima K, Takano M, et al. JGOG2046 : a feasibility study of neoadjuvant chemotherapy followed by debulking surgery for clinically diagnosed FIGO stage IVb endometrial cancer. Int J Clin Oncol 2023 ; 28 : 436-44（非ランダム）【委】

CQ 12
切除可能だが医学的理由で手術適応にならない患者に対して，初回治療で根治的放射線治療は勧められるか？

推奨　根治的放射線治療を提案する。
推奨の強さ　2（↑）　　エビデンスレベル　C　　合意率94％（15/16人）

▶▶ 目 的
切除可能だが合併症などの理由で手術適応にならない患者に対する，初回治療としての根治的放射線治療の適応について検討する。

▶▶ 解 説
切除可能な子宮体癌の標準治療は外科手術である。子宮体癌は放射線感受性が低いと考えられている腺癌が大部分を占めることや，良好な腔内照射の線量分布が得難いことから，根治的放射線治療が適用されることは少ない。2019年の日本産科婦人科学会婦人科腫瘍委員会報告では，子宮体癌Ⅰ・Ⅱ期の99％，Ⅲ・Ⅳ期の98％に対して手術が行われていた[1]。

切除可能だが医学的理由で手術ができない子宮体癌に対して，経過観察や内分泌療法など他の保存的治療法と根治的放射線治療を直接比較した臨床試験はなく，質の高い後方視的観察研究も乏しい[2]。子宮体癌根治的放射線治療例を扱った25件の論文（1976～2013年）のシステマティックレビューで，5年生存率は53％（95％CI 49.3-57.1），5年局所制御率は80％（95％CI 75.7-84.1），5年疾患特異的生存率は79％（95％CI 74.5-82.5）と報告されている[3]。海外のガイドラインでは，根治的放射線治療はmedically inoperable/medically unfit patients（CQ07参照）に対する推奨治療と位置付けられている[4,5]。以上より本ガイドラインにおいても，エビデンスは十分ではないが，切除可能だが高齢や合併症などの理由で手術適応にならない（medically inoperable/medically unfit）患者に対して，根治的放射線治療を提案できると判断した。

子宮体癌に対する根治的放射線治療は，外部照射（全骨盤照射）と腔内照射の組み合わせで行われる[4-7]。腔内照射に関する，アプリケータの選択，線量基準と治療計画法，品質保証等については，2015年に発表された米国小線源治療学会のconsensus statement[6]，2022年に発刊された日本放射線腫瘍学会の『密封小線源治療 診療・物理QAマニュアル 第2版』[7]の中で，外部照射との併用法も含め，先行施設の経験とエビデンスを踏まえて詳細に記述されている。

近年，腔内照射に3次元画像誘導小線源治療（3D-IGBT）（45頁, 付記4参照）が適用され，

良好な治療成績が報告されている[8-12]。X線画像を用いた2次元治療計画では近接するリスク臓器への正確な線量評価が難しい。したがって，周囲リスク臓器（直腸・S状結腸，膀胱等）の線量制限を満たしつつ，臨床標的体積（CTV）の子宮体部全体へ十分な線量を投与するには，3D-IGBTの適応が推奨される[6]。

　子宮外への進展やリンパ節転移のリスクが低い患者に対しては，外部照射の省略が検討される[4-6]。外部照射の省略により有害事象の軽減が期待される。組織学的異型度G1またはG2，MRIで子宮筋層浸潤が1/2未満および腫瘍径2cm以下のIA期45例に対し，外部照射を省略した腔内照射（3D-IGBT）単独での治療が行われ，2年骨盤内制御率・全生存率が90%，97%と良好で，グレード3以上の重篤な有害事象が認められなかったことが報告されている[10]。

▶ 参考文献

1) 八重樫伸生．日本産科婦人科学会婦人科腫瘍委員会報告．2019年度患者年報．日産婦誌 2021；73：796-852（横断）【委】
2) Reshko LB, Gaskins JT, Rattani A, Farley AA, McKenzie GW, Silva SR. Patterns of care and outcomes of radiotherapy or hormone therapy in patients with medically inoperable endometrial adenocarcinoma. Gynecol Oncol 2021；163：517-23（ケースコントロール）【検】
3) van der Steen-Banasik E, Christiaens M, Shash E, Coens C, Casado A, Herrera FG, et al. Systemic review：radiation therapy alone in medical non-operable endometrial carcinoma. Eur J Cancer 2016；65：172-81（メタ）【検】
4) Uterine Neoplasms（Version 1. 2022）NCCN Clinical Practice Guidelines in Oncology http://www.nccn.org/professionals/physician_gls/f_guidelines.asp（ガイドライン）【委】
5) Concin N, Matias-Guiu X, Vergote I, Cibula D, Mirza MR, Marnitz S, et al. ESGO/ESTRO/ESP guidelines for the management of patients with endometrial carcinoma. Radiother Oncol 2021；154：327-53（ガイドライン）【検】
6) Schwarz JK, Beriwal S, Esthappan J, Erickson B, Feltmate C, Fyles A, et al. Consensus statement for brachytherapy for the treatment of medically inoperable endometrial cancer. Brachytherapy 2015；14：587-99（ガイドライン）【委】
7) 日本放射線腫瘍学会小線源治療部会 編．密封小線源治療 診療・物理QAマニュアル 第2版．金原出版，東京，2022（ガイドライン）【委】
8) Ohkubo Y, Kato S, Kiyohara H, Tsuruoka I, Tamaki T, Noda S, et al. Dose volume analysis of radiotherapy for inoperable patients with stage I-II endometrial carcinoma. J Radiat Res 2011；52：666-73（ケースシリーズ）【旧】
9) Gill BS, Kim H, Houser C, Olsen A, Kelley J, Edwards RP, et al. Image-based three-dimensional conformal brachytherapy for medically inoperable endometrial carcinoma. Brachytherapy 2014；13：542-7（ケースシリーズ）【旧】
10) Gebhardt B, Gill B, Glaser S, Kim H, Houser C, Kelley J, et al. Image-guided tandem and cylinder brachytherapy as monotherapy for definitive treatment of inoperable endometrial carcinoma. Gynecol Oncol 2017；147：302-8（ケースシリーズ）【検】
11) Espenel S, Kissel M, Garcia MA, Schernberg A, Gouy S, Bockel S, et al. Implementation of image-guided brachytherapy as part of non-surgical treatment in inoperable endometrial cancer patients. Gynecol Oncol 2020；158：323-30（ケースシリーズ）【検】
12) Mutyala S, Patel G, Rivera AC, Brodin PN, Saigal K, Thawani N, et al. High dose rate brachytherapy for inoperable endometrial cancer：a case series and systematic review of the literature. Clin Oncol（R Coll Radiol）2021；33：e393-e402（メタ）【検】

第3章 術後治療

総説

　子宮体癌の治療の第一選択は手術療法である。そして，手術後は再発リスクの評価に基づいて術後補助療法が決定される。リスク因子は手術進行期，組織型，組織学的異型度，骨盤ならびに傍大動脈リンパ節転移，筋層浸潤，脈管侵襲，子宮頸部間質浸潤，付属器・漿膜・基靱帯進展，腟壁浸潤，膀胱・直腸浸潤，腹腔内播種，遠隔転移などが挙げられ，これらの因子の組み合わせから再発リスクは低リスク群，中リスク群，高リスク群に分類される[1]（40頁図1）。本ガイドラインでは2018年版を踏襲した再発リスク分類を用いているが，現時点で完全にコンセンサスを得た分類はない。本邦で行われてきた再発中・高リスク群を対象としたJGOG2033試験[2]や再発高リスク群を対象としたJGOG2043試験[3]でも対象と本ガイドラインの再発リスク分類とは完全には一致せず，臨床試験によって用いられた再発リスク分類が異なることにも注意する必要がある。また，再発中リスク群での術後治療の遠隔成績を考慮して，再発中リスク群をさらにlow-intermediateリスク群，high-intermediateリスク群に分類する試みも行われている[4,5]。

　手術療法のみで治療されたⅠ期子宮体癌の再発率はおよそ10％である。低リスク群では再発率は低く補助療法の有用性は認められないため，再発低リスク群に対する術後補助療法は勧められない。それは腹水細胞診/腹腔洗浄細胞診陽性の再発低リスク群に対しても同様である（CQ15）。一方，再発中・高リスク群では再発リスクは高まるため，術後補助療法の適応となる（CQ13）。術後補助療法として薬物療法，放射線治療のいずれかを用いるが，本邦と欧米で状況が異なる。欧米では術後補助療法としては放射線治療が主流であるが，本邦では薬物療法が広く普及している[6]。また，臨床の現場では良性疾患などで子宮摘出を行い，術後に子宮体癌が判明する症例や，再発低リスク群を推定し手術を行い，術後病理診断にて再発中・高リスク群と判明する症例に遭遇することがある。前者の場合は，術後再発リスクに合わせて再手術を含む適切な追加治療を勧めるとした（CQ16）。また後者の場合は，再手術により手術進行期を決定し，適切な追加治療を提案するとした（CQ17）。

術後薬物療法について（CQ13）

　欧米と異なりリンパ節郭清を十分に行う本邦では，薬物療法が術後治療の主体である。これまで術後治療として化学療法と放射線治療を比較した臨床試験によると，Ⅲ・Ⅳ期（FIGO 1988）症例を対象として全腹部照射と化学療法をランダム化比較したGOG122試験の結果は，化学療法が無再発生存期間，全生存期間ともに全腹部照射を上回っていた[7]。本邦で実施された，再発中・高リスク群を対象とした全骨盤照射と化学療法をランダム化比較したJGOG2033試験[2]や，同様に再発中・高リスク群を対象としたイタリアの試験[8]でも，全骨盤

照射と化学療法に有意差はなかった。Cochrane Library のメタアナリシスでは，高リスク群において化学療法が放射線治療に比較して無増悪生存期間ならびに全生存期間を延長することが示唆されている[9]。本ガイドラインではこの結果を踏まえて，再発高リスク群に関しては薬物療法を推奨することとした。術後治療に使用される抗悪性腫瘍薬としては，Ⅲ・Ⅳ期（FIGO 1988）の進行子宮体癌を対象にしたGOG122 試験でAP療法〔ドキソルビシン（アドリアマイシン）＋シスプラチン〕の予後改善効果が示された[7]。GOG184 試験では，進行子宮体癌の放射線照射後の追加治療として行うAP療法6サイクルと，TAP療法（パクリタキセル＋AP療法）6サイクルの効果を比較検討したが，TAP療法は無再発生存期間を延長することができず[10]，神経障害を含む毒性が有意に増加した[11]。また，進行・再発子宮体癌に対する第Ⅲ相GOG209試験においてはTAP療法に対するTC療法（パクリタキセル＋カルボプラチン）の非劣性が証明された[12]。JGOG2043試験は術後再発高リスク群（一部中リスク群を含む）に対してAP療法，DP療法（ドセタキセル＋シスプラチン），TC療法の3群を比較した試験であり，主要評価項目である無増悪生存期間において，DP療法とTC療法はAP療法に対する優越性を証明できなかった。再発中リスク群，再発高リスク群ごとのサブグループ解析でも，DP療法とTC療法はAP療法に対する優越性を証明できなかった[3]。これらの試験結果から，術後化学療法レジメンはAP療法が今なお標準治療であるが，海外や本邦での実地臨床を勘案すると，TC療法も提案される。再発中リスク群に関する術後薬物療法については，これまでの臨床試験の対象が再発中・高リスク群とされているものが多く，再発中リスク群に対する有用性が示唆されるものの，エビデンスは不十分である。再発中リスク群を含んだRCTの結果やイタリアで行われた2つのRCTの統合解析結果から[13]，再発中リスク群に対しても再発高リスク群と同様の薬物療法が提案される。一方，術後の補助療法としてのホルモン療法は，ほぼすべての試験で生存率の改善を認めておらず，本ガイドラインでも推奨されない。

　子宮癌肉腫を対象とした術後療法の有用性に関するRCTが報告されている[14-16]。これらの試験の結果から，癌肉腫に対して術後化学療法を選択する場合は，イホスファミド，プラチナ製剤，パクリタキセルを含む2剤併用療法が提案される。

術後放射線治療について（CQ14）

　術後放射線治療（全骨盤照射）は局所再発を減少させるため欧米で広く用いられてきたが，複数のRCTを含むメタアナリシスの結果より，骨盤内再発を減らすが生存率の向上には寄与しないと結論付けられている[17, 18]。本邦では，欧米と比較して骨盤リンパ節郭清や腟壁切除が十分に行われ，術式の違いを考慮すると，欧米で確立した術後照射に関するエビデンスをそのまま本邦の臨床に適用することはできない。本邦ではほとんどの施設において薬物療法を選択していることもあり，術後補助療法としての放射線治療を欧米と同様に推奨するのは適切ではないと考えられる。したがって本ガイドラインでは，本邦における術後の放射線治療は，局所再発を減少させるための選択肢の一つと位置付けた。

参考文献

1) Lurain JR, Mariani A, Dowdy SC. Uterine cancer. In : Berek JS, eds. Berek & Novak's Gynecology 15th ed. Lippincott Williams & Wilkins, Philadelphia, 2012, 1250-303
2) Susumu N, Sagae S, Udagawa Y, Niwa K, Kuramoto H, Satoh S, et al. Randomized phase III trial of pelvic radiotherapy versus cisplatin-based combined chemotherapy in patients with intermediate- and high-risk endometrial cancer: a Japanese Gynecologic Oncology Group study. Gynecol Oncol 2008 ; 108 : 226-33
3) Nomura H, Aoki D, Michimae H, Mizuno M, Nakai H, Arai M, et al. Effect of taxane plus platinum regimens vs doxorubicin plus cisplatin as adjuvant chemotherapy for endometrial cancer at a high risk of progression: a randomized clinical trial. JAMA Oncol 2019 ; 5 : 833-40
4) Creutzberg CL, van Putten WL, Wárlám-Rodenhuis CC, van den Bergh AC, de Winter KA, Koper PC, et al. Outcome of high-risk stage IC, grade 3, compared with stage I endometrial carcinoma patients : the postoperative radiation therapy in endometrial carcinoma trial. J Clin Oncol 2004 ; 22 : 1234-41
5) Keys HM, Roberts JA, Brunetto VL, Zaino RJ, Spirtos NM, Bloss JD, et al. A phase III trial of surgery with or without adjunctive external pelvic radiation therapy in intermediate risk endometrial adenocarcinoma : a Gynecologic Oncology Group study. Gynecol Oncol 2004 ; 92 : 744-51
6) Shigeta S, Nagase S, Mikami M, Ikeda M, Shida M, Sakaguchi I, et al. Assessing the effect of guideline introduction on clinical practice and outcome in patients with endometrial cancer in Japan : a project of the Japan Society of Gynecologic Oncology (JSGO) guideline evaluation committee. J Gynecol Oncol 2017 ; 28 : e76
7) Randall ME, Filiaci VL, Muss H, Spirtos NM, Mannel RS, Fowler J, et al. Randomized phase III trial of whole-abdominal irradiation versus doxorubicin and cisplatin chemotherapy in advanced endometrial carcinoma : a Gynecologic Oncology Group study. J Clin Oncol 2006 ; 24 : 36-44
8) Maggi R, Lissoni A, Spina F, Melpignano M, Zola P, Favalli G, et al. Adjuvant chemotherapy vs radiotherapy in high-risk endometrial carcinoma : results of a randomised trial. Br J Cancer 2006 ; 95 : 266-71
9) Galaal K, Al Moundhri M, Bryant A, Lopes AD, Lawrie TA. Adjuvant chemotherapy for advanced endometrial cancer. Cochrane Database Syst Rev 2014 ; (5) : CD010681
10) Homesley HD, Filiaci V, Gibbons SK, Long HJ, Cella D, Spirtos NM, et al. A randomized phase III trial in advanced endometrial carcinoma of surgery and volume directed radiation followed by cisplatin and doxorubicin with or without paclitaxel: a Gynecologic Oncology Group study. Gynecol Oncol 2009 ; 112 : 543-52
11) Cella D, Huang H, Homesley HD, Montag A, Salani R, De Geest K, et al. Patient-reported peripheral neuropathy of doxorubicin and cisplatin with and without paclitaxel in the treatment of advanced endometrial cancer : results from GOG184. Gynecol Oncol 2010 ; 119 : 538-42
12) Miller DS, Filiaci VL, Mannel RS, Cohn DE, Matsumoto T, Tewari KS, et al. Carboplatin and paclitaxel for advanced endometrial cancer : final overall survival and adverse event analysis of a phase III trial (NRG Oncology/GOG0209). J Clin Oncol 2020 ; 38 : 3841-50
13) Hogberg T, Signorelli M, de Oliveira CF, Fossati R, Lissoni AA, Sorbe B, et al. Sequential adjuvant chemotherapy and radiotherapy in endometrial cancer : results from two randomised studies. Eur J Cancer 2010 ; 46 : 2422-31
14) Wolfson AH, Brady MF, Rocereto T, Mannel RS, Lee YC, Futoran RJ, et al. A Gynecologic Oncology Group randomized phase III trial of whole abdominal irradiation (WAI) vs. cisplatin-ifosfamide and mesna (CIM) as post-surgical therapy in stage I-IV carcinosarcoma (CS) of the uterus. Gynecol Oncol 2007 ; 107 : 177-85
15) Homesley HD, Filiaci V, Markman M, Bitterman P, Eaton L, Kilgore LC, et al ; Gynecologic Oncology Group. Phase III trial of ifosfamide with or without paclitaxel in advanced uterine carcinosarcoma : a Gynecologic Oncology Group study. J Clin Oncol 2007 ; 25 : 526-31
16) Powell MA, Filiaci VL, Hensley ML, Huang HQ, Moore KN, Tewari KS, et al. Randomized phase III trial of paclitaxel and carboplatin versus paclitaxel and ifosfamide in patients with carcinosarcoma of the uterus or Ovary: an NRG oncology trial. J Clin Oncol 2022 ; 40 : 968-77

17) Kong A, Simera I, Collingwood M, Williams C, Kitchener H. Adjuvant radiotherapy for stage I endometrial cancer : systematic review and meta-analysis. Ann Oncol 2007 ; 18 : 1595-604
18) Johnson N, Cornes P. Survival and recurrent disease after postoperative radiotherapy for early endometrial cancer : systematic review and meta-analysis. BJOG 2007 ; 114 : 1313-20

CQ 13
初回手術で肉眼的完全摘出を完遂した患者に対して，術後薬物療法は勧められるか？

推奨

①再発高リスク群に対して AP 療法を推奨する。
　推奨の強さ　1(↑↑)　エビデンスレベル　A　合意率86%(19/22人)

②再発高リスク群に対して TC 療法を提案する。
　推奨の強さ　2(↑)　エビデンスレベル　B　合意率82%(18/22人)

③再発中リスク群に対して高リスク群と同様の薬物療法を提案する。
　推奨の強さ　2(↑)　エビデンスレベル　C　合意率95%(21/22人)

④再発低リスク群に対して術後薬物療法を行わないことを推奨する。
　推奨の強さ　1(↓↓)　エビデンスレベル　C　合意率95%(21/22人)

⑤癌肉腫に対して術後薬物療法を選択する場合は，イホスファミド，プラチナ製剤，パクリタキセルなどを含む 2 剤併用療法を提案する。
　推奨の強さ　2(↑)　エビデンスレベル　C　合意率91%(20/22人)

⑥術後薬物療法としての黄体ホルモン療法は行わないことを推奨する。
　推奨の強さ　1(↓↓)　エビデンスレベル　B　合意率95%(21/22人)

最終会議の論点
いずれの推奨も合意率は 75% 以上であったが，AP 療法は実臨床では 10% 程度しか行われておらず，実際は TC 療法が多くの施設で行われており，実臨床に即して AP 療法と TC 療法の推奨度を同じにすべきではないか，という議論があった。

▶▶ 目　的
術後薬物療法の選択と有用性について検討する。

▶▶ 解　説
子宮体癌の術後には，再発リスクに応じて放射線治療や薬物療法が補助療法として用いられる。欧米では放射線治療が広く実施されている。一方，本邦では欧米と比較して骨盤リンパ節郭清や腟壁切除が十分に行われるため，腟断端再発を含めた局所再発のリスクが少ないと判断されている。そのため，放射線治療はほとんど行われず，主に遠隔転移の予防を目的とした薬物療法が積極的に行われている[1]。

子宮外進展を伴う再発高リスク群の予後は不良である。術後再発リスクを有する患者を対象とした大規模な RCT として，GOG122 試験[2,3]，GOG184 試験[4]，JGOG2033 試験[5]，そしてイタリアで行われた第Ⅲ相試験[6]がある。これら 4 つの臨床試験を総合して解析した

Cochrane Libraryのメタアナリシスの結果が2014年に発表された[7]。この中で再発高リスク群においては，化学療法が放射線治療に比較して無増悪生存期間ならびに全生存期間を延長することを示唆する結果が報告された。以上より，再発高リスク群では術後補助療法として化学療法を実施することは合理的と考えられる。一方，海外で実施されたPORTEC-3試験のpost-hoc生存解析では，再発高リスク群における全骨盤照射単独と，同時化学放射線療法および補助化学療法との比較で，後者において5年生存率ならびに5年治療成功生存率が有意に改善されることが報告された[8]。しかしながら，リンパ節郭清を伴う手術がより実施される本邦において[1]，術後放射線治療に化学療法を加えることの意義は不明である。

再発中リスク群に関しては，本邦では局所再発の頻度が約10%と再発中・高リスク群でも低率であり[5]，術後補助療法として放射線治療の適応は少ない。一方，薬物療法については，中リスク群のみに限定した臨床試験は行われておらず，薬物療法の有用性を論じるだけのエビデンスに関しては未だ不十分であると考えられる。なお，再発中リスク群に対する術後薬物療法の効果を検証する臨床試験が現在計画中であり，その結果が待たれる。

再発低リスク群では薬物療法，放射線治療ともに補助療法の有用性を示唆する報告はなく，原則として推奨されない[9]。

術後療法として選択すべき薬剤についても検討が必要である。進行・再発子宮体癌に対して単剤での奏効率が20%を上回ると報告されている抗悪性腫瘍薬は，プラチナ製剤，アントラサイクリン系製剤およびタキサン製剤などである[10-13]。GOG122試験は，2cm以上の残存腫瘍を有しないⅢ・Ⅳ期（FIGO 1988）の進行子宮体癌を対象にした術後全腹部照射群とAP療法群とのRCTで，AP療法による予後改善効果が示された[2]。GOG184試験では，進行子宮体癌の放射線照射後の追加治療として，AP療法6サイクルとTAP療法6サイクルとが比較されたが，TAP療法は無再発生存期間を延長せず[4]，神経障害を含む毒性が有意に増加した[14]。また，進行・再発子宮体癌に対する第Ⅲ相GOG209試験においてはTAP療法に対するTC療法の非劣性が証明された[15]。JGOG2043試験は術後再発高リスク群（一部中リスク群を含む）に対してAP療法，DP療法，TC療法の3群を比較した試験であり，主要評価項目である無増悪生存期間において，DP療法とTC療法はAP療法に対する優越性を証明できなかった。再発中リスク群，再発高リスク群ごとのサブグループ解析でも，DP療法とTC療法はAP療法に対する優越性を証明できなかった[16]。これらの試験結果から，術後薬物療法レジメンはAP療法が今なお標準治療であるが，NCCNガイドライン2022年版では術後薬物療法に関するPreferred Regimens内にTC療法が記載されていることや，海外や国内の多くの施設でTC療法が実施されていることを勘案すると，TC療法も標準治療として提案される[9]。

再発中リスク群に限定した臨床試験は行われていないが，再発中リスク群を含んだRCTのうち，術後骨盤照射に対する全身化学療法の効果を比較した3つの試験（JGOG2033試験[5]，イタリアの試験[6]，NSGO-EC-9501試験[17]）の結果やイタリアで行われた2つのRCTの統合解析[18]結果から，再発中リスク群に対しても再発高リスク群と同様の薬剤が実地臨床

でも考慮される。

　子宮癌肉腫の完全摘出患者においては術後療法の有用性が報告されている[19, 20]が，RCTはわずかにあるのみである。米国NCDBから得られた5,614例の子宮癌肉腫Ⅰ期に関する解析によると，術後補助療法として多剤併用療法または腔内照射を行った群は，補助療法を行わなかった群に比べ有意に生存期間を改善した[19]。GOG150試験では，術後残存病変が1 cm以下のⅠ〜Ⅳ期子宮癌肉腫206例を対象とし，全腹部照射（WAI）とイホスファミド＋シスプラチン療法の比較試験が行われ，5年再発率はWAI 58％，イホスファミド＋シスプラチン療法52％と差を認めず，5年生存率はWAI 35％，イホスファミド＋シスプラチン療法45％であり，進行期と年齢で調整したところ，WAIに比べてイホスファミド＋シスプラチン療法の方が死亡率は29％低かった[21]。これは統計学的な有意差は認めなかったが，放射線治療に比較し，化学療法がより有用である傾向を示した。GOG161試験では，子宮癌肉腫のⅢ・Ⅳ期および再発例179例に対してイホスファミド単剤療法とイホスファミド＋パクリタキセル療法との比較が行われた[22]。奏効率は単剤群が29％，パクリタキセル併用群が45％，無増悪生存期間中央値は単剤群3.6カ月，併用群5.8カ月，全生存期間中央値は単剤群8.4カ月，併用群13.5カ月で，パクリタキセル併用の有用性が認められた。GOG261試験ではⅠ〜Ⅳ期の再発子宮癌肉腫および卵巣癌肉腫を対象とし，イホスファミド＋パクリタキセル療法とTC療法の比較試験が行われた。全生存期間中央値はイホスファミド＋パクリタキセル療法29カ月，TC療法37カ月で優越性は示されなかったものの，TC療法の非劣性が示された。一方，毒性ならびにQOLにおいては両者に優劣はなかった[23]。

　このように子宮癌肉腫はこれまで肉腫として扱われてきたことから，通常の子宮体癌とは異なる臨床試験の経過を辿ってきた。一方で近年，分子プロファイルは子宮体癌と共通点が多いことがわかってきており[24]，子宮癌肉腫に対して選択される薬剤については子宮体癌と同様の治療が考慮できるかなど，今後さらなる検討が必要である。

　術後ホルモン療法としては，MPAやタモキシフェンなどが1970年代より試みられてきた。MPAを使用した956例での成績[25]では，MPA使用群とプラセボ群の生存率の間に差はなかった。英国[26]やノルウェー[27]からの報告では，黄体ホルモン療法は生存率の改善効果に乏しかった。さらに，1990年代のイタリアでの検討[28]でも生存率改善の効果はなかった。2000年代に入って行われたMPAとタモキシフェンの比較[29]では，補助ホルモン療法の効果は乏しいが，タモキシフェンは合併症を有する患者には有用である可能性が報告された。これらの報告をまとめたCochrane Libraryのメタアナリシス[30]の結果が2011年に報告されており，子宮体癌の再発については，Ⅰ〜Ⅲ期を含む1試験において黄体ホルモン療法で減少傾向はあるものの，子宮体癌による死亡や子宮体癌に関連しない心血管障害等による死亡に差は認めなかった。

▶ 参考文献

1) Shigeta S, Nagase S, Mikami M, Ikeda M, Shida M, Sakaguchi I, et al. Assessing the effect of guideline

introduction on clinical practice and outcome in patients with endometrial cancer in Japan : a project of the Japan Society of Gynecologic Oncology (JSGO) guideline evaluation committee. J Gynecol Oncol 2017 ; 28 : e76(横断)【旧】
2) Randall ME, Filiaci VL, Muss H, Spirtos NM, Mannel RS, Fowler J, et al. Randomized phase III trial of whole-abdominal irradiation versus doxorubicin and cisplatin chemotherapy in advanced endometrial carcinoma : a Gynecologic Oncology Group Study. J Clin Oncol 2006 ; 24 : 36-44(ランダム)【旧】
3) Tangjitgamol S, See HT, Kavanagh J. Adjuvant chemotherapy for endometrial cancer. Int J Gynecol Cancer 2011 ; 21 : 885-95(レビュー)【旧】
4) Homesley HD, Filiaci V, Gibbons SK, Long HJ, Cella D, Spirtos NM, et al. A randomized phase III trial in advanced endometrial carcinoma of surgery and volume directed radiation followed by cisplatin and doxorubicin with or without paclitaxel : a Gynecologic Oncology Group study. Gynecol Oncol 2009 ; 112 : 543-52(ランダム)【旧】
5) Susumu N, Sagae S, Udagawa Y, Niwa K, Kuramoto H, Satoh S, et al. Randomized phase III trial of pelvic radiotherapy versus cisplatin-based combined chemotherapy in patients with intermediate- and high-risk endometrial cancer : a Japanese Gynecologic Oncology Group study. Gynecol Oncol 2008 ; 108 : 226-33(ランダム)【旧】
6) Maggi R, Lissoni A, Spina F, Melpignano M, Zola P, Favalli G, et al. Adjuvant chemotherapy vs radiotherapy in high-risk endometrial carcinoma : results of a randomised trial. Br J Cancer 2006 ; 95 : 266-71(ランダム)【旧】
7) Galaal K, Al Moundhri M, Bryant A, Lopes AD, Lawrie TA. Adjuvant chemotherapy for advanced endometrial cancer. Cochrane Database Syst Rev 2014 ; (5) : CD010681(メタ)【旧】
8) de Boer SM, Powell ME, Mileshkin L, Katsaros D, Bessette P, Haie-Meder C, et al ; PORTEC study group. Adjuvant chemoradiotherapy versus radiotherapy alone in women with high-risk endometrial cancer (PORTEC-3) : patterns of recurrence and post-hoc survival analysis of a randomised phase 3 trial. Lancet Oncol 2019 ; 20 : 1273-85(ランダム)【検】
9) Uterine Neoplasms (Version 1. 2022) NCCN Clinical Practice Guidelines in Oncology
http://www.nccn.org/professionals/physician_gls/f_guidelines.asp(ガイドライン)【委】
10) Ball HG, Blessing JA, Lentz SS, Mutch DG. A phase II trial of paclitaxel in patients with advanced or recurrent adenocarcinoma of the endometrium : a Gynecologic Oncology Group study. Gynecol Oncol 1996 ; 62 : 278-81(非ランダム)【旧】
11) Lissoni A, Zanetta G, Losa G, Gabriele A, Parma G, Mangioni C. Phase II study of paclitaxel as salvage treatment in advanced endometrial cancer. Ann Oncol 1996 ; 7 : 861-3(非ランダム)【旧】
12) Katsumata N, Noda K, Nozawa S, Kitagawa R, Nishimura R, Yamaguchi S, et al. Phase II trial of docetaxel in advanced or metastatic endometrial cancer : a Japanese Cooperative Study. Br J Cancer 2005 ; 93 : 999-1004(非ランダム)【旧】
13) Hirai Y, Hasumi K, Onose R, Kuramoto H, Kuzuya K, Hatae M, et al. Phase II trial of 3-h infusion of paclitaxel in patients with adenocarcinoma of endometrium: Japanese Multicenter Study Group. Gynecol Oncol 2004 ; 94 : 471-6(非ランダム)【旧】
14) Cella D, Huang H, Homesley HD, Montag A, Salani R, De Geest K, et al. Patient-reported peripheral neuropathy of doxorubicin and cisplatin with and without paclitaxel in the treatment of advanced endometrial cancer : results from GOG 184. Gynecol Oncol 2010 ; 119 : 538-42(ランダム)【旧】
15) Miller DS, Filiaci VL, Mannel RS, Cohn DE, Matsumoto T, Tewari KS, et al. Carboplatin and paclitaxel for advanced endometrial cancer : final overall survival and adverse event analysis of a phase III trial (NRG Oncology/GOG0209). J Clin Oncol 2020 ; 38 : 3841-50(ランダム)【検】
16) Nomura H, Aoki D, Michimae H, Mizuno M, Nakai H, Arai M, et al. Effect of taxane plus platinum regimens vs doxorubicin plus cisplatin as adjuvant chemotherapy for endometrial cancer at a high risk of progression : a randomized clinical trial. JAMA Oncol 2019 ; 5 : 833-40(ランダム)【検】
17) Hogberg T, Rosenberg P, Kristensen G, de Oliveira CF, de Pont Christensen R, Sorbe B, et al. A randomized phase-III study on adjuvant treatment with radiation (RT) ± chemotherapy (CT) in early-stage high-risk endometrial cancer (NSGO-EC-9501/EORTC 55991). J Clin Oncol 2007 ; 25 (18_

suppl）：5503（ランダム）【旧】

18) Hogberg T, Signorelli M, de Oliveira CF, Fossati R, Lissoni AA, Sorbe B, et al. Sequential adjuvant chemotherapy and radiotherapy in endometrial cancer : results from two randomised studies. Eur J Cancer 2010；46：2422-31（ランダム）【旧】

19) Seagle BL, Kanis M, Kocherginsky M, Strauss JB, Shahabi S. Stage I uterine carcinosarcoma : matched cohort analyses for lymphadenectomy, chemotherapy, and brachytherapy. Gynecol Oncol 2017；145：71-7（ケースコントロール）【検】

20) Matsuo K, Omatsu K, Ross MS, Johnson MS, Yunokawa M, Klobocista MM, et al. Impact of adjuvant therapy on recurrence patterns in stage I uterine carcinosarcoma. Gynecol Oncol 2017；145：78-87（ケースコントロール）【検】

21) Wolfson AH, Brady MF, Rocereto T, Mannel RS, Lee YC, Futoran RJ, et al. A Gynecologic Oncology Group randomized phase III trial of whole abdominal irradiation（WAI）vs. cisplatin-ifosfamide and mesna（CIM）as post-surgical therapy in stage I-IV carcinosarcoma（CS）of the uterus. Gynecol Oncol 2007；107：177-85（ランダム）【旧】

22) Homesley HD, Filiaci V, Markman M, Bitterman P, Eaton L, Kilgore LC, et al ; Gynecologic Oncology Group. Phase III trial of ifosfamide with or without paclitaxel in advanced uterine carcinosarcoma : a Gynecologic Oncology Group study. J Clin Oncol 2007；25：526-31（ランダム）【旧】

23) Powell MA, Filiaci VL, Hensley ML, Huang HQ, Moore KN, Tewari KS, et al. Randomized phase III trial of paclitaxel and carboplatin versus paclitaxel and ifosfamide in patients with carcinosarcoma of the uterus or ovary : an NRG oncology trial. J Clin Oncol 2022；40：968-77（ランダム）【委】

24) Gotoh O, Sugiyama Y, Takazawa Y, Kato K, Tanaka N, Omatsu K, et al. Clinically relevant molecular subtypes and genomic alteration-independent differentiation in gynecologic carcinosarcoma. Nat Commun 2019；10：4965（ケースシリーズ）【委】

25) Lewis GC Jr, Slack NH, Mortel R, Bross ID. Adjuvant progestogen therapy in the primary definitive treatment of endometrial cancer. Gynecol Oncol 1974；2：368-76（ランダム）【旧】

26) Macdonald RR, Thorogood J, Mason MK. A randomized trial of progestogens in the primary treatment of endometrial carcinoma. Br J Obstet Gynaecol 1988；95：166-74（ランダム）【旧】

27) Vergote I, Kjørstad K, Abeler V, Kolstad P. A randomized trial of adjuvant progestagen in early endometrial cancer. Cancer 1989；64：1011-6（ランダム）【旧】

28) De Palo G, Mangioni C, Periti P, Del Vecchio M, Marubini E. Treatment of FIGO（1971）stage I endometrial carcinoma with intensive surgery, radiotherapy and hormonotherapy according to pathological prognostic groups : long-term results of a randomised multicentre study. Eur J Cancer 1993；29A：1133-40（ランダム）【旧】

29) von Minckwitz G, Loibl S, Brunnert K, Kreienberg R, Melchert F, Mösch R, et al. Adjuvant endocrine treatment with medroxyprogesterone acetate or tamoxifen in stage I and II endometrial cancer : a multicentre, open, controlled, prospectively randomised trial. Eur J Cancer 2002；38：2265-71（ランダム）【旧】

30) Martin-Hirsch PP, Bryant A, Keep SL, Kitchener HC, Lilford R. Adjuvant progestagens for endometrial cancer. Cochrane Database Syst Rev 2011；(6)：CD001040（メタ）【旧】

CQ 14
初回手術で肉眼的完全摘出を完遂した患者に対して，術後放射線治療は勧められるか？

推奨

再発中・高リスク患者に対して，骨盤内再発を減少させるための選択肢の一つとして提案する。

推奨の強さ　2(↑)　　エビデンスレベル　C　　合意率 95%（21/22人）

▶▶ 目　的
術後放射線治療の適応について検討する。

▶▶ 解　説

　子宮体癌に対する術式は欧米と本邦で異なる。本邦では，欧米と比較し骨盤リンパ節郭清や腟壁切除が十分に行われる。術式の違いを考慮すると，欧米で確立した術後照射のエビデンスを，そのまま本邦の臨床に適用することは適切でないと考えられる。また，本邦での術後補助療法は，ほとんどの施設で薬物療法が選択されている[1]。

　子宮体癌の術後照射として全骨盤外部照射と腟内照射が用いられる。術後の再発リスクにより，それぞれ単独あるいは併用で行われる。術後照射は通常，術後1〜2カ月時に開始される。手術と術後照射の間隔が局所制御率等の治療成績に与える影響について十分なエビデンスはないが，9週間をこえると局所制御率が低下するとの報告がある[2]。外部照射は1回1.8〜2.0 Gy，総線量 45〜50 Gy/5 週が照射される。

　Ⅰ〜Ⅱ期（FIGO 1988）の術後患者を対象とした RCT（GOG99 試験）が行われた。その結果は，全骨盤照射群と非照射群で生存率に有意差はなかった[3]。一方で，再発中・高リスク群においては術後照射の再発予防効果が得られた。子宮体癌術後照射に関するメタアナリシスの結果が 2007 年に報告され，術後照射は骨盤内再発を減らすが生存率向上には寄与せず，再発高リスク群に限って推奨されると結論付けられた[4,5]。

　再発中リスク群に対する全骨盤照射の有用性について検討した PORTEC-1 試験では，再発例の 73% が腟限局の再発であった[6]。この結果から，再発中リスク患者は腟内照射のみで骨盤内再発率の低下が期待された。以上を踏まえ，再発中・高リスク群を対象に，腟内照射と全骨盤照射とを比較する RCT（PORTEC-2 試験）が行われた。両群で 5 年腟再発率，骨盤内再発率，全生存率に有意差は認められず，腟内照射は，全骨盤照射と同等の治療成績を得ることが示された[7]。この結果を踏まえ，腟内照射が術後照射として望ましいとする意見がある[8-10]。Ⅰ・Ⅱ期再発中・高リスク群に対し，術後の腟内照射に補助化学療法を加えた治療法を全骨盤照射と比較する RCT（GOG249 試験）では，腟再発率，遠隔再発率，無再発生

存率,全生存率のいずれにおいても両群間で有意差はなく,腔内照射に補助化学療法を加えた治療法は全骨盤照射と比較し,グレード2以上の有害事象が多く,リンパ節再発が多いことが報告された[11]。Ic期(FIGO 1988)やG3症例,Ⅱ期以上の進行症例では,骨盤内再発と遠隔転移の発症率が高いため,化学療法と放射線治療の併用が報告されるようになった[12,13]。また,再発高リスク群を対象とした全骨盤照射単独と,同時化学放射線療法および補助化学療法とを比較するRCT(PORTEC-3試験)が行われた[14]。そのpost-hoc生存解析では,5年全生存率(76% vs. 81%),5年治療成功生存率(69% vs. 77%),グレード2以上の有害事象(23% vs. 38%)と予後については同時化学放射線療法および補助化学療法は全骨盤照射単独より良好であり,特にⅢ期または漿液性癌を有する患者において,最も有効であることが報告された[15]。

Ⅲ・ⅣA期などの局所進行患者を対象に,術後補助療法として化学療法と同時化学放射線療法を比較するRCT(GOG258試験)が行われたが,主要評価項目である5年無再発生存率に有意差は得られなかった(58% vs. 59%)。また,5年腟再発率や骨盤および傍大動脈リンパ節再発率は同時化学放射線療法群で有意に低いものの,遠隔再発率は同時化学放射線療法群で有意に高く,局所進行患者に対する同時化学放射線療法群の有効性は示されなかった[16]。

欧米の各種ガイドライン(ASTRO, ESGO/ESTRO/ESP, NCCN, ESMO)[17-20]では,術後照射を再発中・高リスク患者に対する術後補助療法の推奨として位置付けている。ASTROガイドラインにおいて,リンパ節転移陽性患者を含む高リスク症例に対する術後補助療法として,同時化学放射線療法とそれに続く化学療法を推奨している[17]。ESGO/ESTRO/ESP, NCCNガイドラインでは,再発中・高リスク患者に対する術後補助療法の一つとして,腔内照射と全骨盤照射を術後補助療法の選択肢に挙げている[18,19]。ESMOガイドラインでは,再発中・高リスク患者に対する術後補助療法には放射線治療が,再発高リスク患者に対する術後補助療法には同時化学放射線療法が勧められている[20]。米国において,子宮頸癌・体癌の術後患者を対象として,術後全骨盤照射における3D-CRTとIMRTを比較する臨床試験(NRG Oncology-RTOG1203試験)が行われ,患者報告アウトカム尺度による治療期間中の早期有害事象(PRO-CTCAE™)とhealth-related QOLが検討された。IMRT群は早期有害事象(消化器,尿路系)が有意に軽減し,患者QOLが良好であり,術後全骨盤照射にIMRTを適用することが提案された[21]。

子宮癌肉腫は,完全摘出症例であっても骨盤内外再発が多く認められる。子宮癌肉腫の術後補助療法の有効性を検討した後方視的試験では,放射線治療による生存期間の延長が複数報告されている[22-24]。大規模後方視的検討として,米国NCIのデータベースから得られたⅠ~Ⅳ期子宮癌肉腫に関する解析では,初回手術後に放射線治療を施行した群は,施行しなかった群に比べて有意に予後良好であった[25,26]。一方,Ⅰ期子宮癌肉腫に対しては,米国NCDBから得られた5,614例の解析において,術後補助療法として多剤併用療法(HR 0.62, $p=1.1\times10^{-9}$)または腔内照射(HR 0.83, $p=0.02$)を施行した群は,施行しなかった群に比べ有意に生存期間を改善したが,放射線外照射においては生存期間との関連は認めなかった[27]。

▶ 参考文献

1) Shigeta S, Nagase S, Mikami M, Ikeda M, Shida M, Sakaguchi I, et al. Assessing the effect of guideline introduction on clinical practice and outcome in patients with endometrial cancer in Japan : a project of the Japan Society of Gynecologic Oncology (JSGO) guideline evaluation committee. J Gynecol Oncol 2017 ; 28 : e76（横断）【旧】
2) Fabrini MG, Gadducci A, Perrone F, La Liscia C, Cosio S, Moda S, et al. Relationship between interval from surgery to radiotherapy and local recurrence rate in patients with endometrioid-type endometrial cancer : a retrospective mono-institutional Italian study. Anticancer Res 2012 ; 32 : 169-73（コホート）【旧】
3) Keys HM, Roberts JA, Brunetto VL, Zaino RJ, Spirtos NM, Bloss JD, et al. A phase III trial of surgery with or without adjunctive external pelvic radiation therapy in intermediate risk endometrial adenocarcinoma : a Gynecologic Oncology Group study. Gynecol Oncol 2004 ; 92 : 744-51（ランダム）【旧】
4) Kong A, Simera I, Collingwood M, Williams C, Kitchener H. Adjuvant radiotherapy for stage I endometrial cancer : systematic review and meta-analysis. Ann Oncol 2007 ; 18 : 1595-604（メタ）【旧】
5) Johnson N, Cornes P. Survival and recurrent disease after postoperative radiotherapy for early endometrial cancer: systematic review and meta-analysis. BJOG 2007 ; 114 : 1313-20（メタ）【旧】
6) Creutzberg CL, van Putten WL, Koper PC, Lybeert ML, Jobsen JJ, Wárlám-Rodenhuis CC, et al. Surgery and postoperative radiotherapy versus surgery alone for patients with stage-1 endometrial carcinoma : multicentre randomised trial. PORTEC Study Group. Post operative radiation therapy in endometrial carcinoma. Lancet 2000 ; 355 : 1404-11（ランダム）【旧】
7) Nout RA, Smit VT, Putter H, Jürgenliemk-Schulz IM, Jobsen JJ, Lutgens LC, et al. Vaginal brachytherapy versus pelvic external beam radiotherapy for patients with endometrial cancer of high-intermediate risk (PORTEC-2) : an open-label, non-inferiority, randomised trial. Lancet 2010 ; 375 : 816-23（ランダム）【旧】
8) Ng TY, Perrin LC, Nicklin JL, Cheuk R, Crandon AJ. Local recurrence in high-risk node-negative stage I endometrial carcinoma treated with postoperative vaginal vault brachytherapy. Gynecol Oncol 2000 ; 79 : 490-4（コホート）【旧】
9) Chadha M, Nanavati PJ, Liu P, Fanning J, Jacobs A. Patterns of failure in endometrial carcinoma stage IB grade 3 and IC patients treated with postoperative vaginal vault brachytherapy. Gynecol Oncol 1999 ; 75 : 103-7（コホート）【旧】
10) Anderson JM, Stea B, Hallum AV, Rogoff E, Childers J. High-dose-rate postoperative vaginal cuff irradiation alone for stage IB and IC endometrial cancer. Int J Radiat Oncol Biol Phys 2000 ; 46 : 417-25（コホート）【旧】
11) Chodavadia PA, Jacobs CD, Wang F, Havrilesky LJ, Chino JP, Suneja G. Off-study utilization of experimental therapies : analysis of GOG249-eligible cohorts using real world data. Gynecol Oncol 2020 ; 156 : 154-61（ランダム）【検】
12) Kuoppala T, Maenpaa J, Tomas E, Puistola U, Salmi T, Grenman S, et al. Surgically staged high-risk endometrial cancer : randomized study of adjuvant radiotherapy alone vs. sequential chemo-radiotherapy. Gynecol Oncol 2008 ; 110 : 190-5（ランダム）【旧】
13) Hogberg T, Signorelli M, De Oliveira CF, Fossati R, Lissoni AA, Sorbe B, et al. Sequential adjuvant chemotherapy and radiotherapy in endometrial cancer : results from two randomized studies. Eur J Cancer 2010 ; 46 : 2422-31（ランダム）【旧】
14) de Boer SM, Powell ME, Mileshkin L, Katsaros D, Bessette P, Haie-Meder C, et al ; PORTEC study group. Adjuvant chemoradiotherapy versus radiotherapy alone for women with high-risk endometrial cancer (PORTEC-3) : final results of an international, open-label, multicentre, randomised, phase 3 trial. Lancet Oncol 2018 ; 19 : 295-309（ランダム）【検】
15) de Boer SM, Powell ME, Mileshkin L, Katsaros D, Bessette P, Haie-Meder C, et al ; PORTEC study group. Adjuvant chemoradiotherapy versus radiotherapy alone in women with high-risk endometrial cancer (PORTEC-3) : patterns of recurrence and post-hoc survival analysis of a randomised phase 3 trial. Lancet Oncol 2019 ; 20 : 1273-85（ランダム）【検】

16) Matei D, Filiaci V, Randall ME, Mutch D, Steinhoff MM, DiSilvestro PA, et al. Adjuvant chemotherapy plus radiation for locally advanced endometrial cancer. N Engl J Med 2019 ; 380 : 2317-26（ランダム）【検】
17) Meyer LA, Bohlke K, Powell MA, Fader AN, Franklin GE, Lee LJ, et al. Postoperative radiation therapy for endometrial cancer : American Society of Clinical Oncology clinical practice guideline endorsement of the American Society for Radiation Oncology evidence-based guideline. J Clin Oncol 2015 ; 33 : 2908-13（ガイドライン）【委】
18) Concin N, Matias-Guiu X, Vergote I, Cibula D, Mirza MR, Marnitz S, et al. ESGO/ESTRO/ESP guidelines for the management of patients with endometrial carcinoma. Radiother Oncol 2021 ; 154 : 327-53（ガイドライン）【委】
19) Uterine Neoplasms（Version 1. 2022）. NCCN Clinical Practice Guidelines in Oncology http://www.nccn.org/professionals/physician_gls/f_guidelines.asp（ガイドライン）【委】
20) Oaknin A, Bosse TJ, Creutzberg CL, Giornelli G, Harter P, Joly F, et al. Endometrial cancer : ESMO Clinical Practice Guideline for diagnosis, treatment and follow-up. Ann Oncol 2022 ; 33 : 860-77（ガイドライン）【委】
21) Klopp AH, Yeung AR, Deshmukh S, et al. Patient-reported toxicity during pelvic intensity-modulated radiation therapy : NRG Oncology-RTOG 1203. J Clin Oncol 2018 ; 36 : 2538-44（ランダム）【検】
22) Versluis MAC, Pielsticker C, van der Aa MA, de Bruyn M, Hollema H, Nijman HW. Lymphadenectomy and adjuvant therapy improve survival with uterine carcinosarcoma : a large retrospective cohort study. Oncology 2018 ; 95 : 100-8（ケースコントロール）【検】
23) Li Y, Ren H, Wang J. Outcome of adjuvant radiotherapy after total hysterectomy in patients with uterine leiomyosarcoma or carcinosarcoma : a SEER-based study. BMC Cancer 2019 ; 19 : 697（ケースコントロール）【検】
24) Stokes WA, Jones BL, Schefter TE, Fisher CM. Impact of radiotherapy modalities on outcomes in the adjuvant management of uterine carcinosarcoma : a National Cancer Database analysis. Brachytherapy 2018 ; 17 : 194-200（ケースコントロール）【検】
25) Gerszten K, Faul C, Kounelis S, Huang Q, Kelley J, Jones MW. The impact of adjuvant radiotherapy on carcinosarcoma of the uterus. Gynecol Oncol 1998 ; 68 : 8-13（ケースシリーズ）【旧】
26) Clayton Smith D, Kenneth Mcdonardo O, Gaffney DK. The impact of adjuvant radiation therapy on survival in women with uterine carcinosarcoma. Radiother Oncol 2008 ; 88 : 227-32（ケースコントロール）【旧】
27) Seagle BL, Kains M, Kochergunsky M, Strauss JB, Shahabi S. Stage I uterine carcinosarcoma : matched cohort analyses for lymphadenectomy, chemotherapy, and brachytherapy. Gynecol Oncol 2017 ; 145 : 71-7（ケースコントロール）【検】

CQ 15

Systematic Review

再発低リスクで腹水細胞診/腹腔洗浄細胞診陽性の場合に，
術後補助療法は勧められるか？

推奨

術後補助療法を行わないことを提案する。

推奨の強さ　2(↓)　　エビデンスレベル　C　　合意率 86％(19/22人)

最終会議の論点

作成委員コアメンバーの合意率は94％であったが，医師以外の一般の方である外部作成委員の合意率は60％であり，作成委員と一般の委員との間で乖離が見られた唯一のCQである。この理由として，補助化学療法を行わないことを不安に思う患者心理を反映している可能性があると考えられ，非常に興味深い結果となった。本CQに対してはSRを行った上での推奨であるが，エビデンスが十分とは言えず，「エビデンスレベルC」が妥当であると判断された。

▶▶ 明日への提言

腹水細胞診/腹腔洗浄細胞診所見は再発リスク因子にも含まれていないが，腹水細胞診/腹腔洗浄細胞診陽性が独立した予後不良因子であるとの結果が複数の論文で報告されている。他の再発リスク因子を有さない腹水細胞診/腹腔洗浄細胞診陽性例についての術後補助療法の是非は，今後も検討が必要な課題である。

▶▶ 目 的

再発低リスクかつ腹水細胞診/腹腔洗浄細胞診陽性の症例に対して術後補助療法が推奨されうるかを，システマティックレビューを行うことにより検討する。

▶▶ 解 説

2008年のFIGO分類において子宮体癌の進行期決定から腹水細胞診/腹腔洗浄細胞診が除外され，ⅢA期は子宮漿膜または付属器に進展している症例のみとなり，腹水細胞診/腹腔洗浄細胞診の結果は進行期の決定に考慮されなくなった[1]。しかし予後因子としての検討をさらに継続するため，FIGO 2008分類に加え，『子宮体癌取扱い規約 病理編 第5版』やNCCNガイドライン2022年版[2]においても，陽性例は進行期分類を変更させることなく別に報告すべきとされており，腹水細胞診/腹腔洗浄細胞診自体の重要性は変わらず，手術施行症例全例に行われるべきである。

腹水細胞診/腹腔洗浄細胞診の頻度や予後との関連に関しては様々な報告がなされている。子宮外進展をきたした進行例における腹水細胞診/腹腔洗浄細胞診陽性率は24～100％とされ[3-5]，進行例において腹水細胞診/腹腔洗浄細胞診陽性は独立した予後不良因子となり[6]，遠隔転移と関連し生存期間を短縮させていた[7,8]。他方，早期症例における腹水細胞診/腹腔

洗浄細胞診と予後との関係については，ステージング手術の内容や術後治療の内容が一定でないこともあり確立した結論が得られていない。病変が子宮に限局している症例では，腹水細胞診/腹腔洗浄細胞診陽性は組織学的異型度や筋層浸潤，脈管侵襲とは関連がなかったとされる[9,10]。また類内膜癌ⅠA期で術後補助療法を行わなかった症例に限定した検討では，754例中22例（2.9%）で腹水細胞診/腹腔洗浄細胞診陽性であったが再発は1例もなかった（観察期間中央値44.9カ月）[11]。一方，類内膜癌Ⅰ・Ⅱ期1,668例の多施設後方視的検討では，腹水細胞診/腹腔洗浄細胞診陽性に異型細胞も含めた細胞診異常群では陰性群に比べ無病生存率が低く〔HR 3.07（95%CI 1.81-5.23）〕，補正生存率も低かった〔HR 3.42（95%CI 1.39-8.42）〕[12]。後腹膜リンパ節の検索が十分に行われた（十分なステージング手術が行われた）症例の検討でも，腫瘍が子宮内にとどまっている場合に腹水細胞診/腹腔洗浄細胞診陽性は予後不良因子とならないとする報告[13]がある一方で，反対に予後不良因子とする報告もある[14]。

　上記の背景を受け，本CQでは再発低リスクかつ腹水細胞診/腹腔洗浄細胞診陽性の症例に対して術後補助療法が推奨されうるかのシステマティックレビューを行った。

　腹水細胞診/腹腔洗浄細胞診陽性であった子宮体癌に対する術後補助療法について検証した文献を検索したが，厳密に再発低リスク群に限定して検討された研究は検出されなかった。早期子宮体癌で術後補助療法の有効性を検証した文献は後方視的検討が2報あり，この2報について定性的なシステマティックレビューを行った。

　本邦から報告された子宮体癌ⅠA期を対象とした単施設の後方視的検討では，組織型を類内膜癌G1およびG2，粘液性癌およびその混合型に限定して無病生存期間を比較したところ，術後補助化学療法の有無で有意な差は認めなかったと結論付けている（術後補助療法実施群の5年無病生存率94% vs. 非実施群97%，p＝0.70）[15]。ただし本研究は単変量解析であり，脈管侵襲陽性例を含むことから，厳密には再発低リスク群のみでの検証ではない。

　一方，Ⅰ・Ⅱ期を対象とした検証ではあるが米国NCDBを用いた研究では傾向スコアマッチング，逆確率重み付けを行った多変量解析によって，腹水細胞診/腹腔洗浄細胞診陽性例では術後補助化学療法の実施が無治療群と比較して独立した予後因子であったと報告している〔HR 0.62（95%CI 0.40-0.95）〕[16]。交絡因子の影響が考慮されているが，対象症例が再発低リスクに限定されていない点にやはり留意が必要である。なお，いずれの文献においても有害事象についてのデータはなく，検証は行えなかった。

　以上を要約すると，腹水細胞診/腹腔洗浄細胞診陽性の早期子宮体癌では術後補助療法が全生存期間において一定の利益をもたらす可能性は示されているものの〔HR 0.62（95%CI 0.40-0.95）〕，再発低リスク群以外の症例も含んだ後方視的検証1文献のみであることから，腹水細胞診/腹腔洗浄細胞診陽性の再発低リスク症例に対して術後補助療法を推奨するほどのエビデンスは確認されなかった。腹水細胞診/腹腔洗浄細胞診の結果は進行期，再発リスク因子いずれにも含まれていない現状を鑑み，現時点では術後補助療法を行わないことを提案するという結論に至った。本CQについては今後も継続した検証が必要である。

▶ 参考文献

1) Pecorelli S. Revised FIGO staging for carcinoma of the vulva, cervix, and endometrium. Int J Gynaecol Obstet 2009 ; 105 : 103-4（規約）【旧】
2) Uterine Neoplasms（Version 1. 2022）NCCN Clinical Practice Guidelines in Oncology http://www.nccn.org/professionals/physician_gls/f_guidelines.asp（ガイドライン）【委】
3) Kashimura M, Sugihara K, Toki N, Matsuura Y, Kawagoe T, Kamura T, et al. The significance of peritoneal cytology in uterine cervix and endometrial cancer. Gynecol Oncol 1997 ; 67 : 285-90（コホート）【旧】
4) Konski A, Poulter C, Keys H, Rubin P, Beecham J, Doane K. Absence of prognostic significance, peritoneal dissemination and treatment advantage in endometrial cancer patients with positive peritoneal cytology. Int J Radiat Oncol Biol Phys 1988 ; 14 : 49-55（コホート）【旧】
5) Imachi M, Tsukamoto N, Matsuyama T, Nakano H. Peritoneal cytology in patients with endometrial carcinoma. Gynecol Oncol 1988 ; 30 : 76-86（コホート）【旧】
6) Takeshima N, Nishida H, Tabata T, Hirai Y, Hasumi K. Positive peritoneal cytology in endometrial cancer : enhancement of other prognostic indicators. Gynecol Oncol 2001 ; 82 : 470-3（コホート）【旧】
7) Kadar N, Homesley HD, Malfetano JH. Positive peritoneal cytology is an adverse factor in endometrial carcinoma only if there is other evidence of extrauterine disease. Gynecol Oncol 1992 ; 46 : 145-9（コホート）【旧】
8) Milgrom SA, Kollmeier MA, Abu-Rustum NR, Makker V, Gardner GJ, Barakat RR, et al. Positive peritoneal cytology is highly predictive of prognosis and relapse patterns in stage III（FIGO 2009）endometrial cancer. Gynecol Oncol 2013 ; 130 : 49-53（コホート）【旧】
9) Gu M, Shi W, Barakat RR, Thaler HT, Saigo PE. Peritoneal washings in endometrial carcinoma : a study of 298 patients with histopathologic correlation. Acta Cytol 2000 ; 44 : 783-9（コホート）【旧】
10) Saga Y, Imai M, Jobo T, Kuramoto H, Takahashi K, Konno R, et al. Is peritoneal cytology a prognostic factor of endometrial cancer confined to the uterus? Gynecol Oncol 2006 ; 103 : 277-80（コホート）【旧】
11) Wang L, Li L, Wu M, Lang J. The prognostic role of peritoneal cytology in stage IA endometrial endometrioid carcinomas. Curr Probl Cancer 2020 ; 44 : 100514（コホート）【検】
12) Matsuo K, Yabuno A, Hom MS, Shida M, Kakuda M, Adachi S, et al. Significance of abnormal peritoneal cytology on survival of women with stage I-II endometrioid endometrial cancer. Gynecol Oncol 2018 ; 149 : 301-9（コホート）【検】
13) Kasamatsu T, Onda T, Katsumata N, Sawada M, Yamada T, Tsunematsu R, et al. Prognostic significance of positive peritoneal cytology in endometrial carcinoma confined to the uterus. Br J Cancer 2003 ; 88 : 245-50（コホート）【検】
14) Shiozaki T, Tabata T, Yamada T, Yamamoto Y, Yamawaki T, Ikeda T. Does positive peritoneal cytology not affect the prognosis for stage I uterine endometrial cancer? : the remaining controversy and review of the literature. Int J Gynecol Cancer 2014 ; 24 : 549-55（レビュー）【旧】
15) Kanno M, Yunokawa M, Nakabayashi M, Omi M, Ikki A, Mizusaki M, et al. Prognosis and adjuvant chemotherapy for patients with positive peritoneal cytology in stage IA endometrial cancer. Sci Rep 2022 ; 12 : 166（コホート）【検】
16) Seagle BL, Alexander AL, Lantsman T, Shahabi S. Prognosis and treatment of positive peritoneal cytology in early endometrial cancer : Matched cohort analyses from the National Cancer Database. Am J Obstet Gynecol 2018 ; 218 : 329.e1-329.e15（コホート）【検】

CQ 16
子宮摘出術後に子宮体癌と判明した患者に対して，追加治療は勧められるか？

推奨

①再発中・高リスク群が疑われる場合は，ステージング手術を含む追加治療を推奨する。
　推奨の強さ　1（↑↑）　エビデンスレベル　B　合意率 91％（20/22 人）

②再発低リスク群と推定できる場合は，追加治療を勧めず，慎重な経過観察を提案する。
　推奨の強さ　2（↓）　エビデンスレベル　C　合意率 100％（22/22 人）

▶▶ 目　的

　子宮筋腫や子宮腺筋症などの良性疾患や子宮内膜異型増殖症の術前診断で単純子宮全摘出術を行い，術後に初めて子宮体癌が発見された症例の取り扱いについて検討する。

▶▶ 解　説

　本来，術前に子宮体癌と判明していれば，少なくとも筋膜外術式による単純子宮全摘出術以上の腟壁や周囲靱帯をつけた子宮摘出がなされたはずである（CQ01 参照）が，良性子宮疾患を想定した手術の場合，筋膜内術式による単純子宮全摘出術のみが行われていることもありうる。しかし大きな相違点は，子宮体癌と術前診断できていれば行っていたはずの標準的ステージング手術に含まれる，両側付属器摘出術（特殊組織型の場合は大網切除術も）を加えた十分な腹腔内検索（腹水細胞診/腹腔洗浄細胞診を含む）とリンパ節郭清が施行されていないことにある。

　リンパ節郭清が行われていない場合に再手術で郭清を追加する治療的意義は明らかではない。実際，摘出子宮の病理組織学的検査の結果，再発低リスク群にあたる類内膜癌 G1 または G2 症例の筋層浸潤 1/2 未満におけるリンパ節転移率は 1.7％であった[1]。KGOG は術前評価によるリンパ節転移低リスク群を，①生検で類内膜癌，② MRI で深い筋層浸潤や短径 1 cm 以上のリンパ節腫大がない/病変が子宮体部をこえて拡がらない，③ CA125 が 35 U/mL 未満としているが，これら 272 例のうちリンパ節転移を認めたのは 8 例（2.9％）であった（KGOG2015 試験：NCT01527396）[2]。術前 PET/CT 検査を用いたリンパ節転移に関するメタアナリシスでは，感度 0.68，特異度 0.98 であり，手術可否決定への有用性に関しては明らかではないとしている[3]。また，別の KGOG で行われた多施設共同研究においても，再発低リスク群におけるリンパ節郭清施行の 5 年生存率に対する予後改善効果は明らかではなかった[4]。さらに Cochrane Library における I 期症例に対する 2 つの RCT のメタアナリシ

スでも，リンパ節郭清（生検）を追加した群と未施行群の5年無再発生存率，5年全生存率に有意差はなかった[5]。

　NCCNガイドライン2022年版では，ステージング手術が不完全な場合，脈管侵襲がなく腫瘍径が2 cm未満で筋層浸潤1/2未満のG1, G2の低リスクⅠA期症例に対しては，このまま経過観察が可能としている[6]。一方，同ガイドラインでは，脈管侵襲陽性，腫瘍径2 cm以上，類内膜癌G3あるいは特殊組織型に該当するⅠA期，筋層浸潤1/2以上のⅠB期およびⅡ期の再発中・高リスク群では，画像検索や再手術を行い，正確な進行期を決定することが推奨され，それにより追加治療が考慮されるべきとしている[6]。再発中・高リスクと推定される症例において，後腹膜リンパ節郭清を施行する診断・治療上の意義はCQ03，術後追加薬物療法・放射線治療の適応に関してはCQ13およびCQ14を参照されたい。

　以上のように，摘出子宮による病理組織学的検査と術後の画像検査で再発中・高リスク群が疑われる症例には，ステージング手術を含む標準的治療を行うことが推奨される。これに対して，Ⅰ期症例のうち再発低リスク群と推定される場合には，卵巣温存の有無に関するCQ06も参考の上，厳重な管理と患者・家族への適切な説明・同意のもと経過観察を行うことも提案できる。しかしながら，再発低リスクである推定にも診断上の限界があることを理解し，必ずしも再手術を含む適切な治療の追加を躊躇すべきではない。

▶ 参考文献

1) Pölcher M, Rottmann M, Brugger S, Mahner S, Dannecker C, Kiechle M, et al. Lymph node dissection in endometrial cancer and clinical outcome : a population-based study in 5546 patients. Gynecol Oncol 2019 ; 154 : 65-71（ケースコントロール）【委】
2) Kang S, Nam JH, Bae DS, Kim JW, Kim MH, Chen X, et al. Preoperative assessment of lymph node metastasis in endometrial cancer : a Korean Gynecologic Oncology Group study. Cancer 2017 ; 123 : 263-72（コホート）【旧】
3) Hu J, Zhang K, Yan Y, Zang Y, Wang Y, Xue F. Diagnostic accuracy of preoperative 18F-FDG PET or PET/CT in detecting pelvic and para-aortic lymph node metastasis in patients with endometrial cancer : a systematic review and meta-analysis. Arch Gynecol Obstet 2019 ; 300 : 519-29（メタ）【委】
4) Kim M, Choi C, Kim K, Lim MC, Park JY, Hong JH, et al. Three-year recurrence-free survival in patients with a very low risk of endometrial cancer who did not undergo lymph node dissection（tree retro）: a Korean Multicenter Study. Int J Gynecol Cancer 2018 ; 28 : 1123-9（ケースコントロール）【委】
5) Frost JA, Webster KE, Bryant A, Morrison J. Lymphadenectomy for the management of endometrial cancer. Cochrane Database Syst Rev 2015 ; (9) : CD007585（メタ）【旧】
6) Uterine Neoplasms（Version 1. 2022）NCCN Clinical Practice Guidelines in Oncology
http://www.nccn.org/professionals/physician_gls/f_guidelines.asp（ガイドライン）【委】

CQ 17
再発低リスク群を推定して行われた手術の後に再発中・高リスク群と判明した患者に対して，追加治療は勧められるか？

推奨

①画像検査による転移検索の上，追加治療を行うことを推奨する。
　推奨の強さ　1（↑↑）　エビデンスレベル　B　合意率86%（19/22人）
②ステージング手術により正確な手術進行期を決定することを提案する。
　推奨の強さ　2（↑）　エビデンスレベル　C　合意率95%（21/22人）

▶▶▶ 目　的

　再発低リスク群の術前診断のもと，筋膜外術式による単純子宮全摘出術＋両側付属器摘出術（＋骨盤リンパ節郭清）のみを施行したが，摘出子宮の病理組織学的検索の結果，再発中・高リスク群と判明した場合の取り扱いについて検討する。

▶▶▶ 解　説

　KGOG2015試験（NCT01527396）の報告では，術前評価によるリンパ節転移低リスク群（生検で類内膜癌，MRIで筋層浸潤1/2未満，短径1cm以上のリンパ節腫大なし，病変が子宮体部をこえない，CA125が35 U/mL未満のすべてを満たすもの）272例において，術後の病理組織学的検索にて，リンパ節転移の有無を評価せずに再発高リスクと診断されたのは24例（G3が5例，筋層浸潤1/2以上が18例，子宮病変に基づくⅢ期が1例）であり[1]，その24例中2例（8.3%）にリンパ節転移を認めた。一方，術後の病理組織学的検索でも再発低リスクのままであった248例では6例（2.4%）にリンパ節転移を認めた[1]。この報告では，術前の再発低リスク推定に組織学的異型度を考慮していない点に注意が必要であるが，術前に再発低リスク群と推定しても，アップステージする可能性が十分にあること，その場合はリンパ節転移率が高くなることを理解しておく必要がある。再発中・高リスクと推定される症例において，後腹膜リンパ節郭清を施行する診断・治療上の意義はCQ03を参考にしていただきたい。

　NCCNガイドライン2022年版では，手術評価が不十分な子宮体癌患者において，ⅠA期でも脈管侵襲陽性，腫瘍径2cm以上，類内膜癌G3あるいは特殊組織型の場合，あるいは筋層浸潤1/2以上のⅠB期，Ⅱ期などの再発中・高リスク群では再手術を行い，正確な進行期を決定することが推奨され，それにより追加治療が考慮されるべきとしている。また，60歳以上で脈管侵襲のないⅠA期類内膜癌G3，あるいはⅠB期類内膜癌G1/G2には，画像検索で異常を認めなければ，腟内照射を推奨している[2]。高リスク群に対する術前PET/CT検査でのリンパ節転移の偽陰性率は54%とする報告もあり（NCT01737619），画像評価によ

る全身リンパ節転移の正確な評価は困難である[3]。また，Ⅰ期類内膜癌症例において手術（単純子宮全摘出術＋両側付属器摘出術＋骨盤リンパ節郭清±傍大動脈リンパ節郭清）のみを行って追加治療を行わなかった場合，再発リスク因子（G2またはG3，脈管侵襲陽性，筋層浸潤1/2以上）数ごとの5年以内再発率は，0個：4%，1個：16%，2個以上：44%と，数が増えるにしたがって高まることが報告されている[4]。Ⅰ期類内膜癌において，無治療に比較し追加治療による生存期間の延長効果は主にⅠB期以上で認められ[5]，不用意な治療の省略はすべきではない。再発中・高リスクと推定される症例における術後追加薬物療法・放射線治療の適応に関しては，CQ13およびCQ14を参照されたい。

　一方，合併症などの医学的理由で再手術ができない場合には，患者・家族への適切な説明・同意のもと，追加治療として放射線治療（骨盤照射＋腟内小線源治療）または薬物療法を考慮すべきである[2]。

▶ 参考文献

1) Kang S, Nam JH, Bae DS, Kim JW, Kim MH, Chen X, et al. Preoperative assessment of lymph node metastasis in endometrial cancer : a Korean Gynecologic Oncology Group study. Cancer 2017 ; 123 : 263-72（コホート）【旧】
2) Uterine Neoplasms（Version 1. 2022）NCCN Clinical Practice Guidelines in Oncology http://www.nccn.org/professionals/physician_gls/f_guidelines.asp（ガイドライン）【検】
3) Stewart KI, Chasen B, Erwin W, Fleming N, Westin SN, Dioun S, et al. Preoperative PET/CT does not accurately detect extrauterine disease in patients with newly diagnosed high-risk endometrial cancer : a prospective study. Cancer 2019 ; 125 : 3347-53（コホート）【委】
4) Elshaikh MA, Modh A, Sakr S, Shrestha R, Burmeister C, Ali-Fehmi R, et al. A simplified risk stratification method for women with stage I endometrial carcinoma. Am J Clin Oncol 2019 ; 42 : 131-7（ケースコントロール）【検】
5) AlHilli MM, Rybicki L, Carr C, Yao M, Amarnath S, Vargas R, et al. Development and validation of a comprehensive clinical risk-scoring model for prediction of overall survival in patients with endometrioid endometrial carcinoma. Gynecol Oncol 2021 ; 163 : 511-6（ケースコントロール）【検】

第4章 切除不能進行・再発癌の治療

総説

I 切除不能進行癌

　切除不能と予想される進行症例の治療においては，個々の状況に応じて手術療法，化学療法，放射線治療，あるいはホルモン療法を用いて個別化した治療方針の立案が求められる。治療法の選択は病巣の部位や患者のPS，合併症，ホルモン受容体の有無などに基づいて決定される。しかしこのような病態の場合，基本的に根治が望めないため，治療の選択にあたって患者のQOLに配慮することが重要である。

　治療開始前に子宮外進展が判明している場合には，まず，子宮摘出と腫瘍減量術が可能かどうかの判断が必要である。その場合，遠隔転移などによりoptimal surgeryが困難で病巣残存が予想される症例に対して術前の化学療法を行うことは，エビデンスに乏しいものの数少ない治療法の選択肢となる[1]（CQ18）。術前の放射線治療は，欧米で子宮頸部浸潤や子宮傍組織浸潤例に施行した報告があるが[2]，本邦では子宮頸部浸潤のみの場合には手術で切除することが多く，術前照射はほとんど行われていないのが現状である。

　切除不能進行子宮体癌に対する化学療法としては，現時点ではGOG107試験[3,4]などの結果からAP療法〔ドキソルビシン（アドリアマイシン）＋シスプラチン〕が標準治療の一つである（CQ21）。また，GOG177試験で奏効率，無病生存期間，全生存期間においてAP療法を上回ることが示されたTAP療法（パクリタキセル＋AP療法）は，末梢神経障害や骨髄抑制といった毒性が高率[5]で，本邦では実臨床として行われる機会は極めて限定的であった。その後，GOG209試験により，TC療法（パクリタキセル＋カルボプラチン）が全生存期間および無増悪生存期間においてTAP療法に対して非劣性であることが示された[6]。以上より，本ガイドラインでは進行子宮体癌に対する標準治療はTC療法またはAP療法とした（CQ21）。

　子宮癌肉腫は子宮体癌の亜型として分類されているが，その治療開発の歴史は独自の変遷を辿っている。再発も含めた切除不能進行病態の場合，従来イホスファミド単剤療法を標準治療としていたが，近年GOG108試験，GOG161試験およびGOG261試験などにより併用療法の有効性・安全性に関する検証が行われた[7-9]。その結果から，本ガイドラインでは子宮癌肉腫に対する薬物療法としてイホスファミド，プラチナ製剤，パクリタキセルなどを含むレジメンを提案する（CQ21）。

　切除不能の局所進行子宮体癌を対象とした放射線治療単独の効果についてまとめた報告はないが，腫瘍制御を目標にする場合には，外部照射と腔内照射の併用を原則とする（CQ12）。現時点で進行した子宮体癌に対して放射線治療は，単発や限局した残存病巣に対する照射，

もしくは症状緩和を目的とした照射に限定して用いられている(CQ22)。化学療法や放射線治療以外にも，エストロゲン受容体(ER)，プロゲステロン受容体(PgR)陽性例においてはMPAによるホルモン療法の効果が期待できる[10](CQ21)。

Ⅱ 再発癌

再発癌の中で最も根治が望める可能性があるのは腟断端再発である。治療には放射線治療が推奨され，術後腟断端再発に対する放射線治療症例の後方視的解析では，5年骨盤内制御率は82〜92％，5年生存率は50〜83％と報告されている[11-16]。腟断端再発に対する手術療法の報告はほとんどないが，完全切除可能な数少ない再発部位であり，切除可能であれば手術療法も考慮する(CQ19)。一方で，全身状態や病状などを考慮し放射線治療や手術療法が適応にならない場合，薬物療法が選択される患者もいると考えられる(CQ21)。

腟断端以外の再発部位でも，単発あるいは限局した腫瘍で，手術により残存なく摘出が可能な場合には手術療法も選択肢となる[17-23]。この場合にも「根治性」と「侵襲性」のバランスを考慮した患者選択が重要である(CQ20)。腟断端以外の再発癌に対する放射線治療は，初回治療での照射歴や再発部位に応じて考慮される。単発あるいは限局した腫瘍でも，切除不能な部位の再発や，手術が患者のQOLを害すると考えられる場合には，放射線治療も選択肢となる。近年では強度変調放射線治療(IMRT)や体幹部定位放射線治療(SBRT)などの高精度放射線治療も再発例の放射線治療として検討されており，傍大動脈リンパ節再発などに対して良好な成績が報告されている[24-26]。さらに少数個(5個以下とする場合が多い)の遠隔転移(oligometastasis)も救済放射線治療の適応となることがある。近年，肺や骨などの体幹部のoligometastasisに対するSBRTにより，骨転移の除痛等の症状緩和効果に加え，腫瘍の局所制御と予後改善効果が示唆されている[27]。その他，腟壁再発に対する出血や骨転移に対する疼痛のコントロール，脳転移による急激な症状悪化の予防に放射線治療が有用な場合もある(CQ22)。

多発性の再発や，局所性の再発でも前治療や再発部位によって手術や放射線治療が選択できない場合には，化学療法やホルモン療法が選択される。

化学療法の治療レジメンは，本ガイドラインでは，プラチナ製剤を含む化学療法歴のない再発癌に対してTC療法を推奨する[6]。一方，プラチナ製剤を含む化学療法歴のある再発癌に対しては，近年の遺伝子変異解析技術の進歩などを背景にコンパニオン診断検査を用いた治療選択が可能になり，その様相は従来の治療から大きな変化を認めている(CQ21)。プラチナ製剤を含む化学療法歴のある切除不能な進行・再発癌を対象とした309-KEYNOTE-775試験は，レンバチニブ＋ペムブロリズマブ併用療法がパクリタキセルやドキソルビシン単剤療法よりも無増悪生存期間および全生存期間において有意に良好な成績であることを示した[28]。またKEYNOTE-158試験にて，高頻度マイクロサテライト不安定性(MSI-High)，あるいはDNAミスマッチ修復機能欠損(dMMR)，TMB-Highを有する患者に対してはペムブロリズマブ単剤療法の有効性も示されている[29]。

薬剤の選択にあたっては，患者の状態や前治療の内容を考慮する必要がある。レンバチニブ＋ペムブロリズマブ併用療法やペムブロリズマブ単剤療法を安全に運用するためには，適格基準/除外基準，有害事象への対処の前提となるセルフケア能力等を適切に評価する必要がある。その結果，適応にならない患者に対しては初回治療での化学療法の有無や使用薬剤，再発までの期間を考慮して，AP療法やTC療法の再投与や，単剤療法，緩和治療を考慮するのが妥当である。また，ホルモン療法については，ER，PgR陽性例においてはMPAによるホルモン療法の効果が期待できる[10]。ホルモン療法は血栓症以外に目立った毒性はなく，高齢者やPSの悪い症例にも使用しやすい（CQ21）。

がんゲノム医療は，がんに関連する遺伝子変異を網羅的に調べ，その結果に基づいて患者一人ひとりに合った最適な医療を行うことを指し，患者にとって，より効率的ながん医療が可能になると期待されている。再発癌の患者に対して次世代シーケンサーを用いたがん遺伝子パネル検査の結果を通して，子宮体がん患者に対し個別化されたより良い治療を提供できる可能性がある（CQ23）。一方で，現在の子宮体がん診療において，コンパニオン診断としてのMSI，dMMR，および腫瘍変異負荷（TMB）判定の有効性は高いものの，網羅的遺伝子解析が無増悪生存期間や全生存期間に与える影響は限定的である。今後は，これらの治療効果をアウトカムとしたがん遺伝子パネル検査の有効性に関するエビデンスの創出が期待される。

▶ 参考文献

1) Uterine Neoplasms（Version 1. 2022）NCCN Clinical Practice Guidelines in Oncology
http://www.nccn.org/professionals/physician_gls/f_guidelines.asp
2) Vargo JA, Boisen MM, Comerci JT, Kim H, Houser CJ, Sukumvanich P, et al. Neoadjuvant radiotherapy with or without chemotherapy followed by extrafascial hysterectomy for locally advanced endometrial cancer clinically extending to the cervix or parametria. Gynecol Oncol 2014 ; 135 : 190-5
3) Thigpen JT, Brady MF, Homesley HD, Malfetano J, DuBeshter B, Burger RA, et al. Phase III trial of doxorubicin with or without cisplatin in advanced endometrial carcinoma : a Gynecologic Oncology Group study. J Clin Oncol 2004 ; 22 : 3902-8
4) van Wijk FH, Aapro MS, Bolis G, Chevallier B, van der Burg ME , Poveda A, et al. Doxorubicin versus doxorubicin and cisplatin in endometrial carcinoma : definitive results of a randomised study（55872）by the EORTC Gynaecological Cancer Group. Ann Oncol 2003 ; 14 : 441-8
5) Fleming GF, Brunetto VL, Cella D, Look KY, Reid GC, Munkarah AR, et al. Phase III trial of doxorubicin plus cisplatin with or without paclitaxel plus filgrastim in advanced endometrial carcinoma : a Gynecologic Oncology Group study. J Clin Oncol 2004 ; 22 : 2159-66
6) Miller DS, Filiaci VL, Mannel RS, Cohn DE, Matsumoto T, Tewari KS, et al. Carboplatin and paclitaxel for advanced endometrial cancer : final overall survival and adverse event analysis of a phase III trial（NRG oncology/GOG0209）. J Clin Oncol 2020 ; 38 : 3841-50
7) Sutton G, Brunetto VL, Kilgore L, Soper JT, McGehee R, Olt G, et al. A phase III trial of ifosfamide with or without cisplatin in carcinosarcoma of the uterus : a Gynecologic Oncology Group Study. Gynecol Oncol 2000 ; 79 : 147-53
8) Homesley HD, Filiaci V, Markman M, Bitterman P, Eaton L, Kilgore LC, et al. Phase III trial of ifosfamide with or without paclitaxel in advanced uterine carcinosarcoma : a Gynecologic Oncology Group Study. J Clin Oncol 2007 ; 25 : 526-31
9) Powell MA, Filiaci VL, Hensley ML, Huang HQ, Moore KN, Tewari KS, et al. Randomized phase III trial of paclitaxel and carboplatin versus paclitaxel and ifosfamide in patients with carcinosarcoma of the

uterus or ovary : an NRG oncology trial. J Clin Oncol 2022 ; 40 : 968-77
10) Thigpen JT, Brady MF, Alvarez RD, Adelson MD, Homesley HD, Manetta A, et al. Oral medroxyprogesterone acetate in the treatment of advanced or recurrent endometrial carcinoma : a dose-response study by the Gynecologic Oncology Group. J Clin Oncol 1999 ; 17 : 1736-44
11) Alban G, Cheng T, Adleman J, Buzurovic I, Pretz J, Singer L, et al. Definitive radiotherapy for vaginal recurrence of early-stage endometrial cancer : survival outcomes and effect of mismatch repair status. Int J Gynecol Cancer 2021 ; 31 : 1007-13
12) Lindemann K, Smogeli E, Småstuen MC, Bruheim K, Trovik J, Nordberg T, et al. Salvage radiation for pelvic relapse after surgically treated endometrial cancer. Cancers (Basel) 2021 ; 13 : 1367
13) Sapienza LG, Ning MS, de la Pena R, McNew LK, Jhingran A, Georgeon L, et al. Outcomes and toxicity after salvage radiotherapy for vaginal relapse of endometrial cancer. Int J Gynecol Cancer 2020 ; 30 : 1535-41
14) Francis SR, Ager BJ, Do OA, Huang Y-HJ, Soisson AP, Dodson MK, et al. Recurrent early stage endometrial cancer : Patterns of recurrence and results of salvage therapy. Gynecol Oncol 2019 ; 154 : 38-44
15) Chapman CH, Maghsoudi K, Littell RD, Chen LM, Hsu IC. Salvage high-dose-rate brachytherapy and external beam radiotherapy for isolated vaginal recurrences of endometrial cancer with no prior adjuvant therapy. Brachytherapy 2017 ; 16 : 1152-8
16) Sekii S, Murakami N, Kato T, Harada K, Kitaguchi M, Takahashi K, et al. Outcomes of salvage high-dose-rate brachytherapy with or without external beam radiotherapy for isolated vaginal recurrence of endometrial cancer. J Contemp Brachytherapy 2017 ; 9 : 209-15
17) Campagnutta E, Giorda G, De Piero G, Sopracordevole F, Visentin MC, Martella L, et al. Surgical treatment of recurrent endometrial carcinoma. Cancer 2004 ; 100 : 89-96
18) Bristow RE, Santillan A, Zahurak ML, Gardner GJ, Giuntoli RL 2nd, Armstrong DK. Salvage cytoreductive surgery for recurrent endometrial cancer. Gynecol Oncol 2006 ; 103 : 281-7
19) Barlin JN, Puri I, Bristow RE. Cytoreductive surgery for advanced or recurrent endometrial cancer : a meta-analysis. Gynecol Oncol 2010 ; 118 : 14-8
20) Ren Y, Shan B, Shi D, Wang H. Salvage cytoreductive surgery for patients with recurrent endometrial cancer : a retrospective study. BMC Cancer 2014 ; 14 : 135
21) Papadia A, Bellati F, Ditto A, Bogani G, Gasparri ML, Di Donato V, et al. Surgical treatment of recurrent endometrial cancer : time for paradigm shift. Ann Surg Oncol 2015 ; 22 : 4204-10
22) Moukarzel LA, Braxton KF, Zhou QC, Pedra Nobre S, Iasonos A, Alektiar KM, et al. Non-exenterative surgical management of recurrent endometrial carcinoma. Gynecol Oncol 2021 ; 162 : 268-76
23) Shikama A, Minaguchi T, Takao W, Hosokawa Y, Nishida K, Tasaka N, et al. Predictors of favorable survival after secondary cytoreductive surgery for recurrent endometrial cancer. Int J Clin Oncol 2019 ; 24 : 1256-63
24) Ho JC, Allen PK, Jhingran A, Westin SN, Lu KH, Eifel PJ, et al. Management of nodal recurrences of endometrial cancer with IMRT. Gynecol Oncol 2015 ; 139 : 40-6
25) Shirvani SM, Klopp AH, Likhacheva A, Jhingran A, Soliman PT, Lu KH, et al. Intensity modulated radiation therapy for definitive treatment of paraortic relapse in patients with endometrial cancer. Pract Radiat Oncol 2013 ; 3 : e21-8
26) Higginson DS, Morris DE, Jones EL, Clarke-Pearson D, Varia MA. Stereotactic body radiotherapy (SBRT) : technological innovation and application in gynecologic oncology. Gynecol Oncol 2011 ; 120 : 404-12
27) Mendez LC, Leung E, Cheung P, Barbera L. The role of stereotactic ablative body radiotherapy in gynaecological cancers : a systematic review. Clin Oncol (R Coll Radiol) 2017 ; 29 : 378-84
28) Makker V, Colombo N, Casado Herraez A, Santin AD, Colomba E, Miller DS, et al. Lenvatinib plus pembrolizumab for advanced endometrial cancer. N Engl J Med 2022 ; 386 : 437-48
29) O'Malley DM, Bariani GM, Cassier PA, Marabelle A, Hansen AR, De Jesus Acosta A, et al. Pembrolizumab in patients with microsatellite instability-high advanced endometrial cancer : results from the KEYNOTE-158 study. J Clin Oncol 2022 ; 40 : 752-61

CQ 18
切除困難または病巣残存が予想される進行癌の患者に対して，術前治療は勧められるか？

推奨

周辺臓器への浸潤があり切除困難な患者や，遠隔転移があり病巣残存が予想される患者に対して，術前化学療法を提案する。

推奨の強さ　2(↑)　　エビデンスレベル　C　　合意率 94%(15/16人)

▶▶▶ 目　的

切除困難または病巣残存が予想される進行癌の患者に対する術前治療の意義について検討する。

▶▶▶ 解　説

切除困難または病巣残存が予想される進行癌に対する術前化学療法は，症例報告とケースシリーズが多く[1-4]，有用性を示す質の高いエビデンスは少ない。

単施設において，Ⅳ期の漿液性癌(混合癌を含む)に対して，化学療法先行群10例と手術先行群34例を後方視的に検討した研究では，両群でPFSおよびOSに有意差を認めなかった[5]。また，多施設において，ⅣB期に対して化学療法先行群125例と手術先行群279例を後方視的に検討した研究では，手術先行群においてOSが良好であったが，化学療法後に手術可能であった患者群においては，手術先行群と同程度のOSが得られている[6]。明らかなリンパ節腫大を認めるⅢC期12例，ⅣA期1例，ⅣB期32例を後方視的に検討した研究では，手術先行群28例と術前化学療法群17例においてOSに有意差を認めなかった。残存腫瘍1cm以下にできた29例(64%)では有意に予後良好であった[7]。一方，唯一の前方視的研究として腹腔鏡で確認した腹腔内播種のⅣ期(FIGO 2008)30例(90%が漿液性癌)に対して，3～4サイクルの化学療法(83%がTC療法)を施行後，腫瘍摘出術を行った結果，24例(80%)は残存腫瘍1cm以下(22例は残存腫瘍なし)になったとする報告がある[8]。米国がん登録(SEER)よりⅣB期4,890例を対象とした多数例の観察研究では，化学療法先行群952例のうち555例(58%)が手術を受けていた。手術先行群3,938例と化学療法先行群の比較では，化学療法先行群で短期予後は改善したものの，長期予後は手術先行群において良好であった[9]。

NCCNガイドライン2022年版では，初回の臨床所見で切除不能の子宮外骨盤内病変を有する場合の初回治療として，化学療法を行い，その効果により外科的切除(および/または放射線治療)の再評価を行うと記載され，化学療法が選択肢とされている[10]。JGOG2046試験では，ⅣB期における術前化学療法に関するfeasibility studyが行われた。試験治療を受け

た49例のうち33例(67％)で，3〜5サイクルの化学療法後に子宮全摘出術と両側付属器摘出術が可能であった。手術施行群は非施行群に比して生存期間が延長し，完全切除ができた21例(43％)で最も予後良好であった。DFSの中央値は9.1カ月，OSの中央値は23.2カ月であった[11]。

以上より，未だエビデンスレベルは十分ではないものの，周辺臓器への直接浸潤をきたしている患者や，画像上明らかな遠隔転移が示唆され完全切除困難で病巣残存が予想される進行癌の患者に対して，術前化学療法を選択することは考慮される。

術前放射線治療[12, 13]については，有効性を示すだけの質の高いエビデンスはほとんどない。頸部浸潤あるいは子宮傍組織への浸潤を伴う子宮体癌36例に対して，放射線治療もしくは同時化学放射線療法を行った後に筋膜外術式で子宮摘出を行った報告において，33例(92％)が予定治療を完遂し，手術を施行した全例において切除断端陰性で子宮摘出が可能であったとされている[14]。また，同じグループより，術後イレウス，輸血，創感染，再入院の発生率は3〜6％であったと報告されている[15]。

NCCNガイドライン2022年版においては，頸部浸潤の疑いまたは肉眼的頸部浸潤例で初回手術が適切ではない患者に対して術前放射線治療(あるいは化学療法の併用)が選択肢となりうるとされている[10]。一方で，本邦では頸部浸潤のみであれば準広汎子宮全摘出術あるいは広汎子宮全摘出術を選択し根治手術を行うことが多く，一般に術前の放射線治療は行われていないのが現状である。

▶ 参考文献

1) Le TD, Yamada SD, Rutgers JL, DiSaia PJ. Complete response of a stage IV uterine papillary serous carcinoma to neoadjuvant chemotherapy with taxol and carboplatine. Gynecol Oncol 1999 ; 73 : 461-3 (ケースシリーズ)【旧】
2) Fujiwaki R, Takahashi K, Kitao M. Decrease in tumor volume and histologic response to intraarterial neoadjuvant chemotherapy in patients with cervical and endometrial adenocarcinoma. Gynecol Oncol 1997 ; 65 : 258-64 (ケースシリーズ)【旧】
3) Resnik E, Taxy JB. Neoadjuvant chemotherapy in uterine papillary serous carcinoma. Gynecol Oncol 1996 ; 62 : 123-7 (ケースシリーズ)【旧】
4) Despierre E, Moerman P, Vergote I, Amant F. Is there a role for neoadjuvant chemotherapy in the treatment of stage IV serous endometrial carcinoma? Int J Gynecol Cancer 2006 ; 16 (Suppl 1) : 273-7 (ケースシリーズ)【旧】
5) Wilkinson-Ryan I, Frolova AI, Liu J, Stewart Massad L, Thaker PH, Powell MA, et al. Neoadjuvant chemotherapy versus primary cytoreductive surgery for stage IV uterine serous carcinoma. Int J Gynecol Cancer 2015 ; 25 : 63-8 (ケースコントロール)【旧】
6) Eto T, Saito T, Shimokawa M, Hatae M, Takeshima N, Kobayashi H, et al. Status of treatment for the overall population of patients with stage IVb endometrial cancer, and evaluation of the role of preoperative chemotherapy: a retrospective multi-institutional study of 426 patients in Japan. Gynecol Oncol 2013 ; 131 : 574-80 (ケースコントロール)【旧】
7) Rajkumar S, Nath R, Lane G, Mehra G, Begum S, Sayasneh A. Advanced stage (IIIC/IV) endometrial cancer: role of cytoreduction and determinants of survival. Eur J Obstet Gynecol Reprod Biol 2019 ; 234 : 26-31 (ケースシリーズ)【委】
8) Vandenput I, Van Calster B, Capoen A, Leunen K, Berteloot P, Neven P, et al. Neoadjuvant chemother-

apy followed by interval debulking surgery in patients with serous endometrial cancer with transperitoneal spread (stage IV): a new preferred treatment. Br J Cancer 2009 ; 101 : 244-9(ケースシリーズ)【旧】

9) Tobias CJ, Chen L, Melamed A, St Clair C, Khoury-Collado F, Tergas AI, et al. Association of neoadjuvant chemotherapy with overall survival in women with metastatic endometrial cancer. JAMA Netw Open 2020 ; 3 : e2028612(ケースコントロール)【検】

10) Uterine Neoplasms (Version 1.2022) NCCN Clinical Practice Guidelines in Oncology
http://www.nccn.org/professionals/physician_gls/f_guidelines.asp(ガイドライン)【委】

11) Nakanishi T, Saito T, Aoki D, Watanabe Y, Ushijima K, Takano M, et al. JGOG2046 : a feasibility study of neoadjuvant chemotherapy followed by debulking surgery for clinically diagnosed FIGO stage IVB endometrial cancer. Int J Clin Oncol 2023 ; 28 : 436-44(ケースシリーズ)【委】

12) Kaneyasu Y, Okawa T, Yajima M, Saito R, Nakabayashi M, Seshimo A, et al. Stage IVB uterine endometrial cancer successfully salvaged by chemoradiotherapy and surgery. Int J Clin Oncol 2003 ; 8 : 60-4(ケースシリーズ)【旧】

13) Kinsella TJ, Bloomer WD, Lavin PT, Knapp RC. Stage II endometrial carcinoma: 10-year follow-up of combined radiation and surgical treatment. Gynecol Oncol 1980 ; 10 : 290-7(ケースシリーズ)【旧】

14) Vargo JA, Boisen MM, Comerci JT, Kim H, Houser CJ, Sukumvanich P, et al. Neoadjuvant radiotherapy with or without chemotherapy followed by extrafascial hysterectomy for locally advanced endometrial cancer clinically extending to the cervix or parametria. Gynecol Oncol 2014 ; 135 : 190-5(ケースシリーズ)【旧】

15) Boisen MM, Vargo JA, Beriwal S, Sukumvanich P, Olawaiye AB, Kelley JL, et al. Surgical outcomes of patients undergoing extrafascial hysterectomy after neoadjuvant radiotherapy with or without chemotherapy for locally advanced endometrial cancer clinically extending to the cervix or parametria. Int J Gynecol Cancer 2017 ; 27 : 1149-54(ケースシリーズ)【検】

CQ 19

腟断端再発に対して,放射線治療は勧められるか?

推奨

①放射線治療を推奨する。
　推奨の強さ　1(↑↑)　　エビデンスレベル　B　　合意率 100%(16/16 人)

②放射線治療以外に手術を行うことも提案する。
　推奨の強さ　2(↑)　　エビデンスレベル　C　　合意率 88%(14/16 人)

> **最終会議の論点**
> 推奨②の合意率は 88% であったが,腟断端再発に対して薬物療法(ホルモン療法を含む)の選択肢を加えるべきではないかという意見があった。

▶▶ 目　的

腟断端再発に対する放射線治療について検討する。

▶▶ 解　説

子宮体癌の再発部位としては,腟を含めた骨盤内のみならず,癌性腹膜炎を伴った腹腔内,肺,肝,リンパ節などの遠隔部位の再発も多い。また,多くは多発性であることから,根治的な治療を行える場合は少ないが,そのうち腟断端再発は適切な治療により二次的な治癒が期待できる。他部位に病変を有さない術後腟断端再発例に対しては,根治的意図をもった治療方針で臨むべきであると考えられる。

術後腟断端再発に対する放射線治療症例の遡及解析で,5 年骨盤内制御率は 82〜92%,5 年生存率は 50〜83% と報告されている[1-6]。放射線治療の方法としては,外部照射と小線源治療(腔内照射や組織内照射)の併用,またはそれぞれの単独として治療される。比較的多数例の検討で,外部照射と小線源治療の併用療法の骨盤内制御率が良好と報告されている[1-3]。これらの報告はいずれも症例集積研究結果であるが,ESGO/ESTRO/ESP ガイドラインや SGO's Clinical Practice Committee の推奨においても,照射歴のない患者には,腟断端部の孤発性の再発に対する治療として,外部照射と小線源治療の併用,特に 3 次元画像誘導小線源治療(3D-IGBT)の併用を推奨している[7,8]。小線源治療として,本邦では腔内照射が実施されることが多いが,再発腫瘍が大きい場合には組織内照射の適用が考慮される[9]。小線源治療の実施にあたっては,術後の腟断端には小腸が近接し癒着していることも多いため,3D-IGBT で腸管への照射線量を確認し調整した上で行うことが望ましく[7-9],特に組織内照射では 3 次元治療計画は必須である[9]。3D-IGBT で治療を実施した場合,術後照射未施行例では晩期有害事象グレード 3 の消化管,膀胱,および腟の毒性は,それぞれ 3%,2%,2%

であったと報告されている[1]。

　局所制御に関わる因子としては，組織型（類内膜癌の方が予後良好）[1,3]，初発病期（Ⅰ期の方が予後良好）[2]，再発までの期間（長ければ予後良好）[3]，再発腫瘍のサイズ（小さい方が予後良好）[10,11]，部位（腟入口部側の方が予後良好）[11,12]などの腫瘍因子のほか，放射線治療方法[2-4]などの治療因子が挙げられている。

　本邦では術後補助療法として放射線治療が用いられることが少ないため，腟断端再発に対する初回治療として放射線治療を適用しやすいと考えられる。一方，術後照射施行後の再発では十分量の照射は困難であり，術後照射未施行例と比較して治療成績は不良である[5,13]ため，手術の選択を考慮する[8,14]。3D-IGBTにより，照射歴があっても，3年全生存率は56％，グレード3以上の晩期膀胱・直腸障害はみられず，30例中1例の小腸閉塞による死亡を救済治療後11カ月後に認めたという報告や[5]，3年局所制御率が76％，3年全生存率が68％，グレード3以上の直腸S状結腸，膀胱に関する有害事象はみられず，22例中1例でステント留置を必要とするグレード3の左尿管狭窄を発症した，という報告もある[13]。

　腟断端再発に対する手術療法の報告はほとんどない。一般的に再発癌に対する手術では，術後に腫瘍の遺残がないことが予後改善のための条件である[15,16]が，腟断端は完全切除可能な数少ない再発部位であり，手術療法も十分に考慮される。単施設における腟断端単独再発を対象とした後方視的検討では，他臓器合併切除を必要としない患者に対し腫瘍摘出術のみで良好な成績が報告されている[17]。

　以上のように，腟断端再発に対しては放射線治療，あるいは手術療法などの局所療法が考慮されるが，全身状態や病状などにより，薬物療法が選択される患者もいると考えられる（CQ21参照）。

▶参考文献

1) Alban G, Cheng T, Adleman J, Buzurovic I, Pretz J, Singer L, et al. Definitive radiotherapy for vaginal recurrence of early-stage endometrial cancer: survival outcomes and effect of mismatch repair status. Int J Gynecol Cancer 2021；31：1007-13（ケースコントロール）【検】

2) Lindemann K, Smogeli E, Småstuen MC, Bruheim K, Trovik J, Nordberg T, et al. Salvage radiation for pelvic relapse after surgically treated endometrial cancer. Cancers（Basel）2021；13：1-11（ケースコントロール）【検】

3) Sapienza LG, Ning MS, de la Pena R, McNew LK, Jhingran A, Georgeon L, et al. Outcomes and toxicity after salvage radiotherapy for vaginal relapse of endometrial cancer. Int J Gynecol Cancer 2020；30：1535-41（ケースコントロール）【検】

4) Francis SR, Ager BJ, Do OA, Huang Y-HJ, Soisson AP, Dodson MK, et al. Recurrent early stage endometrial cancer: patterns of recurrence and results of salvage therapy. Gynecol Oncol 2019；154：38-44（ケースコントロール）【検】

5) Chapman CH, Maghsoudi K, Littell RD, Chen LM, Hsu IC. Salvage high-dose-rate brachytherapy and external beam radiotherapy for isolated vaginal recurrences of endometrial cancer with no prior adjuvant therapy. Brachytherapy 2017；16：1152-8（ケースコントロール）【検】

6) Sekii S, Murakami N, Kato T, Harada K, Kitaguchi M, Takahashi K, et al. Outcomes of salvage high-dose-rate brachytherapy with or without external beam radiotherapy for isolated vaginal recurrence of endometrial cancer. J Contemp Brachytherapy 2017；9：209-15（ケースコントロール）【検】

7) Concin N, Matias-Guiu X, Vergote I, Cibula D, Mirza MR, Marnitz S, et al. ESGO/ESTRO/ESP guidelines for the management of patients with endometrial carcinoma. Radiother Oncol 2021；154：327-53（ガイドライン）【検】
8) Hamilton CA, Pothuri B, Arend RC, Backes FJ, Gehrig PA, Soliman PT, et al. Endometrial cancer：a Society of Gynecologic Oncology evidence-based review and recommendations, part II. Gynecol Oncol 2021；160：827-34（ガイドライン）【検】
9) 日本放射線腫瘍学会小線源治療部会 編．小線源治療部会ガイドラインに基づく密封小線源治療 診療・物理QAマニュアル 第2版．金原出版，東京，2022，114-116（ガイドライン）【委】
10) Lin LL, Grigsby PW, Powell MA, Mutch DG. Definitive radiotherapy in the management of isolated vaginal recurrences of endometrial cancer. Int J Radiat Oncol Biol Phys 2005；63：500-4（ケースコントロール）【旧】
11) Sears JD, Greven KM, Hoen HM, Randall ME. Prognostic factors and treatment outcome for patients with locally recurrent endometrial cancer. Cancer 1994；74：1303-8（ケースコントロール）【旧】
12) Elshaikh MA, Vance S, Gaffney DK, Biagioli M, Jhingran A, Jolly S, et al. ACR Appropriateness Criteria® Management of Recurrent Endometrial Cancer. Am J Clin Oncol 2016；39：507-15（ガイドライン）【旧】
13) Ling DC, Vargo JA, Glaser SM, Kim H, Beriwal S. Outcomes after definitive re-irradiation with 3D brachytherapy with or without external beam radiation therapy for vaginal recurrence of endometrial cancer. Gynecol Oncol 2019；152：581-6（ケースコントロール）【検】
14) Rütten H, Verhoef C, van Weelden WJ, Smits A, Dhanis J, Ottevanger N, et al. Recurrent endometrial cancer: local and systemic treatment options. Cancers（Basel）2021；13：6275（レビュー）【委】
15) Bristow RE, Santillan A, Zahurak ML, Gardner GJ, Giuntoli RL 2nd, Armstrong DK. Salvage cytoreductive surgery for recurrent endometrial cancer. Gynecol Oncol 2006；103：281-7（ケースコントロール）【旧】
16) Campagnutta E, Giorda G, De Piero G, Sopracordevole F, Visentin MC, Martella L, et al. Surgical treatment of recurrent endometrial carcinoma. Cancer 2004；100：89-96（ケースコントロール）【旧】
17) Hardarson HA, Heidemann LN, dePont Christensen R, Mogensen O, Jochumsen KM. Vaginal vault recurrences of endometrial cancer in non-irradiated patients-radiotherapy or surgery. Gynecol Oncol Rep 2015；11：26-30（ケースコントロール）【旧】

CQ 20
腟断端以外に再発部位を有する患者に対して，手術療法は勧められるか？

推奨

再発巣の完全切除が可能であれば，手術療法を提案する。
推奨の強さ　2(↑)　　エビデンスレベル　C　　合意率 100%（16/16 人）

▶▶▶ 目　的

腟断端部以外に発生した再発腫瘍に対する手術療法の意義について検討する。

▶▶▶ 解　説

　子宮体癌の再発治療について，NCCN ガイドライン 2022 年版では孤発再発例に対し「手術療法または放射線治療を考慮する」とあり，多発性再発の場合は，化学療法またはホルモン療法などによる全身療法の適応とされている[1]。再発癌に対する手術療法は，完全切除が可能であることが予後改善のための条件となり[2-8]，患者の選択が重要である。手術療法あるいは放射線治療の選択，手術療法を適用する場合の術式は，その「根治性」と「侵襲性」のバランスから個別に判断される（CQ22 参照）。

　骨盤内再発の頻度は，再発低リスク群において 8 年で 5%，再発高リスク群において 3 年で 26% と報告されている[9]。再発病巣が骨盤内に限局している場合（腟断端再発を除く），骨盤除臓術により良好な予後が得られるとの報告がある[2, 10-12]。しかし，骨盤除臓術は非常に侵襲の大きな手術であり，腸管・尿路系の瘻孔形成，感染症，深部静脈血栓症など周術期に重篤な合併症のリスクがある。術後放射線治療を施行した範囲内の再発であればもちろんのこと，一般的に化学療法施行後の再発腫瘍は化学療法に抵抗性であることを考えた場合，再発巣の完全切除が可能な患者に限り骨盤除臓術が適応となる。骨盤除臓術の実施にあたっては，手術手技を十分に習得した婦人科腫瘍専門医が常勤し，集中治療室での管理を含めた術後管理が可能で，他科との連携が万全な施設であることが望ましい。

　肺転移に関しては，単発であればその切除は予後に貢献すると報告されている[4, 5]。片側肺でかつ再発病巣が 5 個以内の患者や，腫瘍径 4 cm 未満の単発肺転移例では，肺の部分切除が有用であるとする報告がみられる[13, 14]。また肺の転移数が 3 個以下，腫瘍径が 3 cm 未満の患者で肺の部分切除を行った結果，無病期間が 12 カ月以上で予後が良いとする報告[15]もある。子宮体癌の転移に限定した報告は少ないが，体幹部定位放射線治療（SBRT）が単発あるいは少数の転移に対し有効であることが示されている。3 個以内で他病巣のない転移性肺癌に対する SBRT は保険収載されており，SBRT は治療選択肢の一つと考えられる

(CQ22参照)。以上のことから，肺転移の患者について手術の適応を考える場合には，それぞれの患者においてSBRTとの比較を含め十分な検討が必要である。

他領域における腹腔鏡手術でしばしば報告のあるトロカー挿入部転移(port-site metastasis)が子宮体癌手術でも報告されている[16, 17]。手術創への再発という定義で観察した場合，その発症頻度は開腹手術0.11%に対し，腹腔鏡手術0.2%，ロボット手術0.57%といずれも低率であるものの内視鏡手術に多い傾向があった[16]。孤発性のトロカー挿入部転移に対しては，手術や放射線治療などの局所治療が選択される報告が多い[16, 17]。

▶ 参考文献

1) Uterine Neoplasms (Version 1. 2022) NCCN Clinical Practice Guidelines in Oncology http://www.nccn.org/professionals/physician_gls/f_guidelines.asp(ガイドライン)【委】
2) Campagnutta E, Giorda G, De Piero G, Sopracordevole F, Visentin MC, Martella L, et al. Surgical treatment of recurrent endometrial carcinoma. Cancer 2004 ; 100 : 89-96(ケースコントロール)【旧】
3) Bristow RE, Santillan A, Zahurak ML, Gardner GJ, Giuntoli RL 2nd, Armstrong DK. Salvage cytoreductive surgery for recurrent endometrial cancer. Gynecol Oncol 2006 ; 103 : 281-7(ケースコントロール)【旧】
4) Barlin JN, Puri I, Bristow RE. Cytoreductive surgery for advanced or recurrent endometrial cancer: a meta-analysis. Gynecol Oncol 2010 ; 118 : 14-8(メタ)【旧】
5) Ren Y, Shan B, Shi D, Wang H. Salvage cytoreductive surgery for patients with recurrent endometrial cancer: a retrospective study. BMC Cancer 2014 ; 14 : 135(ケースコントロール)【旧】
6) Papadia A, Bellati F, Ditto A, Bogani G, Gasparri ML, Di Donato V, et al. Surgical treatment of recurrent endometrial cancer: time for paradigm shift. Ann Surg Oncol 2015 ; 22 : 4204-10(ケースコントロール)【旧】
7) Moukarzel LA, Braxton KF, Zhou QC, Pedra Nobre S, Iasonos A, Alektiar KM, et al. Non-exenterative surgical management of recurrent endometrial carcinoma. Gynecol Oncol 2021 ; 162 : 268 76(ケースコントロール)【検】
8) Shikama A, Minaguchi T, Takao W, Hosokawa Y, Nishida K, Tasaka N, et al. Predictors of favorable survival after secondary cytoreductive surgery for recurrent endometrial cancer. Int J Clin Oncol 2019 ; 24 : 1256-63(ケースコントロール)【検】
9) Elshaikh MA, Vance S, Gaffney DK, Biagioli M, Jhingran A, Jolly S, et al. ACR appropriateness criteria® management of recurrent endometrial cancer. Am J Clin Oncol 2016 ; 39 : 507-15(横断)【旧】
10) Barakat RR, Goldman NA, Patel DA, Venkatraman ES, Curtin JP. Pelvic exenteration for recurrent endometrial cancer. Gynecol Oncol 1999 ; 75 : 99-102(ケースコントロール)【旧】
11) Chiantera V, Rossi M, De Iaco P, Koehler C, Marnitz S, Gallotta V, et al. Pelvic exenteration for recurrent endometrial adenocarcinoma: a retrospective multi-institutional study about 21 patients. Int J Gynecol Cancer 2014 ; 24 : 880-4(ケースコントロール)【旧】
12) Schmidt AM, Imesch P, Fink D, Egger H. Pelvic exenterations for advanced and recurrent endometrial cancer: clinical outcomes of 40 patients. Int J Gynecol Cancer 2016 ; 26 : 716-21(ケースコントロール)【旧】
13) Otsuka I, Ono I, Akamatsu H, Sunamori M, Aso T. Pulmonary metastasis from endometrial carcinoma. Int J Gynecol Cancer 2002 ; 12 : 208-13(ケースコントロール)【旧】
14) Fuller AF Jr, Scannell JG, Wilkins EW Jr. Pulmonary resection for metastases from gynecologic cancers: Massachusetts General Hospital experience, 1943-1982. Gynecol Oncol 1985 ; 22 : 174-80(ケースコントロール)【旧】
15) Anraku M, Yokoi K, Nakagawa K, Fujisawa T, Nakajima J, Akiyama H, et al. Pulmonary metastases from uterine malignancies : results of surgical resection in 133 patients. J Thorac Cardiovasc Surg 2004 ;

127 : 1107-12（ケースコントロール）【旧】
16) Bogani G, Dowdy SC, Cliby WA, Gostout BS, Kumar S, Ghezzi F, et al. Incisional recurrences after endometrial cancer surgery. Anticancer Res 2015 ; 35 : 6097-104（ケースコントロール）【旧】
17) Grant JD, Garg AK, Gopal R, Soliman PT, Jhingran A, Eifel PJ, et al. Isolated port-site metastases after minimally invasive hysterectomy for endometrial cancer: outcomes of patients treated with radiotherapy. Int J Gynecol Cancer 2015 ; 25 : 869-74（ケースシリーズ）【旧】

CQ 21

切除不能または残存病巣を有する進行癌，および再発癌に対して，薬物療法は勧められるか？

推奨

① 進行癌に対して TC 療法または AP 療法を推奨する。
　推奨の強さ　1(↑↑)　エビデンスレベル　B　合意率 94%（16/17 人）

② 再発癌に対して
　A　プラチナ製剤を含む化学療法歴のない患者には TC 療法を推奨する。
　推奨の強さ　1(↑↑)　エビデンスレベル　B　合意率 100%（17/17 人）
　B　プラチナ製剤を含む化学療法歴のある患者にはレンバチニブ＋ペムブロリズマブ併用療法を推奨する。
　推奨の強さ　1(↑↑)　エビデンスレベル　B　合意率 81%（13/16 人）
　C　プラチナ製剤を含む化学療法歴があり，MSI-High, dMMR または TMB-High の患者にはペムブロリズマブ単剤も提案する。
　推奨の強さ　2(↑)　エビデンスレベル　B　合意率 88%（15/17 人）

③ 癌肉腫の進行・再発例の化学療法としては，イホスファミド，プラチナ製剤，パクリタキセルなどを含むレジメンを提案する。
　推奨の強さ　2(↑)　エビデンスレベル　C　合意率 100%（17/17 人）

④ 類内膜癌 G1 あるいはエストロゲン受容体・プロゲステロン受容体陽性の患者には黄体ホルモン療法を提案する。
　推奨の強さ　2(↑)　エビデンスレベル　C　合意率 94%（16/17 人）

最終会議の論点

　推奨② B に関して当初「推奨の強さ 2(↑)」で投票を行ったところ，合意率 35% であった。委員からは，レンバチニブ＋ペムブロリズマブ併用療法（LP 療法）はエビデンスもあり，実臨床でも使用経験が増えてきて各施設で比較的安全に行えるようになったこと，欧米でのガイドラインの推奨を考慮し，推奨度を 1 とする意見が多かった。そこで「推奨の強さ 1(↑↑)」として再投票したところ合意率 81% となったが，MSI 検査結果により推奨度を変えるべきとの意見もあった。

　また当初，推奨② D として「プラチナ製剤を含む化学療法歴があり，LP 療法が適切でない患者には AP 療法，TC 療法，単剤療法，または BSC を提案する。推奨の強さ 2(↑)，エビデンスレベル C」という推奨文が提案されていたが，ある意味当然の内容が記載されているに過ぎないこと，LP 療法が適切でない症例の定義があいまいであることなどから，推奨② D は削除となった（削除についての合意率 88%）。しかしながら，子宮体癌におけるプラチナフリー期間の意義が明確にはなっていないことや，従来行われていたプラチナ・リチャレンジが推奨から外れることによる現場の混乱を危惧する意見も出された。

▶▶ 目　的

進行・再発子宮体癌に対する薬物療法の有用性を検討し，推奨されるレジメンを検討する。

▶▶▶ **解 説**

　進行・再発例に対する治療法は，GOG107試験などの結果からAP療法が標準治療となった[1,2]。その後，同様の対象にAP療法とTAP療法を比較する第Ⅲ相試験（GOG177試験）が行われ，奏効率，PFS，OSにおいてTAP療法が有意に上回ることが示された[3]。しかし，TAP療法は有害事象が高率に発症し，毒性による中止も高率であった。GOGでは，進行・再発例におけるTC療法のTAP療法に対する非劣性を確認する第Ⅲ相試験（GOG209試験）を行った[4]。主要評価項目のOS（中央値37カ月 vs. 41カ月，HR 1.002）や副次評価項目のPFS（中央値13カ月 vs. 14カ月，HR 1.032）で，ともに非劣性が示された。嘔吐や下痢，血小板減少などの有害事象がTC療法で少なく，QOLも有意にTC療法が優れた結果を示し，新たな標準治療となった。

　プラチナ製剤を含む化学療法歴のある，切除不能な進行・再発例に対しては，パクリタキセル毎週またはドキソルビシンとレンバチニブ＋ペムブロリズマブ併用療法（LP療法）とを比較した第Ⅲ相試験である309-KEYNOTE-775試験が行われた[5]。主要評価項目の一つとしてpMMR集団のPFSとOSが評価され，PFSの中央値6.6カ月 vs. 3.8カ月（HR 0.6，$p<0.0001$），OSの中央値17.4カ月 vs. 12カ月（HR 0.68，$p<0.0001$）と統計学的有意にLP療法が上回った。LP療法はdMMR集団を含めた全体集団でも，年齢，人種，組織型，骨盤内照射既往，前レジメン数などのサブグループ解析でも，一貫した効果を示した。化学療法歴のある患者に対する初の第Ⅲ相試験であり，かつOSで有意差を示しており，新たな標準治療と考えられる。

　一方で，309-KEYNOTE-775試験ではもともとdMMR集団での独立した解析は計画されておらず，そのような患者に対するLP療法の有効性について検証的な結論は得られていない。KEYNOTE-158試験ではdMMR集団に対するペムブロリズマブ単剤の良好な成績が得られており[6]，dMMRを有する患者に対し，ペムブロリズマブ単剤も選択肢になると考えられる。

　LP療法にはirAEを含め多彩な有害事象があり，309-KEYNOTE-775試験でも重篤な有害事象や投与中止例が多かった。実地臨床でも適格基準や除外基準，治療変更基準などをよく確認して実施する必要がある。LP療法を安全に運用するためには，適格基準／除外基準，irAEへの対処の前提となるセルフケア能力，体調変化時の病院受診に際して移動・交通・付き添いなどの諸調整等を適切に評価して投与対象を適切に選択する必要があり，その結果，適応にならない患者が一定の割合で存在すると想定される。

　LP療法の適応にならない患者に対しては，初回治療での薬物療法の有無や使用薬剤，再発までの期間を考慮して，AP療法やTC療法の再投与や，単剤療法，BSCに専念することを考慮するのが妥当である。本邦で行われたケースシリーズ研究では，特にプラチナフリー期間の長い患者に対しては，プラチナ製剤を含む化学療法歴があってもプラチナ併用化学療法の再投与にも効果が期待できる結果が示されており[7]，一定の役割があると考えられる。単剤治療で有効性が確認されている薬剤は，プラチナ製剤（奏効率20〜42％）[8-10]，アントラ

サイクリン系薬剤（同17〜37%）[1,8,11]，タキサン製剤（同21〜36%）[8,12-15]が挙げられる。ただし，ドキソルビシン（アドリアマイシン）は総投与量250 mg/m^{2}をこえると心毒性発現のリスクが上昇するとされ[16]，注意が必要である。

　子宮癌肉腫に対する化学療法について，単剤での奏効率はイホスファミド32%[17]，パクリタキセル18%[18]，シスプラチン18%[19-21]，アドリアマイシン10%[22]といった第Ⅱ相試験の結果が報告されている。GOG108試験およびGOG161試験は，進行・再発子宮癌肉腫に対し，イホスファミド単剤群とイホスファミド＋シスプラチン併用群あるいはイホスファミド＋パクリタキセル併用群をそれぞれ比較する第Ⅲ相試験である[23-25]。GOG161試験では，無増悪生存期間および全生存期間について併用群が単剤群より有意に良好な成績が示された。近年報告されたGOG261試験は，Ⅰ〜Ⅳ期または再発の子宮癌肉腫および卵巣癌肉腫を対象とし，イホスファミド＋パクリタキセル療法に対するTC療法の非劣性を検討する第Ⅲ相試験である。このうち子宮癌肉腫（449例）の解析では，全生存期間中央値はイホスファミド＋パクリタキセル群29カ月，TC群37カ月（HR 0.87，非劣性p＜0.01），無増悪生存期間中央値はイホスファミド＋パクリタキセル群12カ月，TC群16カ月（HR 0.73，非劣性p＜0.01）で，TC群の非劣性が示された[26]。このように子宮癌肉腫はこれまで肉腫として扱われてきたことから，通常の子宮体癌とは異なる臨床試験の経過を辿ってきた。前述した309-KEYNOTE-775試験でも子宮癌肉腫は除外されていたことから，再発子宮癌肉腫に対するLP療法のエビデンスはない。今後，子宮癌肉腫に対し，免疫チェックポイント阻害薬を含む新規薬剤によるエビデンスの確立が期待される。さらに，分子プロファイルは子宮体癌と共通点が多いことがわかってきており[27]，子宮癌肉腫に対して選択される薬剤については子宮体癌と同様の治療が考慮できるかなど，今後さらなる検討が必要である。

　内分泌療法については，黄体ホルモン療法が古くから行われていた。ER・PgR陽性の症例が黄体ホルモン療法に最もよく反応する。黄体ホルモン療法を受けた進行子宮体癌において，PgR陽性腫瘍では奏効率75%であったのに対し，PgR陰性腫瘍では奏効率は7%と報告されている[28]。一方，標準的黄体ホルモン療法に反応しない子宮体癌症例の20%がタモキシフェンに反応することが示されている[29,30]。また，タモキシフェンと黄体ホルモン剤の併用療法も試みられており，GOGの報告では30%前後の奏効率が得られている[31-33]。アロマターゼ阻害薬（アナストロゾールやエキセメスタンやレトロゾール）や選択的ER調整薬（フルベストラントやアルゾキシフェン）を用いた有用性の検討も行われ，プロゲスチンやタモキシフェンの代わりに使用し得る可能性はあるが，今後さらに検討が必要である[34-37]。mTOR阻害薬であるエベロリムスとレトロゾールの両剤の4週間連日内服を1サイクルとした第Ⅱ相試験では，奏効率32%，臨床効果率40%であった。本試験では腫瘍組織の*PIK3CA*，*KRAS*，*CTNNB1*遺伝子解析が行われ，*CTNNB1*遺伝子異常を有する患者において治療反応性が良好であった[38]。GOGは，進行・再発子宮体癌でのMPAの有効用量の検討を行い[39]，経口MPAは子宮体癌に有効で，高分化型，PgR陽性例に奏効率が高く，また1,000 mg/日投与が200 mg/日投与に比べて高い有効性は示さなかったことから，MPA

200 mg/日投与が妥当であると報告した。NCCN ガイドライン 2022 年版では，低異型度で，腫瘍量が少ない，または増殖速度が遅い場合に内分泌療法が用いられるとされている[40]。現在，本邦において子宮体癌のホルモン療法として認められているのは MPA のみである。

付記1　子宮体癌一次治療における免疫チェックポイント阻害薬の有用性

進行または再発例に対する一次治療として，化学療法＋抗 PD-1 抗体の有効性を検証した2つの第Ⅲ相試験の結果が報告された。NRG-GY018 試験[41]は，TC 療法と TC＋ペムブロリズマブ併用療法＋ペムブロリズマブ維持療法とを比較した試験である。主要評価項目である PFS は，dMMR と pMMR の2つのコホートでそれぞれ評価された。両コホートにおいて有意にペムブロリズマブ群が上回った。RUBY 試験[42]は，TC 療法と TC＋ドスタルリマブ併用療法＋ドスタルリマブ維持療法とを比較した試験である。主要評価項目は全患者または MSI-High の PFS，全患者の OS で，すべてにおいて有意にドスタルリマブ群が上回った。本試験では子宮癌肉腫が 8.9% 含まれていた。本邦では，2023 年 7 月時点で一次治療における抗 PD-1 抗体の使用は保険適用外である。

付記2　神経内分泌腫瘍に対する薬物療法

WHO 腫瘍分類では，すべての部位の神経内分泌腫瘍に対して同じ用語を使用する，との決定がなされた。そのため 2020 年に発刊された第 5 版では，神経内分泌腫瘍が各臓器の一組織亜型ではなく個別の章を設けて記載されており，神経内分泌腫瘍には臓器横断的に一つの治療戦略が適用されることが予測される。そのため，子宮体部に発生した神経内分泌腫瘍に対する治療法について，今後は他臓器発生のものと合わせて議論されることになると考えられる。子宮体部神経内分泌腫瘍として小細胞癌が最も多く報告されている。実臨床においては，そのような患者に対して小細胞肺癌で標準的に処方されているエトポシドなどの適用が検討される。

▶ 参考文献

1) van Wijk FH, Aapro MS, Bolis G, Chevallier B, van der Burg ME, Poveda A, et al. Doxorubicin versus doxorubicin and cisplatin in endometrial carcinoma : definitive results of a randomised study（55872）by the EORTC Gynaecological Cancer Group. Ann Oncol 2003；14：441-8（ランダム）【旧】

2) Thigpen JT, Brady MF, Homesley HD, Malfetano J, DuBeshter B, Burger RA, et al. Phase III trial of doxorubicin with or without cisplatin in advanced endometrial carcinoma : a gynecologic oncology group study. J Clin Oncol 2004；22：3902-8（ランダム）【旧】

3) Fleming GF, Brunetto VL, Cella D, Look KY, Reid GC, Munkarah AR, et al. Phase III trial of doxorubicin plus cisplatin with or without paclitaxel plus filgrastim in advanced endometrial carcinoma : a Gynecologic Oncology Group Study. J Clin Oncol 2004；22：2159-66（ランダム）【旧】

4) Miller DS, Filiaci VL, Mannel RS, Cohn DE, Matsumoto T, Tewari KS, et al. Carboplatin and paclitaxel for advanced endometrial cancer : final overall survival and adverse event analysis of a phase III trial（NRG Oncology/GOG0209）. J Clin Oncol 2020；38：3841-50（ランダム）【検】

5) Makker V, Colombo N, Casado Herraez A, Santin AD, Colomba E, Miller DS, et al. Lenvatinib plus pembrolizumab for advanced endometrial cancer. N Engl J Med 2022；386：437-48（ランダム）【検】

6) O'Malley DM, Bariani GM, Cassier PA, Marabelle A, Hansen AR, De Jesus Acosta A, et al. Pembrolizumab in patients with microsatellite instability-high advanced endometrial cancer : results from the KEYNOTE-158 study. J Clin Oncol 2022；40：752-61（非ランダム）【委】

7) Nagao S, Nishio S, Michimae H, Tanabe H, Okada S, Otsuki T, et al. Applicability of the concept of "platinum sensitivity" to recurrent endometrial cancer : the SGSG-012/GOTIC-004/Intergroup study. Gynecol Oncol 2013；131：567-73（ケースシリーズ）【旧】

8) Fleming GF. Systemic chemotherapy for uterine carcinoma : metastatic and adjuvant. J Clin Oncol 2007；25：2983-90（レビュー）【旧】

9) Burke TW, Munkarah A, Kavanagh JJ, Morris M, Levenback C, Tornos C, et al. Treatment of advanced or recurrent endometrial carcinoma with single-agent carboplatin. Gynecol Oncol 1993 ; 51 : 397-400(非ランダム)【検】
10) van Wijk FH, Lhommé C, Bolis G, Scotto di Palumbo V, Tumolo S, Nooij M, et al. Phase II study of carboplatin in patients with advanced or recurrent endometrial carcinoma : a trial of the EORTC Gynaecological Cancer Group. Eur J Cancer 2003 ; 39 : 78-85(非ランダム)【検】
11) Thigpen JT, Buchsbaum HJ, Mangan C, Blessing JA. Phase II trial of adriamycin in the treatment of advanced or recurrent endometrial carcinoma : a Gynecologic Oncology Group study. Cancer Treat Rep 1979 ; 63 : 21-7(非ランダム)【旧】
12) Ball HG, Blessing JA, Lentz SS, Mutch DG. A phase II trial of paclitaxel in patients with advanced or recurrent adenocarcinoma of the endometrium : a Gynecologic Oncology Group study. Gynecol Oncol 1996 ; 62 : 278-81(非ランダム)【旧】
13) Lincoln S, Blessing JA, Lee RB, Rocereto TF. Activity of paclitaxel as second-line chemotherapy in endometrial carcinoma : a Gynecologic Oncology Group study. Gynecol Oncol 2003 ; 88 : 277-81(非ランダム)【旧】
14) Hirai Y, IIasumi K, Onose R, Kuramoto H, Kuzuya K, Hatae M, et al. Phase II trial of 3-h infusion of paclitaxel in patients with adenocarcinoma of endometrium : Japanese Multicenter Study Group. Gynecol Oncol 2004 ; 94 : 471-6(非ランダム)【旧】
15) Katsumata N, Noda K, Nozawa S, Kitagawa R, Nishimura R, Yamaguchi S, et al. Phase II trial of docetaxel in advanced or metastatic endometrial cancer : a Japanese Cooperative Study. Br J Cancer 2005 ; 93 : 999-1004(非ランダム)【旧】
16) Armenian SH, Lacchetti C, Barac A, Carver J, Constine LS, Denduluri N, et al. Prevention and monitoring of cardiac dysfunction in survivors of adult cancers : American Society of Clinical Oncology Clinical Practice Guideline. J Clin Oncol 2017 ; 35 : 893-911(ガイドライン)【委】
17) Sutton GP, Blessing JA, Rosenshein N, Photopulos G, DiSaia PJ. Phase II trial of ifosfamide and mesna in mixed mesodermal tumors of the uterus (a Gynecologic Oncology Group study). Am J Obstet Gynecol 1989 ; 161 : 309-12(非ランダム)【旧】
18) Curtin JP, Blessing JA, Soper JT, DeGeest K. Paclitaxel in the treatment of carcinosarcoma of the uterus : a Gynecologic Oncology Group study. Gynecol Oncol 2001 ; 83 : 268-70(非ランダム)【旧】
19) Thigpen JT, Blessing JA, Orr JW, Jr, DiSaia PJ. Phase II trial of cisplatin in the treatment of patients with advanced or recurrent mixed mesodermal sarcomas of the uterus : a Gynecologic Oncology Group Study. Cancer Treat Rep 1986 ; 70 : 271-4(非ランダム)【旧】
20) Thigpen JT, Blessing JA, Beecham J, Homesley H, Yordan E. Phase II trial of cisplatin as first-line chemotherapy in patients with advanced or recurrent uterine sarcomas : a Gynecologic Oncology Group study. J Clin Oncol 1991 ; 9 : 1962-6(非ランダム)【旧】
21) Gershenson DM, Kavanagh JJ, Copeland LJ, Edwards CL, Stringer CA, Wharton JT. Cisplatin therapy for disseminated mixed mesodermal sarcoma of the uterus. J Clin Oncol 1987 ; 5 : 618-21(非ランダム)【旧】
22) Omura GA, Major FJ, Blessing JA, Sedlacek TV, Thigpen JT, Creasman WT, et al. A randomized study of adriamycin with and without dimethyl triazenoimidazole carboxamide in advanced uterine sarcomas. Cancer 1983 ; 52 : 626-32(ランダム)【旧】
23) Sutton G, Brunetto VL, Kilgore L, Soper JT, McGehee R, Olt G, et al. A phase III trial of ifosfamide with or without cisplatin in carcinosarcoma of the uterus : a Gynecologic Oncology Group Study. Gynecol Oncol 2000 ; 79 : 147-53(ランダム)【旧】
24) van Rijswijk RE, Vermorken JB, Reed N, Favalli G, Mendiola C, Zanaboni F, et al. Cisplatin, doxorubicin and ifosfamide in carcinosarcoma of the female genital tract : a phase II study of the European Organization for Research and Treatment of Cancer Gynaecological Cancer Group (EORTC 55923). Eur J Cancer 2003 ; 39 : 481-7(非ランダム)【旧】
25) Homesley HD, Filiaci V, Markman M, Bitterman P, Eaton L, Kilgore LC, et al. Phase III trial of ifosfamide with or without paclitaxel in advanced uterine carcinosarcoma : a Gynecologic Oncology Group Study. J Clin Oncol 2007 ; 25 : 526-31(ランダム)【旧】

26) Powell MA, Filiaci VL, Hensley ML, Huang HQ, Moore KN, Tewari KS, et al. Randomized phase III trial of paclitaxel and carboplatin versus paclitaxel and ifosfamide in patients with carcinosarcoma of the uterus or ovary : an NRG Oncology trial. J Clin Oncol 2022 ; 40 : 968-77（ランダム）【委】

27) Gotoh O, Sugiyama Y, Takazawa Y, Kato K,Tanaka N, Omatsu K, et al. Clinically relevant molecular subtypes and genomic alteration-independent differentiation in gynecologic carcinosarcoma. Nat Commun 2019 ; 10 : 4965（ケースシリーズ）【委】

28) Kauppila A. Oestrogen and progestin receptors as prognostic indicators in endometrial cancer : a review of the literature. Acta Oncol 1989 ; 28 : 561-6（ケースシリーズ）【旧】

29) Quinn MA, Campbell JJ. Tamoxifen therapy in advanced/recurrent endometrial carcinoma. Gynecol Oncol 1989 ; 32 : 1-3（非ランダム）【旧】

30) Thigpen T, Brady MF, Homesley HD, Soper JT, Bell J. Tamoxifen in the treatment of advanced or recurrent endometrial carcinoma : a Gynecologic Oncology Group study. J Clin Oncol 2001 ; 19 : 364-7（非ランダム）【旧】

31) Whitney CW, Brunetto VL, Zaino RJ, Lentz SS, Sorosky J, Armstrong DK, et al. Phase II study of medroxyprogesterone acetate plus tamoxifen in advanced endometrial carcinoma : a Gynecologic Oncology Group study. Gynecol Oncol 2004 ; 92 : 4-9（非ランダム）【旧】

32) Fiorica JV, Brunetto VL, Hanjani P, Lentz SS, Mannel R, Andersen W, et al. Phase II trial of alternating courses of megestrol acetate and tamoxifen in advanced endometrial carcinoma : a Gynecologic Oncology Group study. Gynecol Oncol 2004 ; 92 : 10-4（非ランダム）【旧】

33) Singh M, Zaino RJ, Filiaci VJ, Leslie KK. Relationship of estrogen and progesterone receptors to clinical outcome in metastatic endometrial carcinoma : a Gynecologic Oncology Group Study. Gynecol Oncol 2007 ; 106 : 325-33（非ランダム）【旧】

34) Rose PG, Brunetto VL, VanLe L, Bell J, Walker JL, Lee RB. A phase II trial of anastrozole in advanced recurrent or persistent endometrial carcinoma : a Gynecologic Oncology Group study. Gynecol Oncol 2000 ; 78 : 212-6（非ランダム）【旧】

35) McMeekin DS, Gordon A, Fowler J, Melemed A, Buller R, Burke T, et al. A phase II trial of arzoxifene, a selective estrogen response modulator, in patients with recurrent or advanced endometrial cancer. Gynecol Oncol 2003 ; 90 : 64-9（非ランダム）【旧】

36) Lindemann K, Malander S, Christensen RD, Mirza MR, Kristensen GB, Aavall-Lundqvist E, et al. Examestane in advanced or recurrent endometrial carcinoma : a prospective phase II study by the Nordic Society of Gynecologic Oncology（NSGO）. BMC Cancer 2014 ; 14 : 68（非ランダム）【旧】

37) Emons G, Günthert A, Thiel FC, Camara O, Strauss HG, Breitbach GP, et al. Phase II study of fulvestrant 250 mg/month in patients with recurrent or metastatic endometrial cancer : a study of the Arbeitsgemeinschaft Gynäkologische Onkologie. Gynecol Oncol 2013 ; 129 : 495-9（非ランダム）【旧】

38) Slomovitz BM, Jiang Y, Yates MS, Soliman PT, Johnston T, Nowakowski M, et al. Phase II study of everolimus and letrozole in patients with recurrent endometrial carcinoma. J Clin Oncol 2015 ; 33 : 930-6（非ランダム）【旧】

39) Thigpen JT, Brady MF, Alvarez RD, Adelson MD, Homesley HD, Manetta A, et al. Oral medroxyprogesterone acetate in the treatment of advanced or recurrent endometrial carcinoma : a dose-response study by the Gynecologic Oncology Group. J Clin Oncol 1999 ; 17 : 1736-44（ランダム）【旧】

40) Uterine Neoplasms（Version 1. 2022）NCCN Clinical Practice Guidelines in Oncology http://www.nccn.org/professionals/physician_gls/f_guidelines.asp（ガイドライン）【委】

41) Eskander RN, Sill MW, Beffa L, Moore RG, Hope JM, Musa FB, et al. Pembrolizumabu plus chemotherapy in advanced endometrial cancer. N Engl J Med 2023 ; 388 : 2159-70（ランダム）【委】

42) Mirza MR, Chase DM, Slomovitz BM, dePont Christensen R, Novak Z, Black D, et al. Dostarlimab for primary advanced or recurrent endometrial cancer. N Engl J Med 2023 ; 388 : 2145-58（ランダム）【委】

CQ 22
切除不能または残存病巣を有する進行癌，および再発癌に対して，放射線治療は勧められるか？

推奨

局所制御あるいは症状緩和を目的として放射線治療を提案する。
推奨の強さ　2（↑）　　エビデンスレベル　C　　合意率 100％（16/16 人）

▶▶▶ **目　的**

切除不能または残存病巣を有する進行癌，および再発癌・転移癌に対する放射線治療の効果と適応，方法について検討する。

▶▶▶ **解　説**

切除不能または残存病巣を有する進行・再発癌に対する放射線治療の意義は，病変の局在と数により異なる。

多発遠隔転移を伴っていない切除不能局所進行子宮体癌に対しては，根治的放射線治療の他に，全身化学療法後に手術または根治的放射線治療が検討される[1]。単独の効果をまとめた報告はないが，腫瘍制御を目標とする場合は，外部照射と腔内照射の併用が原則である（CQ12 参照）。また，代表的な治療スケジュールは放射線治療ガイドラインに紹介されている[2,3]。

手術後残存病巣を有する進行癌への放射線治療の報告は少なく，意義は明らかでない。術後に 2 cm までの残存病変を有するⅢ・Ⅳ期（FIGO 1988）患者を対象に，全腹部照射と化学療法をランダム化比較した GOG122 試験で，全腹部照射の効果は化学療法に比べ不十分であった[4]。同じ対象群に対し，化学療法（TC 療法 6 サイクル）と同時化学放射線療法（シスプラチン）＋化学療法（TC 療法 4 サイクル）をランダム化比較する GOG258 試験が行われた。無再発生存期間と全生存期間において両群に差は認めなかったが，同時化学放射線療法は腟再発〔2％ vs. 7％，HR 0.36（95％CI 0.16-0.82）〕や骨盤および傍大動脈リンパ節の再発（11％ vs. 20％，HR 0.10）の 5 年発生率を有意に低下させていた[5]。術後の骨盤または傍大動脈リンパ節の残存に対して，強度変調放射線治療（IMRT）を用いることで，正常組織への線量を低く抑えつつ腫瘍に高線量の照射が可能になる[6]。術後残存病変を有する患者は，局所再発と遠隔再発の両方のリスクが高いとされている。放射線治療は長期的な局所制御を可能にし，化学療法は遠隔転移のリスクを低減する。骨盤への放射線治療後に化学療法を行う，あるいは補助化学療法後に骨盤±傍大動脈リンパ節への放射線治療を行うなど，患者一人ひとりに合わせたアプローチを検討する必要がある[1]。

再発癌に対する放射線治療の適応判断は，初回治療での照射歴の有無や再発部位に応じて

考慮される。限局性または単発〜少数個の再発病変で，正常組織への線量を低く抑えつつ腫瘍への高線量の照射が可能な場合は，腫瘍制御を目的とした救済放射線治療の適応となる。代表的な適応として，腟断端再発が挙げられる(CQ19)。

近年では放射線治療において，IMRTや体幹部定位放射線治療(SBRT)などの高精度放射線治療の適用が検討されており，傍大動脈リンパ節再発などに対して良好な成績が報告されている[7-9]。

少数個(5個以下とする場合が多い)の遠隔転移(oligometastasis)も救済放射線治療の適応となることがある。近年，肺や骨などの体幹部の oligometastasis に対する SBRT により，骨転移の除痛等の症状緩和効果に加え，腫瘍の局所制御と予後改善効果が示唆されている[10]。原発が制御され体幹部 oligometastasis を有する患者に対する，標準的な緩和的放射線治療と SBRT との第Ⅱ相 RCT の結果，SBRT は局所制御率の向上のみならず長期予後の改善にも寄与することが示された[11]。肺転移に対しては，手術とともに SBRT の適応も考慮する。子宮体癌に限定した報告は少ないが，SBRT が単発あるいは少数の転移に対して有効であることが示されており，治療選択肢の一つと考えられる[12]。

骨転移に対しては，放射線治療は短期間で高率(80〜90％)に疼痛の緩和が得られ有用である。骨折や脊髄圧迫を伴わない疼痛に対しては，8 Gyの単回照射にて，30 Gy/10回/2週や20 Gy/5回/1週など標準的に行われている分割照射と同等の疼痛緩和効果が期待できる。また，疼痛再燃までの期間，放射線治療後の脊髄圧迫，放射線治療後の骨折，放射線治療後のQOL評価，および急性期/晩期有害事象に関しても，単回照射と分割照射で同等であり，単回照射は標準治療の一つとして位置付けられている[13,14]。さらに椎骨転移等に対しては保険収載された SBRT も検討される。

脳転移は稀であるが，原則として治療の適応である。手術適応とならない場合，脳転移に対する放射線治療は有用であり，治療により60〜80％で症状の改善がみられる[15,16]。放射線治療としては全脳照射，ガンマナイフなどの定位(的)放射線照射(STI)，その併用などが行われている。全脳照射は30 Gy/10回/2週が標準的である。単発性または少数個の転移で，比較的長期の予後が期待できる場合はSTIを考慮する。治療法の選択には年齢，全身状態，転移病巣の大きさ，個数等を考慮の上，患者ごとに検討が必要である。

▶ 参考文献

1) Concin N, Matias-Guiu X, Vergote I, Cibula D, Mirza MR, Marnitz S, et al. ESGO/ESTRO/ESP guidelines for the management of patients with endometrial carcinoma. Radiother Oncol 2021 ; 154 : 327-53 (ガイドライン)【検】
2) Schwarz JK, Beriwal S, Esthappan J, Erickson B, Feltmate C, Fyles A, et al. Consensus statement for brachytherapy for the treatment of medically inoperable endometrial cancer. Brachytherapy 2015 ; 14 : 587-99 (レビュー)【委】
3) 日本放射線腫瘍学会小線源治療部会 編．小線源治療部会ガイドラインに基づく密封小線源治療 診療・物理QAマニュアル 第2版．金原出版，東京，2022, 103 (ガイドライン)【委】
4) Randall ME, Filiaci VL, Muss H, Spirtos NM, Mannel RS, Fowler J, et al. Randomized phase III trial of

whole-abdominal irradiation versus doxorubicin and cisplatin chemotherapy in advanced endometrial carcinoma: a Gynecologic Oncology Group study. J Clin Oncol 2006 ; 24 : 36-44（ランダム）【旧】

5) Matei D, Filiaci V, Randall ME, Mutch D, Steinhoff MM, DiSilvestro PA, et al. Adjuvant chemotherapy plus radiation for locally advanced endometrial cancer. N Engl J Med 2019 ; 380 : 2317-26（ランダム）【検】

6) Townamchai K, Poorvu PD, Damato AL, DeMaria R, Lee LJ, Berlin S, et al. Radiation dose escalation using intensity modulated radiation therapy for gross unresected node-positive endometrial cancer. Pract Radiat Oncol 2014 ; 4 : 90-98（ケースシリーズ）【委】

7) Ho JC, Allen PK, Jhingran A, Westin SN, Lu KH, Eifel PJ, et al. Management of nodal recurrences of endometrial cancer with IMRT. Gynecol Oncol 2015 ; 139 : 40-6（ケースシリーズ）【旧】

8) Shirvani SM, Klopp AH, Likhacheva A, Jhingran A, Soliman PT, Lu KH, et al. Intensity modulated radiation therapy for definitive treatment of paraortic relapse in patients with endometrial cancer. Pract Radiat Oncol 2013 ; 3 : e21-8（ケースコントロール）【旧】

9) Higginson DS, Morris DE, Jones EL, Clarke-Pearson D, Varia MA. Stereotactic body radiotherapy (SBRT): technological innovation and application in gynecologic oncology. Gynecol Oncol 2011 ; 120 : 404-12（ケースコントロール）【旧】

10) Mendez LC, Leung E, Cheung P, Barbera L. The role of stereotactic ablative body radiotherapy in gynecological cancers: a systematic review. Clin Oncol 2017 ; 29 : 378-84（メタ）【検】

11) Palma DA, Olson R, Harrow S, Gaede S, Louie AV, Haasbeek C, et al. Stereotactic ablative radiotherapy for the comprehensive treatment of oligometastatic cancers: long-term results of the SABR-COMET phase II randomized trial. J Clin Oncol 2020 ; 38 : 2830-8（ランダム）【委】

12) Nuyttens JJ, van der Voort van Zyp NC, Verhoef C, Maat A, van Klaveren RJ, van der Holt B, et al. Stereotactic body radiation therapy for oligometastases to the lung: a phase 2 study. Int J Radiat Oncol Biol Phys 2015 ; 91 : 337-43（ランダム）【委】

13) 日本放射線腫瘍学会 編．骨転移．放射線治療計画ガイドライン2020年版．金原出版，東京，2020, 392-96（ガイドライン）【委】

14) Chow R, Hoskin P, Schild SE, Raman S, Im J, Zhang D, et al. Single vs multiple fraction palliative radiation therapy for bone metastases: cumulative meta-analysis. Radiother Oncol 2019 ; 141 : 56-61（メタ）【検】

15) 日本放射線腫瘍学会 編．脳転移．放射線治療計画ガイドライン2020年版．金原出版，東京，2020, 388-91（ガイドライン）【委】

16) Vogelbaum MA, Brown PD, Messersmith H, Brastianos PK, Burri S, Cahill D, et al. Treatment for brain metastases : ASCO-SNO-ASTRO Guideline. J Clin Oncol 2022 ; 40 : 492-516（ガイドライン）【委】

CQ 23
再発がんの患者に対して，次世代シーケンサー等を用いた がん遺伝子パネル検査は勧められるか？

推奨

標準治療が終了した，もしくは終了見込みの再発がんの患者に対し，がん遺伝子パネル検査を行うことを提案する。

推奨の強さ　2（↑）　　エビデンスレベル　C　　合意率 95％（21/22 人）

▶▶ 明日への提言

　現在の子宮体がん診療において，コンパニオン診断としてのマイクロサテライト不安定性（MSI），腫瘍変異負荷（TMB）および DNA ミスマッチ修復機能欠損（dMMR）判定の有効性は高いものの，網羅的遺伝子解析が治療効果に与える影響は限定的である。ただし，今後新たなターゲットとなりうる遺伝子変異の同定や，遺伝子変異を標的とした新薬開発が進むことにより，がん遺伝子パネル検査の結果を通して，子宮体がん患者に対し個別化されたより良い治療を提供できる可能性がある。

▶▶ 目　的

　子宮体がん再発の患者に対して，次世代シーケンサー等を用いたがん遺伝子パネル検査は勧められるかを検討する。

▶▶ 解　説

　がんゲノム医療は，がんに関連する遺伝子変異を網羅的に調べ，その結果に基づいて患者一人ひとりに合った最適な医療を行うことを指す。「Precision medicine（精密医療）」ともよばれ，患者にとってより効率的ながん医療が可能になると期待されている。2019 年 6 月に「OncoGuide™ NCC オンコパネルシステム」と「FoundationOne® CDx がんゲノムプロファイル」の 2 つのがん遺伝子パネル検査が保険収載された。特に FoundationOne® CDx は，特定の治療薬の適応となるバイオマーカーを検索するコンパニオン診断薬としても使用可能である。

　がん遺伝子パネル検査の対象となる患者は，①局所進行もしくは転移が認められ，標準治療が終了となった固形がん患者（終了が見込まれるものを含む），もしくは，②標準治療がない固形がん患者，のいずれかを満たし，全身状態および臓器機能等から，本検査施行後に化学療法の適応となる可能性が高いと主治医が判断した患者である。検査結果については必ずしも病的変異でない結果も含むため，解釈には専門的な知識を有する多職種で構成される検討会（エキスパートパネル）での検討が必要である。がん遺伝子パネル検査を行う上での留意点として，遺伝子変異が見つからない可能性があること，遺伝子変異が見つかっても対象となる薬剤がない可能性があること，またその変異が遺伝性腫瘍由来であることを示唆する所

見(PGPV)の可能性があることを，必ず患者にあらかじめ説明する必要がある。遺伝子変異に対応する薬剤が罹患しているがんで保険診療として存在しない場合は，治療へのアクセスとして，治験薬，患者申出療養制度の利用，自費診療の3通りがある。

　網羅的な遺伝子変異解析においては，子宮体がんに特定したがん遺伝子パネル検査の有効性を示す研究はなく，婦人科がんにおける前方視的研究，後方視的研究が少数報告されているのみである。婦人科がんにおけるがん遺伝子パネル検査の有効性を検討する前方視的臨床試験の69例の報告では，25例(36%)においてエキスパートパネルによる治療推奨がなされたが，そのうち臨床試験に参加することができたのは3例(4%)のみであった。推奨治療により腫瘍縮小評価ができた23例のうち16例(70%)において，何らかの臨床的有用性が認められた[1]。本邦における研究では，がん遺伝子パネル検査を受けた187例のがん患者(固形がん全領域)において，1つ以上の遺伝子異常の検出された患者が156例(83%)，そのうち遺伝子変異に対応する推奨薬剤のある患者が111例(59%)であったが，実際に遺伝子変異に基づいた治療薬が投与された患者は25例(13%)に過ぎなかった[2]。これらの結果から，がん遺伝子パネル検査を施行された患者における薬剤の到達率は低いのが実情である。したがって，がん遺伝子パネル検査の実施にあたっては，必ずしも治療対象となる遺伝子変異が得られない可能性について，十分に患者に説明する必要がある。

　コンパニオン診断としてのがん遺伝子パネル検査としては，子宮体がんにおいてはMSI，TMBおよびdMMRのコンパニオン診断の意義が高い。FoundationOne® CDx がんゲノムプロファイルは，MSI-Highを有するがんに対するニボルマブおよびペムブロリズマブの適応判定補助として2021年6月21日に承認を取得し，またTMB-Highを有する進行再発の固形がんに対するペムブロリズマブの適応判定補助として2021年11月15日に承認を取得した。TMBについては，婦人科がん患者に対してがん遺伝子パネル検査を行った117例における検討で，卵巣がんや子宮頸がんと比較し子宮体がんにおいてTMBが高い傾向にあったとの報告がある[3]。MSIやTMBの判定により，子宮体がんにおける免疫チェックポイント阻害薬の治療適応ならびに治療効果予測につながることから，がん遺伝子パネル検査は有益であると考えられる。

　肉腫におけるがん遺伝子パネル検査の有効性については，44の組織型の7,494例を対象とした研究で，3.9%にTMB-Highが，1.5%に治療適応となる遺伝子変異が認められたとの報告があり，検査を行うことの意義が示唆される[4]。

　2021年3月には「FoundationOne® Liquid CDx がんゲノムプロファイル」が，2022年3月には「Guardant360® CDx がん遺伝子パネル」が新たに保険承認された。進行固形がん患者を対象とし，血液中の循環腫瘍DNA(circulating tumor DNA)を用いることでがん関連遺伝子を解析し，前述の腫瘍組織を用いたがん遺伝子パネル検査と同様，がんゲノムプロファイリング機能と併せ，分子標的治療のコンパニオン診断機能も有している。腫瘍組織標本が入手困難であったり，患者への侵襲の大きさから生検が困難な際に，患者の血液を用いてがんのゲノム異常を検出するリキッドバイオプシーを行うことが有用である。本邦で消化

器がんを対象に行われた研究において，リキッドバイオプシーでは腫瘍組織検査と比べて約22日早く解析結果が判明し，ゲノム解析結果に基づき対象となる治験に登録した患者の割合が高まることが示された[5]。

▶ 参考文献

1) Rodriguez-Rodriguez L, Hirshfield KM, Rojas V, DiPaola RS, Gibbon D, Hellmann M, et al. Use of comprehensive genomic profiling to direct point-of-care management of patients with gynecologic cancers. Gynecol Oncol 2016 ; 141 : 2-9（ケースシリーズ）【検】
2) Sunami K, Ichikawa H, Kubo T, Kato M, Fujiwara Y, Shimomura A, et al. Feasibility and utility of a panel testing for 114 cancer-associated genes in a clinical setting: a hospital-based study. Cancer Sci 2019 ; 110 : 1480-90（ケースシリーズ）【委】
3) Wang M, Fan W, Ye M, Tian C, Zhao L, Wang J, et al. Molecular profiles and tumor mutational burden analysis in Chinese patients with gynecologic cancers. Sci Rep 2018 ; 8 : 8990（ケースシリーズ）【検】
4) Gounder MM, Agaram NP, Trabucco SE, Robinson V, Ferraro RA, Millis SZ, et al. Clinical genomic profiling in the management of patients with soft tissue and bone sarcoma. Nat Commun 2022 ; 13 : 3406（ケースシリーズ）【委】
5) Nakamura Y, Taniguchi H, Ikeda M, Bando H, Kato K, Morizane C, et al. Clinical utility of circulating tumor DNA sequencing in advanced gastrointestinal cancer: SCRUM-Japan GI-SCREEN and GOZILA studies. Nat Med 2020 ; 26 : 1859-64（コホート）【委】

第5章　治療後の経過観察

総　説

　子宮体癌治療後の経過観察の目的は，再発の早期発見による予後の改善と，治療により損なわれたQOLの維持・向上にある。再発の危険度は進行期，組織型，手術の完遂度により異なるため，再発リスクを考慮した上で患者個々の経過観察計画を検討する必要がある。

　無症状の再発例の早期発見は予後に関連せず，経過観察の間隔について各国のガイドラインでは，2～3年以内は3～6カ月毎，それ以降は6～12カ月毎を推奨しているものの，明確なエビデンスは存在しない[1,2]。子宮体癌Ⅰ～Ⅳ期で手術治療後再発遺残のない症例を対象とし，定期的経過観察が全生存率に寄与するかを検証したRCTが報告された（TOTEM Study）。5年間の必要最小限ないしintensive follow-upの2群に分け生存率を比較したところ，再発低・高リスクにかかわらず，両群において生存率に差はなかった[3]。子宮体癌再発は自覚症状のために受診し再発と診断されることが多い。一方で，内診（直腸診含む）による婦人科的診察で再発を診断できる症例は少なくなく[4,5]，海外のガイドラインでも身体診察と内診を推奨している[1,2]。定期的経過観察の際の腟断端細胞診については，後方視的研究から有用性は示されていないか，あるいは極めて限定的であり[2,6,7]，腟断端細胞診に関しては海外のガイドラインでは必須項目には含まれていない[1,2]。NCCNガイドライン2022年版では，CA125の測定は治療前に高値であった症例を適応としている[1]。CT，PET/CT，MRI，超音波などの画像検査は再発を疑った時の精査として必要であるが，再発低～中リスクの子宮体癌で画像検査を含めた定期的経過観察を行うことは，一般的に適切ではないとされる。一方で，再発高リスクの子宮体癌においては，胸部X線検査やCT検査を行うことは適切かもしれないとしている[8]。以上のことから，症状の確認と内診は重要であるが，定期的な腟断端の細胞診，血清腫瘍マーカー，超音波検査，CT検査などの画像検査は個々の症例の再発リスクを勘案した上で適宜行う（CQ24）。今後，本邦においても定期的経過観察を見直し，医療状況と患者個々の状態に応じた経過観察の個別化が必要であると考えられる。

　経過観察のもう一つの目的にはがんサバイバーのQOLの維持・向上があり，この観点からの細やかな，しかも長期間のフォローアップは重要となっている。しかし，卵巣欠落症状，浮腫，セクシュアリティ，心血管疾患（CVD）発症などについての実態調査は十分でない。子宮体癌のホルモン補充療法（HRT）の施行に関する1件のRCT[9]とその他7件の観察研究を含めたメタアナリシスでは[10]，子宮体癌術後のHRTは再発を有意に低下させるという結果であったことから，HRT施行は提案される（CQ25）。米国では子宮体癌の再発低リスク群において，術後5年以降は子宮体癌の再発による死亡率を，CVDによる死亡率が上回るようになる[11]。日本における子宮体癌罹患者のCVDによる死亡率や生活習慣病発症率は不明であるが，生活習慣病のリスクを評価し，生活習慣病の発症を最小限に抑えることは，長

期の健康維持に重要である(CQ26)。

　Lynch症候群はDNAミスマッチ修復遺伝子の生殖細胞系列の病的バリアントを主な原因とする常染色体顕性(優性)疾患である。Lynch症候群関連子宮体癌の頻度は，諸外国のデータからは子宮体癌全体の2～6%とされており[12, 13]，本邦でも同様の頻度が報告されている[14]。Lynch症候群家系女性の関連腫瘍の累積発生率(70歳まで)は，子宮体癌28～60%，大腸癌30～52%，胃癌6～13%，卵巣癌6～14%，小腸癌3～4%などとされている[14]。Lynch症候群における子宮体癌はセンチネル癌(最も先に発症する癌)であることも多い[15]。また，子宮峡部から発生する子宮体癌は子宮体癌全体の3.5%と稀であるが，そのうち29%がLynch症候群と診断される[16]。婦人科腫瘍を専門とする医師は既往歴や家族歴，臨床病理学的特徴からもLynch症候群の可能性を検討する。本邦では，これまでLynch症候群の第二次スクリーニング検査の一つとして実施されてきたMSI(マイクロサテライト不安定性)検査が，再発子宮体癌患者に対する免疫チェックポイント阻害薬の適応判定のためのコンパニオン診断薬として2018年12月に保険収載されたこともあり，Lynch症候群が疑われる子宮体癌患者はより顕在化すると考えられる。

　代表的なミスマッチ修復遺伝子(*MLH1*，*MSH2*，*MSH6*，*PMS2*)のうち，いずれのバリアントであるかによって関連腫瘍の発生頻度や発生時期が異なることも報告されており，原因遺伝子ごとに異なるサーベイランスを行うことも推奨されている[14, 17, 18]。Lynch症候群と診断された患者やその血縁者に対しては，大腸，子宮・卵巣，胃，胆道・膵臓，尿路系の定期的なサーベイランスも提唱されており[14]，十分な説明と適切な予防医療，早期診療にも配慮する必要がある。

▶ 参考文献

1) Uterine Neoplasms(Version 1. 2022) NCCN Clinical Practice Guidelines in Oncology
   http://www.nccn.org/professionals/physician_gls/f_guidelines.asp
2) Colombo N, Preti E, Landoni F, Carinelli S, Colombo A, Marini C, et al ; ESMO Guidelines Working Group. Endometrial cancer : ESMO clinical practice guidelines for diagnosis, treatment and follow-up. Ann Oncol 2013 ; 24(Suppl 6) : vi33-8
3) Zola P, Ciccone G, Piovano E, Fuso L, Di Cuonzo D, Castiglione A, et al. Effectiveness of intensive versus minimalist follow-up regimen on survival in patients with endometrial cancer(TOTEM Study) : A randomized, pragmatic, parallel group, multicenter trial. J Clin Oncol 2022 ; 20 ; 40 : 3817-27
4) Lubrano A, Benito V, Pinar B, Molano F, Leon L. Efficacy of endometrial cancer follow-up protocols : time to change? Rev Bras Ginecol Obstet 2021 ; 43 : 41-5
5) Simsek SY, Serbetcioglu G, Alemdaroglu S, Yetkinel S, Durdag GD, Celik H. Clinicopathologic characteristics of recurrent endometrioid endometrial cancer patients and analysis of methods used during surveillance. J Gynecol Obstet Hum Reprod 2019 ; 48 : 473-7
6) Rimel BJ, Burke WM, Higgins RV, Lee PS, Lutman CV, Parker L. Improving quality and decreasing cost in gynecologic oncology care. Society of gynecologic oncology recommendations for clinical practice. Gynecol Oncol 2015 ; 137 : 280-4
7) Kilic D, Yetimalar MH, Bezircioglu I, Yigit S. Does cervicovaginal cytology have a role in the diagnosis and surveillance of endometrial adenocarcinoma? Diagn Cytopathol 2020 ; 48 : 629-34
8) Reinhold C, Ueno Y, Akin EA, Bhosale PR, Dudiak KM, Jhingran A et al. ACR Appropriateness Crite-

ria® Pretreatment Evaluation and Follow-Up of Endometrial Cancer. J Am Coll Radiol 2020 ; 17 : S472-S486
9) Barakat RR, Bundy BN, Spirtos NM, Bell J, Mannel RS. Randomized double-blind trial of estrogen replacement therapy versus placebo in stage I or II endometrial cancer : a Gynecologic Oncology Group study. J Clin Oncol 2006 ; 24 : 587-92
10) Londero AP, Parisi N, Tassi A, Bertozzi S, Cagnacci A. Hormone replacement therapy in endometrial cancer survivors : A meta-analysis. J Clin Med 2021 ; 10 : 3165
11) Felix AS, Bower JK, Pfeiffer RM, Raman SV, Cohn DE, Sherman ME. High cardiovascular disease mortality after endometrial cancer diagnosis : Results from the Surveillance, Epidemiology, and End Results(SEER) Database. Int J Cancer 2017 ; 140 : 555-64
12) Ferguson SE, Aronson M, Pollett A, Eiriksson LR, Oza AM, Gallinger S, et al. Performance characteristics of screening strategies for Lynch syndrome in unselected women with newly diagnosed endometrial cancer who have undergone universal germline mutation testing. Cancer 2014 ; 120 : 3932-9
13) Leenen CH, van Lier MG, van Doorn HC, van Leerdam ME, Kooi SG, de Waard J, et al. Prospective evaluation of molecular screening for Lynch syndrome in patients with endometrial cancer ≤ 70 years. Gynecol Oncol 2012 ; 125 : 414-20
14) 大腸癌研究会 編．遺伝性大腸癌診療ガイドライン2020年版．金原出版，東京，2020
15) Lu KH, Dinh M, Kohlmann W, Watson P, Green J, Syngal S, et al. Gynecologic cancer as a "sentinel cancer" for women with hereditary nonpolyposis colorectal cancer syndrome. Obstet Gynecol 2005 ; 105 : 569-74
16) Westin SN, Lacour RA, Urbauer DL, Luthra R, Bodurka DC, Lu KH, et al. Carcinoma of the lower uterine segment : A newly described association with Lynch syndrome。J Clin Oncol 2008 ; 26 : 5965-71
17) National Comprehensive Cancer Network(2021) NCCN Clinical Practice Guidelines in Oncology : genetic/familial high-risk assessment : colorectal. Version 1. 2021
http://www.nccn.org
18) van Leerdam ME, Roos VH, van Hooft JE, Balaguer F, Dekker E, Kaminski MF, et al. Endoscopic management of Lynch syndrome and of familial risk of colorectal cancer : European Society of Gastrointestinal Endoscopy(ESGE) Guideline. Endoscopy 2019 ; 51 : 1082-93

CQ 24

根治的治療後に定期的な検査は勧められるか？

推奨

① 経過観察の間隔は，治療終了から1～3年までは3～6カ月毎，4～5年までは6～12カ月毎を提案する。
　推奨の強さ　2(↑)　　エビデンスレベル　C　　合意率 86%（19/22人）

② 丁寧な問診による症状の確認と，骨盤内再発診断のための内診を推奨する。
　推奨の強さ　1(↑↑)　エビデンスレベル　B　　合意率 91%（20/22人）

③ 腟断端の細胞診，血清腫瘍マーカー，超音波検査，胸部X線検査やCT検査などの画像検査は，個々の症例の再発リスクを勘案した上で適宜行うことを提案する。
　推奨の強さ　2(↑)　　エビデンスレベル　C　　合意率 100%（22/22人）

④ 再発が疑われた場合の病巣の検索については，CT，MRIやPET/CTなどの画像検査を推奨する。
　推奨の強さ　1(↑↑)　エビデンスレベル　B　　合意率 100%（22/22人）

▶▶目　的

根治的治療後の経過観察について，適切な受診間隔と検査内容を検討する。

▶▶解　説

子宮体癌再発例の75%以上が3年以内であるという報告が多く，無症状の再発例の早期発見は予後に関連せず，定期的経過観察の有用性が示されないため，経過観察の間隔を延ばすことを推奨する論文も多い[1-5]。経過観察の間隔について各国のガイドラインでは，2～3年以内は3～6カ月毎，それ以降は6～12カ月毎を推奨しているものの，明確なエビデンスは存在しない[6,7]。

再発の危険度は進行期，組織型，手術の完遂度により異なるため，再発リスクを考慮した上で患者個々の経過観察計画を検討する必要がある。イタリアとフランスのグループから，子宮体癌Ⅰ～Ⅳ期で手術治療後に画像検査を行い再発遺残のない症例を対象としたRCTが報告された（TOTEM Study）。5年間の必要最小限ないしintensive follow-upの2群に分けて生存率を比較した。再発低リスク群（ⅠA期，G1またはG2）の必要最小限の経過観察は，血液検査，腟断端細胞診，画像検査は行わず，計11回の来院時に婦人科および全身の診察を行うもので，intensive follow-upは，計13回の来院に加え，年1回の腟断端細胞診，最初の2年は1年毎にCT検査を行うものである。再発高リスク群（再発低リスク以外）では，

必要最小限の経過観察は計13回の来院の際に婦人科および全身の診察に加えて最初の2年は1年毎にCT検査を行い，intensive follow-upは計14回の来院ごとの診察に加えてCA125測定，超音波検査，年1回の腟断端細胞診，CT検査を行うものである。その結果，再発低・高リスクにかかわらず，両群において生存率に差はなかった[8]。

また欧米においては，再発率が低く予後良好である再発低リスクの子宮体癌の経過観察をどのように行うかが焦点となっており，RCTも行われている[9-11]。日本では婦人科医による治療後の経過観察が病院で行われているが，欧米では再発低リスクの場合には，patient-initiated follow-up（PIFU：患者の自己判断で症状ないし相談がある場合に病院に連絡して予約する診療システム）やnurse-led follow-up（NLFU：専門の看護師が電話で対応する）など，直接来院しない，もしくは専門の看護師が電話対応により経過観察する臨床試験が行われている[9-12]。また，6年目以降の晩期再発は全体の約1％（再発例の9％）であり，その特徴は診断時に筋層浸潤1/2未満，類内膜癌G1/G2，脈管侵襲のない症例であった[13]。これらの症例においては6年目以降の経過観察も考慮されるが，いつまで経過観察を行うべきかはエビデンスが乏しいため，患者ごとにリスクを考慮した上で，経過観察の期間を検討する。

子宮体癌再発の多くは定期的な受診による再発診断率よりも，患者が自覚症状のため受診し再発と診断された率の方が高いとする報告が多い。一方で，内診（直腸診含む）による通常の婦人科的診察で再発を診断できる症例は少なくなく[5, 14]，海外のガイドラインでも身体診察と内診を推奨している[6, 7]。定期的経過観察の際の腟断端細胞診については，後方視的研究から有用性は示されていないか，あるいは極めて限定的である[2, 7, 15, 16]。腟断端細胞診に関して海外のガイドラインでは必須項目には含まれていない[6, 7]。

再発の早期発見に腫瘍マーカーであるCA125が有用とされ，腹腔内再発時には画像検査，細胞診，組織診などによる再発確認診断に数カ月先行し上昇するとの報告がある[17]。無症候性再発症例でCA125値の上昇によって再発が発見された場合には，遠隔転移や腹腔内再発のことが多く，医療経済的側面からも症例を選んで行うべきとする文献もある[18, 19]。NCCNガイドライン2022年版では，CA125の測定は治療前に高値であった症例を適応としている[6]。

子宮体癌の肺転移再発は5〜23％と高頻度であり[1]，胸部X線検査は再発のスクリーニングとして有用である。しかし，無症候性再発での胸部X線検査の有用性は明らかではない[1, 17]。CT，PET/CT，MRI，超音波などの画像検査は，再発を疑った時の精査として必要である。しかし無症状で他に所見のない患者に対して定期的に施行する有用性は確立されていない。無症状と有症状での再発症例の予後に有意差はないとする報告[3, 4]も，画像検査がルーチン化されない一因となっている。NCCNガイドライン2022年版では，臨床的に適応がある場合にはCT，MRI，PET/CTを行うとされている[6]。American College of Radiology（米国放射線専門医会）によると，再発低〜中リスクの子宮体癌で画像検査を含めた定期的経過観察を行うことは一般的に適切ではないとされる一方で，再発高リスクの子宮体癌においては胸部X線検査やCT検査を行うことは適切かもしれないとされている[20]。したがって，個々の症例の再発リスクを勘案した上での経過観察の計画と画像診断の施行が現実的と考えられる。

▶参考文献

1) Shumsky AG, Stuart GC, Brasher PM, Nation JG, Robertson DI, Sangkarat S. An evaluation of routine follow-up of patients treated for endometrial carcinoma. Gynecol Oncol 1994 ; 55 : 229-33(ケースシリーズ)【旧】

2) Morice P, Levy-Piedbois C, Ajaj S, Pautier P, Haie-Meder C, Lhomme C, et al. Value and cost evaluation of routine follow-up for patients with clinical stage I/II endometrial cancer. Eur J Cancer 2001 ; 37 : 985-90(ケースシリーズ)【旧】

3) Yalamanchi P, Shabason JE, Zhang X, Ko EM, Lin LL. Use of aggressive surveillance for locoregional endometrial cancer after local therapy. Int J Gynecol Cancer 2018 ; 28 : 1264-70(ケースシリーズ)【検】

4) Jeppesen MM, Mogensen O, Hansen DG, Iachina M, Korsholm M, Jensen PT. Detection of recurrence in early stage endometrial cancer-the role of symptoms and routine follow-up. Acta Oncol 2017 ; 56 : 262-9(コホート)【検】

5) Lubrano A, Benito V, Pinar B, Molano F, Leon L. Efficacy of endometrial cancer follow-up protocols : time to change? Rev Bras Ginecol Obstet 2021 ; 43 : 41-5(ケースシリーズ)【検】

6) Uterine Neoplasms(Version 1. 2022) NCCN Clinical Practice Guidelines in Oncology http://www.nccn.org/professionals/physician_gls/f_guidelines.asp(ガイドライン)【委】

7) Colombo N, Preti E, Landoni F, Carinelli S, Colombo A, Marini C, et al ; ESMO Guidelines Working Group. Endometrial cancer : ESMO clinical practice guidelines for diagnosis, treatment and follow-up. Ann Oncol 2013 ; 24(Suppl 6) : vi33-8(ガイドライン)【委】

8) Zola P, Ciccone G, Piovano E, Fuso L, Di Cuonzo D, Castiglione A, et al. Effectiveness of intensive versus minimalist follow-up regimen on survival in patients with endometrial cancer(TOTEM Study) : A randomized, pragmatic, parallel group, multicenter trial. J Clin Oncol 2022 ; 20 ; 40 : 3817-27(ランダム)【委】

9) Ezendam NPM, de Rooij BH, Kruitwagen RFPM, Creutzberg CL, van Loon I, Boll D, et al. ENdometrial cancer SURvivors' follow-up carE(ENSURE) : less is more? Evaluating patient satisfaction and cost-effectiveness of a reduced follow-up schedule : study protocol of a randomized controlled trial. Trials 2018 ; 19 : 227(ランダム)【検】

10) Beaver K, Williamson S, Sutton C, Hollingworth W, Gardner A, Allton B, et al. Comparing hospital and telephone follow-up for patients treated for stage-I endometrial cancer(ENDCAT trial) : a randomised, multicentre, non-inferiority trial. BJOG 2017 ; 124 : 150-60(ランダム)【検】

11) Jeppesen MM, Jensen PT, Hansen DG, Christensen RD, Mogensen O. Patient-initiated follow up affects fear of recurrence and healthcare use : a randomised trial in early-stage endometrial cancer. BJOG 2018 ; 125 : 1705-14(ランダム)【検】

12) Luqman I, Wickham-Joseph R, Cooper N, Boulter L, Patel N, Kumarakulasingam P, et al. Patient-initiated follow-up for low-risk endometrial cancer : a cost-analysis evaluation. Int J Gynecol Cancer 2020 ; 30 : 1000-4(コホート)【検】

13) Takahashi A, Matsuura M, Matoda M, Nomura H, Okamoto S, Kanao H, et al. Clinicopathological features of early and late recurrence of endometrial carcinoma after surgical resection. Int J Gynecol Cancer 2017 ; 27 : 967-72(ケースシリーズ)【委】

14) Simsek SY, Serbetcioglu G, Alemdaroglu S, Yetkinel S, Durdag GD, Celik H. Clinicopathologic characteristics of recurrent endometrioid endometrial cancer patients and analysis of methods used during surveillance. J Gynecol Obstet Hum Reprod 2019 ; 48 : 473-7(ケースシリーズ)【検】

15) Rimel BJ, Burke WM, Higgins RV, Lee PS, Lutman CV, Parker L. Improving quality and decreasing cost in gynecologic oncology care. Society of gynecologic oncology recommendations for clinical practice. Gynecol Oncol 2015 ; 137 : 280-4(ガイドライン)【検】

16) Kilic D, Yetimalar MH, Bezircioglu I, Yigit S. Does cervicovaginal cytology have a role in the diagnosis and surveillance of endometrial adenocarcinoma? Diagn Cytopathol 2020 ; 48 : 629-34(コホート)【検】

17) Lee JY, Kim JH, Seo JW, Kim HS, Kim JW, Park NH, et al. Detecting asymptomatic recurrence in early-stage endometrial cancer : the value of vaginal cytology, imaging studies, and CA-125. Int J Gynecol Cancer 2016 ; 26 : 1434-9(ケースコントロール)【検】

18) Fung-Kee-Fung M, Dodge J, Elit L, Lukka H, Chambers A, Oliver T. Follow-up after primary therapy for endometrial cancer : a systematic review. Gynecol Oncol 2006 ; 101 : 520-9(メタ)【旧】
19) Salani R, Backes FJ, Fung MF, Holschneider CH, Parker LP, Bristow RE, et al. Posttreatment surveillance and diagnosis of recurrence in women with gynecologic malignancies : Society of Gynecologic Oncologists recommendations. Am J Obstet Gynecol 2011 ; 204 : 466-78(ガイドライン)【旧】
20) Reinhold C, Ueno Y, Akin EA, Bhosale PR, Dudiak KM, Jhingran A, et al. ACR Appropriateness Criteria® Pretreatment evaluation and follow-up of endometrial cancer. J Am Coll Radiol 2020 ; 17 : S472-S486(ガイドライン)【検】

CQ 25

子宮体癌治療後のホルモン補充療法(HRT)は勧められるか？

推奨
ベネフィットとリスクを十分に説明した上でHRTを行うことを提案する。
推奨の強さ　2(↑)　　エビデンスレベル　B　　合意率95%(21/22人)

▶▶ 目　的

治療後のHRTと再発のリスクを検討する。

▶▶ 解　説

　子宮体癌に対する手術療法は原則として両側付属器摘出術が選択される。本術式は根治的手術であると同時に，手術進行期を決定するものである。子宮体癌患者の25%は閉経前に，4%は40歳未満に発症するため，上記術後に生じる卵巣欠落症状はしばしば患者のQOLの低下をもたらす。また，45歳未満で両側卵巣を摘出した場合には，対照群と比較して死亡リスクが有意に高くなることが報告されている[1]。したがって，卵巣摘出によって惹起される様々な症状を理解した上で適切な対応を行うことがQOLの維持・向上において重要である。

　治療後の卵巣欠落症状に対してHRTは治療選択肢の一つである。HRT介入による子宮体癌再発リスクを検討したRCTはこれまでに1件のみである[2]。Ⅰ・Ⅱ期(FIGO 1988)を対象とし，エストロゲン単独療法(ET)とプラセボ群を比較検討したランダム化二重盲検試験(GOG137試験：NCT00002976)ではET群の再発率は2.3%(14例/618例)，対照群では1.9%(12例/618例)〔RR 1.27(80%CI 0.916-1.77)〕であり，再発率を増加させないことが示されている[3,4]。この1件のRCTとその他7件の観察研究を含めたメタアナリシスでは，子宮体癌術後のHRTは再発を有意に低下させるという結果であった〔HR 0.63(95%CI 0.48-0.83)〕[5]。しかしその一方，同解析ではETを継続投与された米国黒人女性では再発リスクが有意に高いことが示されており〔HR 7.58(95%CI 1.96-29.31)〕，人種による再発リスクの差が存在することが示唆されている。また，低異型度子宮内膜間質肉腫はその病態からHRT実施を控えるべきである。

　以上より，子宮体癌治療後のHRTは再発リスクを高めないと考えられる。ただし，これまでの報告の対象はⅠ～Ⅱ期症例が大多数で，年齢，組織学的異型度，HRT開始のタイミング，エストロゲンの種類や量，黄体ホルモンの有無などレジメンの差異，投与期間，フォローアップ期間など報告によりばらつき(セレクション・バイアス)があり，未だコンセンサ

スは得られていない．HRT の施行にあたっては，ベネフィットとリスクについて十分な説明を行った上で同意を得ることが重要である（HRT の施行に際しては，HRT ガイドライン[6]を参照されたい）．

▶ 参考文献

1) Parker WH, Broder MS, Chang E, Feskanich D, Farquhar C, Liu Z, et al. Ovarian conservation at the time of hysterectomy and long-term health outcomes in the nurses' health study. Obstet Gynecol 2009；113：1027-37（コホート）【旧】
2) Barakat RR, Bundy BN, Spirtos NM, Bell J, Mannel RS. Randomized double-blind trial of estrogen replacement therapy versus placebo in stage I or II endometrial cancer：a Gynecologic Oncology Group study. J Clin Oncol 2006；24：587-92（ランダム）【旧】
3) Edey KA, Rundle S, Hickey M. Hormone replacement therapy for women previously treated for endometrial cancer. Cochrane Database Syst Rev 2018;(5)：CD008830（メタ）【検】
4) Di Donato V, Palaia I, D'Aniello D, Musacchio L, Santangelo G, Di Mauro F, et al. Does hormone replacement therapy impact the prognosis in endometrial cancer survivors? A systematic review. Oncology 2020；98：195-201（メタ）【検】
5) Londero AP, Parisi N, Tassi A, Bertozzi S, Cagnacci A. Hormone replacement therapy in endometrial cancer survivors：A meta-analysis. J Clin Med 2021；10：3165（メタ）【検】
6) 日本産科婦人科学会，日本女性医学学会 編．ホルモン補充療法ガイドライン 2017 年度版．日本産科婦人科学会，東京，2017（ガイドライン）【旧】

CQ 26

子宮体癌治療後の生活指導において留意すべき点は？

推奨

① 生活習慣病のリスクを評価することを推奨する。
　推奨の強さ　1(↑↑)　　エビデンスレベル　B　　合意率 95%(21/22 人)

② 生活習慣病を有する場合は，生活習慣の改善を指導することを提案する。
　推奨の強さ　2(↑)　　エビデンスレベル　B　　合意率 95%(21/22 人)

③ Lynch 症候群と診断された子宮体癌の患者には，下部消化管内視鏡サーベイランスを行うことを推奨する。
　推奨の強さ　1(↑↑)　　エビデンスレベル　B　　合意率 100%(22/22 人)

④ Lynch 症候群と診断された子宮体癌の患者の血縁者には，遺伝カウンセリングを提案する。
　推奨の強さ　2(↑)　　エビデンスレベル　B　　合意率 100%(22/22 人)

▶▶▶ 目　的

子宮体癌治療後のサバイバーの心血管疾患リスクとその改善策について検討する。
また，Lynch 症候群と診断された子宮体癌患者やその血縁者に対するサーベイランスの必要性について検討する。

▶▶▶ 解　説

子宮体癌の発症リスクに肥満があるが，前方視的コホート研究で日本人においても肥満(BMI 27 以上)は I 型(エストロゲン依存性)子宮体癌の発症リスクであることがわかった〔HR 1.54(95%CI 1.21-1.98)〕[1]。また，肥満は脂質異常症，高血圧，糖尿病，慢性腎臓病，虚血性心疾患や脳卒中など生活習慣病の原因となる。その生活習慣病は死亡原因にもなるが，QOL を低下させ，活動的な生活の妨げになる。米国では子宮体癌の再発低リスク群において，術後 5 年以降は，子宮体癌の再発による死亡率を心血管疾患(CVD)による死亡率が上回るようになる。CVD による死亡は子宮体癌診断から 5 年以内は 13%であるが，診断から 5〜10 年で 31%，10 年以上で 37%に増加する。さらに，米国の一般女性と比較して，子宮体癌患者の年齢別 CVD 死亡率が 8 倍高いことが示された[2]。しかし，日本における子宮体癌患者の CVD による死亡率や生活習慣病発症率は不明である。死亡原因にもなりうる生活習慣病のリスクを評価し，生活習慣病の発症を最小限に抑えることは，長期の健康維持において重要である。

閉経前に子宮体癌治療のため両側付属器摘出術(BSO)を行った場合は，卵巣欠落症状以外

にもCVD，脂質異常症，骨粗鬆症の発症リスク上昇が懸念される。45歳未満でBSOが行われた場合，乳癌の発症リスクは減少するものの，CVDの発症リスクが上昇する[3]。脂質異常症に関しては，閉経前後に子宮体癌のためにBSOを受けた場合は，子宮体癌以外の理由でBSOを受けた場合と比較して，高トリグリセライド血症の頻度が高い。また，閉経前に子宮体癌のためにBSOを受けた場合は，子宮体癌以外の理由でBSOを受けた場合と比較して，LDLコレステロール値が高くなる[4]。閉経後に子宮体癌治療を受けた患者の骨密度は，同年齢の健康な女性と比較し高く，体脂肪量と相関していた[5]。子宮体癌サバイバーで高トリグリセライド血症を有する患者は骨粗鬆症の頻度が低いことが示されている[6]。一方，卵巣摘出術後24カ月で，腰椎で5.8％，大腿骨頚部で6％の骨密度が減少する[7]。外科的閉経となった子宮体癌治療後のサバイバーには，必要に応じて骨量を測定し，治療介入を行う。

Lynch症候群では，患者・家系内に大腸癌，子宮体癌をはじめ卵巣癌，胃癌，小腸癌，胆道癌，膵癌，腎盂・尿管癌，脳腫瘍，皮膚腫瘍など様々な悪性腫瘍(関連腫瘍)が発生する。Lynch症候群におけるこれらの関連腫瘍の発生リスクは，原因遺伝子の種類や変異のタイプ，環境因子などにより異なり，病的バリアント保持者に関連腫瘍が必ず発生するとは限らない。しかし，Lynch症候群家系女性の関連腫瘍の累積発生率(70歳まで)は，子宮体癌28～60％，大腸癌30～52％，胃癌6～13％，卵巣癌6～14％，小腸癌3～4％などとされており[8]，Lynch症候群と診断された患者や疑いのある患者，その血縁者に対しては，大腸，子宮・卵巣，胃，胆道・膵臓，尿路系の定期的なサーベイランスが提唱されている[8]。特に大腸癌の発生リスクが高いことが示されており，サーベイランスとしての定期的な内視鏡検査は生涯にわたって行い，前癌病変である腺腫の摘除と大腸癌の早期発見を目指すことが必要である[8-16]。サーベイランスの開始年齢は，罹患率の高い*MLH1*，*MSH2*バリアントでは20～25歳，罹患率の低い*MSH6*，*PMS2*バリアントでは30～35歳が推奨されている[9,11,12]。また，検査の間隔は1～2年毎が推奨されている[8,9,11,12,14-16]。Lynch症候群において，喫煙，飲酒，肥満，糖尿病，高コレステロール血症などの環境因子は大腸癌の発症リスクを増大させ[14,17-21]，一方で，マルチビタミンとカルシウムのサプリメントの摂取，果物の摂取，身体活動の増加は大腸癌の発症リスクを低下させることが報告されている[14,18,20,22,23]。したがって，Lynch症候群と診断された子宮体癌の患者に対しては，大腸癌発症予防のために生活習慣の改善を指導することが望ましい。

Lynch症候群と診断された患者の血縁者は高い確率で病的バリアント保持者となるため，病的バリアントを保持していることが判明したLynch症候群患者の血縁者には，遺伝学的検査を検討することを強く推奨するとしている[8]。検査の結果，Lynch症候群と診断されれば，サーベイランスなどにより健康リスクを低減することができ，病的バリアントを保持しないことが判明した場合は過度な検査を避けることができるためである。ただし，遺伝学的検査の実施にあたっては，その前後に遺伝カウンセリングが必須であることに留意する。Lynch症候群と診断された婦人科がん未発症の血縁者に対する子宮体癌と卵巣癌の定期的なサーベイランス法は，死亡率の低減効果のエビデンスは乏しいものの，子宮内膜組織診は

感度と特異度が高く，30〜35歳以降から1〜2年毎の検査を考慮する[9]。子宮内膜細胞診は内膜組織生検に代わるものではないが，侵襲が少ないため担当医の裁量で考慮してもよい。卵巣癌には有効なサーベイランス法や間隔は提唱されていないが，経腟超音波断層法と血清CA125は担当医の判断で考慮してもよい[9]。不正子宮出血などの自覚症状を認めた場合は，婦人科受診を勧めるなどの啓発も重要である。また，女性のLynch症候群で婦人科がん未発症者に対するリスク低減手術としての子宮全摘出術やリスク低減卵管卵巣摘出術は，海外のガイドラインでは，費用対効果の点を含め考慮するという記載が多いが[9, 11, 14-16]，リスク低減手術による死亡率の低減効果は示されておらず，その有用性についてはさらなる検証が必要である。

▶参考文献

1) Kawachi A, Shimazu T, Budhathoki S, Sawada N, Yamaji T, Iwasaki M, et al. Association of BMI and height with the risk of endometrial cancer, overall and by histological subtype : a population-based prospective cohort study in Japan. Eur J Cancer Prev 2019 ; 28 : 196-202（コホート）【委】
2) Felix AS, Bower JK, Pfeiffer RM, Raman SV, Cohn DE, Sherman ME. High cardiovascular disease mortality after endometrial cancer diagnosis : Results from the Surveillance, Epidemiology, and End Results（SEER）Database. Int J Cancer 2017 ; 140 : 555-64（ケースコントロール）【委】
3) Parker WH, Broder MS, Chang E, Feskanich D, Farquhar C, Liu Z, et al. Ovarian conservation at the time of hysterectomy and long-term health outcomes in the nurses' health study. Obstet Gynecol 2009 ; 113 : 1027-37（コホート）【委】
4) Hirasawa A, Makita K, Akahane T, Yokota M, Yamagami W, Banno K, et al. Hypertriglyceridemia is frequent in endometrial cancer survivors. Jpn J Clin Oncol 2013 ; 43 : 1087-92（コホート）【委】
5) Douchi T, Yamamoto S, Nakamura S, Oki T, Maruta K, Nagata Y. Bone mineral density in postmenopausal women with endometrial cancer. Maturitas 1999 ; 31 : 165-70（コホート）【委】
6) Hirasawa A, Makita K, Akahane T, Yamagami W, Makabe T, Yokota M, et al. Osteoporosis is less frequent in endometrial cancer survivors with hypertriglyceridemia. Jpn J Clin Oncol 2015 ; 45 : 127-31（コホート）【委】
7) Jiang H, Robinson DL, Lee PVS, Krejany EO, Yates CJ, Hickey M, et al. Loss of bone density and bone strength following premenopausal risk-reducing bilateral salpingo-oophorectomy : a prospective controlled study（WHAM Study）. Osteoporos Int 2021 ; 32 : 101-12（コホート）【委】
8) 大腸癌研究会 編．遺伝性大腸癌診療ガイドライン2020年版．金原出版，東京，2020（ガイドライン）【委】
9) National Comprehensive Cancer Network（2021）NCCN Clinical Practice Guidelines in Oncology : genetic/familial high-risk assessment : colorectal. Version 1. 2021
http://www.nccn.org（ガイドライン）【委】
10) Møller P, Seppälä T, Bernstein I, Holinski-Feder E, Sala P, Evans DG, et al. Cancer incidence and survival in Lynch syndrome patients receiving colonoscopic and gynaecological surveillance : first report from the prospective Lynch syndrome database. Gut 2017 ; 66 : 464-72（コホート）【検】
11) Giardiello FM, Allen JI, Axilbund JE, Boland CR, Burke CA, Burt RW, et al. Guidelines on genetic evaluation and management of Lynch syndrome : a consensus statement by the US Multi-Society Task Force on colorectal cancer. Gastroenterology 2014 ; 147 : 502-26（ガイドライン）【検】
12) van Leerdam ME, Roos VH, van Hooft JE, Balaguer F, Dekker E, Kaminski MF, et al. Endoscopic management of Lynch syndrome and of familial risk of colorectal cancer : European Society of Gastrointestinal Endoscopy（ESGE）Guideline. Endoscopy 2019 ; 51 : 1082-93（ガイドライン）【検】
13) Järvinen HJ, Aarnio M, Mustonen H, Aktan-Collan K, Aaltonen LA, Peltomäki P, et al. Controlled 15-year trial on screening for colorectal cancer in families with hereditary nonpolyposis colorectal cancer. Gastroenterology 2000 ; 118 : 829-34（コホート）【検】

14) Vasen HF, Blanco I, Aktan-Collan K, Gopie JP, Alonso A, Aretz S, et al. Revised guidelines for the clinical management of Lynch syndrome(HNPCC): recommendations by a group of European experts. Gut 2013 ; 62 : 812-23（ガイドライン）【検】
15) Syngal S, Brand RE, Church JM, Giardiello FM, Hampel HL, Burt RW. ACG clinical guideline : genetic testing and management of hereditary gastrointestinal cancer syndromes. Am J Gastroenterol 2015 ; 110 : 223-62（ガイドライン）【検】
16) Stoffel EM, Mangu PB, Gruber SB, Hamilton SR, Kalady MF, Lau MW, et al. Hereditary colorectal cancer syndromes : American Society of Clinical Oncology Clinical Practice Guideline endorsement of the familial risk-colorectal cancer : European Society for Medical Oncology clinical practice guidelines. J Clin Oncol 2015 ; 33 : 209-17（ガイドライン）【検】
17) Burton AM, Peterson SK, Marani SK, Vernon SW, Amos CI, Frazier ML, et al. Health and lifestyle behaviors among persons at risk of Lynch syndrome. Cancer Causes Control 2010 ; 21 : 513-21（ケースコントロール）【検】
18) Coletta AM, Peterson SK, Gatus LA, Krause KJ, Schembre SM, Gilchrist SC, et al. Energy balance related lifestyle factors and risk of endometrial and colorectal cancer among individuals with lynch syndrome : a systematic review. Fam Cancer 2019 ; 18 : 399-420（メタ）【検】
19) Pande M, Lynch PM, Hopper JL, Jenkins MA, Gallinger S, Haile RW, et al. Smoking and colorectal cancer in Lynch syndrome : results from the Colon Cancer Family Registry and the University of Texas M.D. Anderson Cancer Center. Clin Cancer Res 2010 ; 16 : 1331-9（コホート）【検】
20) Movahedi M, Bishop DT, Macrae F, Mecklin JP, Moeslein G, Olschwang S, et al. Obesity, aspirin, and risk of colorectal cancer in carriers of hereditary colorectal cancer : a prospective investigation in the CAPP2 study. J Clin Oncol 2015 ; 33 : 3591-7（ランダム）【検】
21) Dashti SG, Li WY, Buchanan DD, Clendenning M, Rosty C, Winship IM, et al. Type 2 diabetes mellitus, blood cholesterol, triglyceride and colorectal cancer risk in Lynch syndrome. Br J Cancer 2019 ; 121 : 869-76（ケースコントロール）【検】
22) Dashti SG, Win AK, Hardikar SS, Glombicki SE, Mallenahalli S, Thirumurthi S, et al. Physical activity and the risk of colorectal cancer in Lynch syndrome. Int J Cancer 2018 ; 143 : 2250-60（ケースコントロール）【検】
23) Chau R, Dashti SG, Ouakrim DA, Buchanan DD, Clendenning M, Rosty C, et al. Multivitamin, calcium and folic acid supplements and the risk of colorectal cancer in Lynch syndrome. Int J Epidemiol 2016 ; 45 : 940-53（ケースコントロール）【検】

第6章 妊孕性温存療法

総 説

　妊孕性温存療法が考慮されるのは，子宮内膜異型増殖症と子宮内膜に限局する類内膜癌G1である(**CQ27**)。妊孕性温存療法を希望する患者に対しては，病理組織学的診断，画像検査所見(MRIによる筋層浸潤の有無，CTによる卵巣を含めた遠隔転移の有無など)，臨床所見，安全性について婦人科腫瘍を専門とする医師が総合的に評価した上で適応を慎重に検討し，十分に説明して同意を得る必要がある(**CQ27，CQ28**)。

　異型を伴わない子宮内膜増殖症の1～3%，子宮内膜異型増殖症の29%は癌に進展すると報告されており[1]，本邦でも同様の成績が示されている[2]。前方視的研究(GOG167試験)によると，生検で子宮内膜異型増殖症と診断された289例中，子宮全摘出術後の最終診断における癌の併存率は43%であった[3,4]。子宮内膜異型増殖症は類内膜癌への進展あるいは併存のリスクが高いことを念頭に置いて治療方針を決定する必要がある。妊孕性温存療法を考慮する際には必ず子宮内膜全面掻爬を行い，癌の併存の有無を確認する必要がある。

　妊孕性温存療法に関する45報告，391例を対象としたレビューでは，子宮内膜異型増殖症(111例)と類内膜癌(280例)の奏効率はそれぞれ86%と75%，病理組織学的な病変消失率は66%と48%で，再発率は23%と35%であった。病変遺残率はそれぞれ14%と25%で，いずれも類内膜癌に比較して子宮内膜異型増殖症で良好な成績が得られている[5]。妊孕性温存療法として黄体ホルモン療法が有用とされているが，比較的高い再発率や治療に伴う有害事象など，本療法の限界や問題点を熟知する必要がある。黄体ホルモン療法のほかに，子宮鏡下腫瘍切除術[6]，LNG-IUS[7]，メトホルミン[8]などを併用した新たな治療法が報告されている。黄体ホルモン療法における病変非消失や再発のリスク因子として，肥満が指摘されている。黄体ホルモン療法にインスリン抵抗性改善作用を有するメトホルミンを併用する試みとして，妊孕性温存希望のある子宮内膜異型増殖症と類内膜癌G1の患者に，MPA 400 mg/日にメトホルミンの併用維持療法の有用性を検証する第ⅡB相RCT(FELICIA Trial)が開始され，新規の症例集積は終了した[9]。メトホルミンやLNG-IUSなど，将来的には使用可能な薬剤の選択肢が増え，治療成績の向上が期待されるものの，これらは現時点において子宮内膜増殖症や子宮体癌に保険適用はない。

　NCCNガイドライン2022年版では，治療期間中は3～6カ月毎に子宮内膜生検または子宮内膜全面掻爬を行い，6～12カ月後に病変が残存する場合には子宮摘出術を勧めている[10]。病変を認めない場合で直近の挙児希望がなければ，黄体ホルモンをベースとした維持療法を考慮する。ESGO/ESTRO/ESPガイドライン2021では，治療期間中は3～6カ月毎に子宮鏡下生検を行い，6カ月目で治療効果を認めない場合には子宮摘出をすべきとしている[11]。子宮内膜細胞診は黄体ホルモン療法の効果判定の際に用いる場合の感度は61%で

あったという報告があり，子宮内膜細胞診のみによる効果判定は勧められない[12]。

妊孕性温存療法後の経過観察の期間についてのコンセンサスはない。再発までの中央値が20カ月(4～154カ月)であったという報告[13]や，累積再発率は6カ月，12カ月，18カ月，24カ月の時点でそれぞれ10％，17％，26％，29％と上昇し，少なくとも5年間は増加するという報告[14]がある。妊孕性温存療法後に卵巣転移や卵巣への重複癌が4％に認められたという報告[15]や，腹膜癌発症例の報告もある[16]。これらのことから，3～6カ月に一度の子宮内膜組織検査や経腟超音波断層法検査を行うこと，経腟超音波断層法検査の際は子宮内膜肥厚の有無だけでなく，子宮と付属器の異常および腹水の有無などを観察することも必要である(CQ28)。

再発例に対しては，あくまで子宮全摘出術が原則である。妊孕性温存療法施行後の再発例を抽出し，322症例(類内膜癌G2/G3は除外)を対象としたシステマティックレビューおよびメタアナリシスを行った。CRから再発までの期間の中央値は13.0カ月(7.0～23.8カ月)であった。241症例(75％)が再発後に妊孕性温存療法を再度施行し，81症例(25％)が子宮全摘出術を施行された。再発症例に対する妊孕性温存療法として232症例(96％)でMPAもしくはMAが投与され，198症例(82％)でCRが得られ，再発後の妊孕性温存療法の有用性が示唆された(CQ29)[17]。

黄体ホルモン療法の再治療を受けた症例は，子宮全摘出術を受けた症例よりも再々発のリスクが有意に高い。妊孕性温存希望が強く，子宮内再発時の組織が子宮内膜異型増殖症または子宮内膜限局の類内膜癌G1の場合には，初回治療以上にリスクを十分に説明し理解を得た上で，黄体ホルモン療法を再度施行することも提案される(CQ29)。子宮体癌/子宮内膜異型増殖症に対する妊孕性温存療法後の子宮内再発に対する反復高用量黄体ホルモン療法に関する第Ⅱ相試験(JGOG2051試験/REMPA trial)が現在進行中である。

また，妊孕性温存療法の主目的は妊娠・分娩であるため，治療後の排卵誘発や不妊治療が必要となる場合も少なくない。エビデンスは限られるが，不妊治療施行例の妊娠率が有意に高率であったとの報告[15]や不妊治療による再発リスクの上昇は認められないとの報告[18]もあり，妊娠成立のための生殖補助医療(ART)を提案する(CQ30)。妊孕性温存療法を行う前に，将来の妊娠に向けてARTを含めた治療方針について，不妊治療施設と密に連携しながら患者およびその家族に十分な説明をしておく。

▶ 参考文献

1) Kurman RJ, Kaminski PF, Norris HJ. The behavior of endometrial hyperplasia. A long-term study of "untreated" hyperplasia in 170 patients. Cancer 1985 ; 56 : 403-12
2) Jobo T, Takeoka K, Kuramoto H. Study on the long term follow-up of endometrial hyperplasia. Int J Clin Oncol 1996 ; 1 : 163-9
3) Trimble CL, Kauderer J, Zaino R, Silverberg S, Lim PC, Burke JJ 2nd, et al. Concurrent endometrial carcinoma in women with a biopsy diagnosis of atypical endometrial hyperplasia : a Gynecologic Oncology Group study. Cancer 2006 ; 106 : 812-9
4) Zaino RJ, Kauderer J, Trimble CL, Silverberg SG, Curtin JP, Lim PC, et al. Reproducibility of the diag-

nosis of atypical endometrial hyperplasia : a Gynecologic Oncology Group study. Cancer 2006 ; 106 : 804-11

5) Gunderson CC, Fader AN, Carson KA, Bristow RE. Oncologic and reproductive outcomes with progestin therapy in women with endometrial hyperplasia and grade 1 adenocarcinoma : a systematic review. Gynecol Oncol 2012 ; 125 : 477-82

6) Guillon S, Popescu N, Phelippeau J, Koskas M. A systematic review and meta-analysis of prognostic factors for remission in fertility-sparing management of endometrial atypical hyperplasia and adenocarcinoma. Int J Gynaecol Obstet 2019 ; 146 : 277-88

7) Gallos ID, Shehmar M, Thangaratinam S, Papapostolou TK, Coomarasamy A, Gupta JK. Oral progestogens vs levonorgestrel-releasing intrauterine system for endometrial hyperplasia : a systematic review and metaanalysis. Am J Obstet Gynecol 2010 ; 203 : 547. e1-10

8) Mitsuhashi A, Habu Y, Kobayashi T, Kawarai Y, Ishikawa H, Usui H, et al. Long-term outcomes of progestin plus metformin as a fertility-sparing treatment for atypical endometrial hyperplasia and endometrial cancer patients. J Gynecol Oncol 2019 ; 30 : e90

9) Mitsuhashi A, Kawasaki Y, Hori M, Fujiwara T, Hanaoka H, Shozu M. Medroxyprogesterone acetate plus metformin for fertility-sparing treatment of atypical endometrial hyperplasia and endometrial carcinoma : trial protocol for a prospective, randomised, open, blinded-endpoint design, dose-response trial (FELICIA trial). BMJ Open 2020 ; 10 : e035416

10) Uterine Neoplasms(Version 1. 2022) NCCN Clinical Practice Guidelines in Oncology
http://www.nccn.org/professionals/physician_gls/f_guidelines.asp（ガイドライン）【委】

11) Concin N, Matias-Guiu X, Vergote I, Cibula D, Mirza MR, Marnitz S, et al. ESGO/ESTRO/ESP guidelines for the management of patients with endometrial carcinoma. Int J Gynecol Cancer 2021 ; 31 : 12-39

12) Yoshimura T, Yamagami W, Takahashi M, Hirano T, Sakai K, Makabe T, et al. Clinical usefulness of endometrial cytology in determining the therapeutic effect of fertility preserving therapy. Acta Cytol 2022 ; 66 : 106-13

13) Fan Z, Li H, Hu R, Liu Y, Liu X, Gu L. Fertility-preserving treatment in young women with grade 1 presumed stage IA endometrial adenocarcinoma : a meta-analysis. Int J Gynecol Cancer 2018 ; 28 : 385-93

14) Koskas M, Uzan J, Luton D, Rouzier R, Daraï E. Prognostic factors of oncologic and reproductive outcomes in fertility-sparing management of endometrial atypical hyperplasia and adenocarcinoma : systematic review and meta-analysis. Fertil Steril 2014 ; 101 : 785-94

15) Gallos ID, Yap J, Rajkhowa M, Luesley DM, Coomarasamy A, Gupta JK. Regression, relapse, and live birth rates with fertility-sparing therapy for endometrial cancer and atypical complex endometrial hyperplasia : a systematic review and metaanalysis. Am J Obstet Gynecol 2012 ; 207 : 266. e1-12

16) Ushijima K, Yahata H, Yoshikawa H, Konishi I, Yasugi T, Saito T, et al. Multicenter phase II study of fertility-sparing treatment with medroxyprogesterone acetate for endometrial carcinoma and atypical hyperplasia in young women. J Clin Oncol 2007 ; 25 : 2798-803

17) Murakami I, Machida H, Morisada T, Terao T, Tabata T, Mikami M, et al. Effects of a fertility-sparing re-treatment for recurrent atypical endometrial hyperplasia and endometrial cancer : a systematic literature review. J Gynecol Oncol 2023 ; 34 : e49

18) Ichinose M, Fujimoto A, Osuga Y, Minaguchi T, Kawana K, Yano T, et al. The influence of infertility treatment on the prognosis of endometrial cancer and atypical complex endometrial hyperplasia. Int J Gynecol Cancer 2013 ; 23 : 288-93

CQ 27
子宮内膜異型増殖症または子宮体癌で妊孕性温存を希望する若年患者に対して，妊孕性温存療法は勧められるか？

推奨

子宮内膜全面掻爬により子宮内膜異型増殖症または類内膜癌 G1 と診断され，かつ子宮内膜に限局している場合には，黄体ホルモン療法を提案する。

推奨の強さ　2(↑)　　エビデンスレベル　C　　合意率 86%（18/21 人）

最終会議の論点

当初の推奨「子宮内膜異型増殖症または子宮内膜に限局した類内膜癌 G1 患者には黄体ホルモン療法を推奨する。推奨の強さ 1(↑↑)，エビデンスレベル C」に対して，合意率は 71% であった。委員から，「推奨の強さ 1」は強すぎることや，全面掻爬で確認することを推奨文に組み込んだ方がよいという意見があり，全面掻爬を推奨文に入れて推奨の強さを「2(↑)」に下げることで再投票し，合意率 86% となった。

明日への提言

子宮内膜異型増殖症または子宮内膜に限局した類内膜癌 G1 の症例に対する妊孕性温存療法として，子宮鏡下腫瘍切除術，LNG-IUS，メトホルミンなどの新たな治療法が報告されている。妊孕性温存療法の対象は稀な集団であり，第Ⅲ相試験によるエビデンスの構築が難しいなかで，有用と考えられる治療の保険適用拡大が期待される。

▶▶ 目　的

妊孕性温存としての黄体ホルモンの有用性およびリスクについて検討する。

▶▶ 解　説

子宮内膜異型増殖症または類内膜癌 G1 に対して黄体ホルモン療法が有用であるとする報告が多く，いずれも良好な奏効率を示しているが，一定の再発のリスクが存在する[1-5]。妊孕性温存療法は標準治療である子宮全摘出術に比べて，再発率は明らかに高い。したがって，強い挙児希望がある症例に対して十分なインフォームドコンセントの後に施行すべきであり，子宮摘出を希望しないなどの理由で安易に施行すべきではない。

黄体ホルモン療法にあたっては，子宮内膜全面掻爬にて子宮内膜異型増殖症または類内膜癌 G1 と組織学的に診断され，かつ類内膜癌の場合には筋層浸潤および子宮外進展がないことが基本となる。治療開始前に MRI による筋層浸潤の否定や適宜 CT による全身検索が必要と考えられる。若年子宮体癌では卵巣癌の重複の頻度が高いとの報告があり，注意が必要である[6]。

妊孕性温存療法に関する 45 報告，391 例を対象としたレビューでは，子宮内膜異型増殖症（111 例）と類内膜癌（280 例）の奏効率はそれぞれ 86% と 75%，病理組織学的な病変消失率

は66％と48％で，再発率は23％と35％であった[7]。

　使用薬剤・投与量は内服によるMPA以外に，諸外国ではMAやLNG-IUSなども選択肢に含まれているが，本邦では，MPA 400～600 mg/日投与の報告[2,4,5]が多い。ESGO/ESTRO/ESPガイドライン2021では，MPA（400～600 mg/日）あるいはMA（160～320 mg/日）が推奨されている[8]。

　本邦の多施設共同第Ⅱ相試験[2]では，39歳以下の子宮内膜異型増殖症17例と子宮内膜限局の類内膜癌G1症例28例を対象として，子宮内膜全面掻爬により診断確定後，26週間MPA 600 mg/日とアスピリン81 mg/日が投与された。治療を完遂できた子宮内膜異型増殖症の82％，類内膜癌の55％で26週時にCRが得られ，類内膜癌の32％がPRであった。なお，26週時にPRであったが，MPA治療続行を希望した6例中4例（うち類内膜癌は3例中2例）は，3～6カ月の追加投与によりCRに至っている。3年の観察期間中に妊娠希望者20例中11例（55％）に12妊娠が成立し，7例で生児が得られた。また，観察期間（中央値48カ月）における再発率は子宮内膜異型増殖症で38％，類内膜癌で57％であり，無増悪生存期間の中央値はそれぞれ44カ月，35カ月であった。子宮内膜と腹膜・卵巣に癌が同時発生したと考えられる1例が，初回MPA投与から2年4カ月後に原病死している。

　黄体ホルモン療法における病変非消失や再発のリスク因子として，肥満が指摘されており[3,9]，代謝的要因が治療成績に影響する可能性が示唆された。このような背景のもと，黄体ホルモン療法にインスリン抵抗性改善作用を有するメトホルミンを併用する試みがなされた[10]。妊孕性温存希望のある子宮内膜異型増殖症と類内膜癌G1の患者に，MPA 400 mg/日にメトホルミン（750 mg/日で開始し，その後2,250 mg/日まで1週ごとに増量）を併用し，MPA終了後も再発あるいは妊娠まで継続するプロトコールで行われた。子宮内膜異型増殖症では94％（16/17例），類内膜癌では68％（13/19例）でCRが得られ，過去の報告と大きな差はなかったが，再発率はそれぞれ0％，23％（3/13例）と比較的低値であった。上記治療が行われた36例を加えた63例で長期的予後を解析した後方視的研究では97％でCRが得られ，再発率は13％であり，5年無再発生存率は85％で，特にBMI 25 kg/m^{2}以上の症例で有意に良好な予後が得られた[11]。これらのことから，メトホルミンの再発抑制効果が示唆されているため，本邦でMPA療法に対するメトホルミンの併用維持療法の有用性を検証する第ⅡB相RCT（FELICIA Trial）が開始され，新規の症例集積は終了した[12]。

　また，MPAによる体重増加や肝機能異常などの有害事象の軽減と，子宮内膜局所での高濃度の黄体ホルモンの効果を期待したLNG-IUSの報告があり，子宮内膜異型増殖症に対してはMPAと同等かそれ以上の治療成績が示されている[13]。しかし，類内膜癌に対する治療効果には否定的な報告もある[14]。そのため，LNG-IUSにMPAを併用する前方視的試験が行われ，観察期間の中央値31.1カ月でCR 88％（14/16例）と良好な成績と安全性が報告された[15]。しかし，LNG-IUSは本邦では子宮内膜異型増殖症や子宮体癌には保険適用がない。

　子宮鏡手術を併用した黄体ホルモン療法の報告も増加しており，65研究1,604例の子宮内膜異型増殖症または類内膜癌を対象としたメタアナリシスでは，寛解率のORは子宮内膜全

面掻爬に比して，子宮鏡下切除の併用で 2.3 倍であった[16]。また，23 研究 446 例の類内膜癌 G1 を対象としたメタアナリシスで，経口プロゲスチン，子宮鏡下切除併用ホルモン療法，LNG-IUS 単独/併用療法を解析した研究では，CR 率はそれぞれ 82％，95％，69％であり，再発率はそれぞれ 38％，16％，30％，妊娠率は 70％，84％，48％と子宮鏡下切除群で良好な成績が得られており[17]，他のメタアナリシスでも同様の結果である[18, 19]。しかし，本邦では子宮内膜異型増殖症や子宮体癌に対する子宮鏡手術は，現時点において保険適用はなく，今後の検討が必要である。

　治療対象患者の年齢の上限については，大多数の報告では 40 歳未満の患者を対象としている。治療後の妊娠に関する 22 報告 351 例のレビューでは，妊娠例の年齢中央値は自然妊娠例で 31.5 歳（22〜42 歳），不妊治療による妊娠例で 32.5 歳（20〜40 歳）と報告されている[20]。本邦の不妊治療の保険適用や現在行われている 2 つの前方視的試験の適格基準を考慮すると，治療対象の年齢は 42 歳以下とすべきであるが，年齢の上昇に伴う妊娠率の低下や治療開始から妊娠に至るまでの期間を考慮すると，40 歳未満での治療開始が望ましい。

付記 1　高用量経口黄体ホルモン投与上の注意点

高用量経口黄体ホルモン療法を行う上でのリスクとしては，脳梗塞，心筋梗塞，肺塞栓症などの重篤な血栓症が起こることがあると警告されている。禁忌として，血栓症を起こすリスクの高い次の患者が挙げられている。
・手術後 1 週間以内の患者
・脳梗塞，心筋梗塞，血栓静脈炎等の血栓性疾患，またはその既往歴のある患者
・動脈硬化症の患者
・心臓弁膜症，心房細動，心内膜炎，重篤な心不全等の心疾患のある患者
・ホルモン剤（黄体ホルモン，卵胞ホルモン，副腎皮質ホルモン）を投与中の患者
・重篤な肝障害のある患者

付記 2　低用量アスピリン内服併用について

　国内で行われた妊孕性温存を目的とした子宮内膜異型増殖症，子宮内膜癌に対する高用量 MPA 投与による前方視的第Ⅱ相試験では，血栓予防のためにアスピリン（81 mg/日）を併用したことに起因するグレード 1 の凝固異常が 1 例に認められたが，血栓症は認められなかった[2]。妊孕性温存希望のある子宮内膜異型増殖症と類内膜癌 G1 の患者に，MPA 400 mg/日にメトホルミンを併用した試験ではバイアスピリン 100 mg 分 1 を併用し，血栓症は認められなかった[11]。上記の前方視的試験である FELICIA Trial や子宮体癌/子宮内膜異型増殖症に対する妊孕性温存療法後の子宮内再発に対する反復高用量黄体ホルモン療法に関する第Ⅱ相試験（JGOG2051）ではアスピリンの内服は必須ではなく，血栓塞栓症のリスクが高いと予想される場合に，予防的抗凝固療法としてバイアスピリン 100 mg 分 1 の併用を許容している。当疾患に対するアスピリンの保険適用はなく，アスピリン併用の可否や子宮内膜全面掻爬時における休薬のタイミングについてコンセンサスは得られていないのが現状である。

参考文献

1) Randall TC, Kurman RJ. Progestin treatment of atypical hyperplasia and well-differentiated carcinoma of the endometrium in women under age 40. Obstet Gynecol 1997 ; 90 : 434-40（コホート）【旧】

2) Ushijima K, Yahata H, Yoshikawa H, Konishi I, Yasugi T, Saito T, et al. Multicenter phase II study of fertility-sparing treatment with medroxyprogesterone acetate for endometrial carcinoma and atypical hyperplasia in young women. J Clin Oncol 2007 ; 25 : 2798-803（非ランダム）【旧】

3) Park JY, Kim DY, Kim JH, Kim YM, Kim KR, Kim YT, et al. Long-term oncologic outcomes after fertility-sparing management using oral progestin for young women with endometrial cancer（KGOG 2002）. Eur J Cancer 2013 ; 49 : 868-74（コホート）【旧】

4) Ohyagi-Hara C, Sawada K, Aki I, Mabuchi S, Kobayashi E, Ueda Y, et al. Efficacies and pregnant outcomes of fertility-sparing treatment with medroxyprogesterone acetate for endometrioid adenocarcinoma and complex atypical hyperplasia : our experience and a review of the literature. Arch Gynecol Obstet 2015 ; 291 : 151-7（コホート）【旧】

5) Yamagami W, Susumu N, Makabe T, Sakai K, Nomura H, Kataoka F, et al. Is repeated high-dose medroxyprogesterone acetate（MPA）therapy permissible for patients with early stage endometrial cancer or atypical endometrial hyperplasia who desire preserving fertility? J Gynecol Oncol 2018 ; 29 : e21（コホート）【検】

6) Gitsch G, Hanzal E, Jensen D, Hacker NF. Endometrial cancer in premenopausal women 45 years and younger. Obstet Gynecol 1995 ; 85 : 504-8（横断）【旧】

7) Gunderson CC, Fader AN, Carson KA, Bristow RE. Oncologic and reproductive outcomes with progestin therapy in women with endometrial hyperplasia and grade 1 adenocarcinoma : a systematic review. Gynecol Oncol 2012 ; 125 : 477-82（メタ）【旧】

8) Concin N, Matias-Guiu X, Vergote I, Cibula D, Mirza MR, Marnitz S, et al. ESGO/ESTRO/ESP guidelines for the management of patients with endometrial carcinoma. Int J Gynecol Cancer 2021 ; 31 : 12-39（ガイドライン）【委】

9) Chen M, Jin Y, Li Y, Bi Y, Shan Y, Pan L. Oncologic and reproductive outcomes after fertility-sparing management with oral progestin for women with complex endometrial hyperplasia and endometrial cancer. Int J Gynaecol Obstet 2016 ; 132 : 34-8（コホート）【旧】

10) Mitsuhashi A, Sato Y, Kiyokawa T, Koshizaka M, Hanaoka H, Shozu M. Phase II study of medroxyprogesterone acetate plus metformin as a fertility-sparing treatment for atypical endometrial hyperplasia and endometrial cancer. Ann Oncol 2016 ; 27 : 262-6（非ランダム）【旧】

11) Mitsuhashi A, Habu Y, Kobayashi T, Kawarai Y, Ishikawa H, Usui H, et al. Long-term outcomes of progestin plus metformin as a fertility-sparing treatment for atypical endometrial hyperplasia and endometrial cancer patients. J Gynecol Oncol 2019 ; 30 : e90（ケースコントロール）【検】

12) Mitsuhashi A, Kawasaki Y, Hori M, Fujiwara T, Hanaoka H, Shozu M. Medroxyprogesterone acetate plus metformin for fertility-sparing treatment of atypical endometrial hyperplasia and endometrial carcinoma : trial protocol for a prospective, randomised, open, blinded-endpoint design, dose-response trial（FELICIA trial）. BMJ Open 2020 ; 10 : e035416（ランダム）【委】

13) Gallos ID, Shehmar M, Thangaratinam S, Papapostolou TK, Coomarasamy A, Gupta JK. Oral progestogens vs levonorgestrel-releasing intrauterine system for endometrial hyperplasia : a systematic review and metaanalysis. Am J Obstet Gynecol 2010 ; 203 : 547. e1-10（メタ）【旧】

14) Baker J, Obermair A, Gebski V, Janda M. Efficacy of oral or intrauterine device-delivered progestin in patients with complex endometrial hyperplasia with atypia or early endometrial adenocarcinoma : a meta-analysis and systematic review of the literature. Gynecol Oncol 2012 ; 125 : 263-70（メタ）【旧】

15) Kim MK, Seong SJ, Kim YS, Song T, Kim ML, Yoon BS, et al. Combined medroxyprogesterone acetate/levonorgestrel-intrauterine system treatment in young women with early-stage endometrial cancer. Am J Obstet Gynecol 2013 ; 209 : 358. e1-4（コホート）【旧】

16) Guillon S, Popescu N, Phelippeau J, Koskas M. A systematic review and meta-analysis of prognostic factors for remission in fertility-sparing management of endometrial atypical hyperplasia and adenocarcinoma. Int J Gynaecol Obstet 2019 ; 146 : 277-88（メタ）【検】

17) Zhao XL, Du ZQ, Zhang X, Yao Z, Liang YQ, Zhao SF. Fertility-preserving treatment in patients with early-stage endometrial cancer : A protocol for systematic review and meta-analysis. Medicine（Baltimore）2021 ; 100 : e27961（メタ）【検】

18) Fan Z, Li H, Hu R, Liu Y, Liu X, Gu L. Fertility-Preserving Treatment in Young Women With Grade 1 Presumed Stage IA Endometrial Adenocarcinoma : A Meta-Analysis. Int J Gynecol Cancer 2018 ; 28 : 385-93(メタ)【検】
19) Lucchini SM, Esteban A, Nigra MA, Palacios AT, Alzate-Granados JP, Borla HF. Updates on conservative management of endometrial cancer in patients younger than 45 years. Gynecol Oncol 2021 ; 161 : 802-9(メタ)【検】
20) Koskas M, Uzan J, Luton D, Rouzier R, Daraï E. Prognostic factors of oncologic and reproductive outcomes in fertility-sparing management of endometrial atypical hyperplasia and adenocarcinoma : systematic review and meta-analysis. Fertil Steril 2014 ; 101 : 785-94(メタ)【旧】

CQ 28

妊孕性温存療法後に勧められる経過観察の間隔と検査は？

推奨

3〜6 カ月に一度の子宮内膜組織検査や経腟超音波断層法検査を行うことを提案する。

推奨の強さ　2(↑)　　エビデンスレベル　C　　合意率 95%（21/22 人）

▶▶ 目　的

妊孕性温存を目的として黄体ホルモン療法を施行した場合の適切な検査項目と経過観察の間隔について検討する。

▶▶ 明日への提言

経過観察中の適切な内膜採取方法（子宮内膜全面搔爬，子宮鏡下内膜組織検査，子宮内膜吸引組織診など）のエビデンスは確立されていない。簡便で疼痛が少なく，内膜の癒着を起こしにくく，正確な診断が可能な内膜採取法の確立が必要である。

▶▶ 解　説

妊孕性温存療法後の再発例を多数例検討した報告はないため，推奨するに足るエビデンスはない。妊孕性温存療法を行った 133 症例のレビューでは，黄体ホルモンによる治療期間は平均 6 カ月，黄体ホルモン療法奏効までの平均期間は 3 カ月とされている[1]。これを基準として，治療開始後 3 カ月で子宮内膜組織検査（あるいは子宮鏡検査併用）を行い，もし組織学的に異常があれば，さらに 3 カ月間の黄体ホルモン療法を考慮し，平均治療期間である 6 カ月の時点で治療を終了し，再度内膜組織検査（あるいは子宮鏡検査併用）による効果確認を推奨している[1]。もし 6 カ月の時点で組織学的に異常があれば手術療法を行い，組織学的に異常がなければ妊娠を許可するとしている。その後，妊娠成立まで，子宮内膜組織検査の施行間隔についての明らかなコンセンサスはないが，3〜4 月経周期ごとの排卵前に子宮内膜組織検査を行うことを推奨している。国内の MPA を用いた多施設共同第 II 相試験では，MPA 600 mg/日とアスピリン 81 mg/日が 26 週間投与された。治療開始後 8 週，必要ならさらに 16 週で子宮内膜組織検査を行い，26 週終了時に子宮鏡検査と病理組織学的診断を行い，CR が得られたら MPA 投与を終了し，エストロゲンと黄体ホルモンの併用療法（EPT）を 6 サイクル追加，妊娠の希望があれば排卵誘発を行い，なければ EPT を継続するプロトコールで行われた[2]。この検討では，治療後 2 年間は 3 カ月毎に子宮内膜組織検査を行い，経過観察するとしている。

NCCN ガイドライン 2022 年版では 6 カ月毎の子宮内膜生検を勧めている[3]一方，子宮内

膜組織検査や子宮内膜全面掻爬は子宮内膜の癒着による妊孕性の低下につながるとして，3～6カ月毎の問診，内診，経腟超音波断層法検査，腫瘍マーカー検査をルーチンとし，再発が疑われる症例に子宮内膜全面掻爬や子宮鏡下内膜組織検査を行うとの報告もある[4-6]。ESGO/ESTRO/ESP ガイドライン 2021 では 6 カ月毎の内診および経腟超音波断層法検査を行い，不正出血や超音波上で異常所見が認められた場合に子宮内膜生検を施行すべきとしている[7]。子宮内膜組織検査は再発診断に有用である一方，頻回な検査は妊娠の機会を減少させることにもなるため，本ガイドラインでは 3～6 カ月毎の検査施行を提案した。

内膜吸引組織診は低侵襲な検査法とされているが，LNG-IUS を挿入中の患者に対して内膜吸引組織診を行った場合は，LNG-IUS 抜去後の子宮内膜全面掻爬との診断の一致率は 32%であり，また，61%で診断に不十分な検体しか採取できないという報告がある[8]。また，LNG-IUS 抜去後に内膜吸引組織診を行った場合でも子宮内膜全面掻爬との診断の一致率は 39%であったと報告されており[9]，LNG-IUS による治療時には内膜吸引組織診は推奨されない。LNG-IUS や MPA 療法中は子宮内膜の萎縮が起こり，吸引生検では診断に十分な量の組織を取得できない可能性がある。

妊孕性温存療法後の経過観察の期間についてもコンセンサスはない。再発までの中央値が 20 カ月（4～154 カ月）であったという報告[10]や，累積再発率は 6 カ月，12 カ月，18 カ月，24 カ月の時点でそれぞれ 10%，17%，26%，29%と上昇し，少なくとも 5 年間は増加するという報告[11]がある。さらに 13 年目に再発したという報告[6]もあり，子宮摘出を行わない限りは長期のフォローアップを考慮すべきである。妊孕性温存療法後に卵巣転移や卵巣への重複癌が 4%に認められたという報告[12]や，腹膜癌発症例の報告[2]もある。このことから，経腟超音波断層法検査の際は，子宮内膜肥厚の有無だけでなく，子宮と付属器の異常および腹水の有無などの観察も必要であろう。病変を認めず直近の挙児希望がない場合は，黄体ホルモンをベースとした維持療法を考慮する[3]。

▶ 参考文献

1) Chiva L, Lapuente F, González-Cortijo L, Carballo N, García JF, Rojo A, et al. Sparing fertility in young patients with endometrial cancer. Gynecol Oncol 2008 ; 111（2 Suppl）: S101-4（メタ）【旧】
2) Ushijima K, Yahata H, Yoshikawa H, Konishi I, Yasugi T, Saito T, et al. Multicenter phase II study of fertility-sparing treatment with medroxyprogesterone acetate for endometrial carcinoma and atypical hyperplasia in young women. J Clin Oncol 2007 ; 25 : 2798-803（非ランダム）【旧】
3) Uterine Neoplasms（Version 1. 2022）NCCN Clinical Practice Guidelines in Oncology
http://www.nccn.org/professionals/physician_gls/f_guidelines.asp（ガイドライン）【委】
4) Park JY, Kim DY, Kim JH, Kim YM, Kim KR, Kim YT, et al. Long-term oncologic outcomes after fertility-sparing management using oral progestin for young women with endometrial cancer（KGOG 2002）. Eur J Cancer 2013 ; 49 : 868-74（コホート）【旧】
5) Park JY, Kim DY, Kim TJ, Kim JW, Kim JH, Kim YM, et al. Hormonal therapy for women with stage IA endometrial cancer of all grades. Obstet Gynecol 2013 ; 122 : 7-14（コホート）【旧】
6) Wang CJ, Chao A, Yang LY, Hsueh S, Huang YT, Chou HH, et al. Fertility-preserving treatment in young women with endometrial adenocarcinoma : a long-term cohort study. Int J Gynecol Cancer 2014 ; 24 : 718-28（コホート）【旧】

7) Concin N, Matias-Guiu X, Vergote I, Cibula D, Mirza MR, Marnitz S, et al. ESGO/ESTRO/ESP guidelines for the management of patients with endometrial carcinoma. Int J Gynecol Cancer 2021 ; 31 : 12-39(ガイドライン)【委】
8) Kim MK, Seong SJ, Song T, Kim ML, Yoon BS, Jun HS, et al. Comparison of dilatation & curettage and endometrial aspiration biopsy accuracy in patients treated with high-dose oral progestin plus levonorgestrel intrauterine system for early-stage endometrial cancer. Gynecol Oncol 2013 ; 130 : 470-3(横断)【旧】
9) Kim DH, Seong SJ, Kim MK, Bae HS, Kim M, Yun BS, et al. Dilatation and curettage is more accurate than endometrial aspiration biopsy in early-stage endometrial cancer patients treated with high dose oral progestin and levonorgestrel intrauterine system. J Gynecol Oncol 2017 ; 28 : e1(横断)【検】
10) Fan Z, Li H, Hu R, Liu Y, Liu X, Gu L. Fertility-preserving treatment in young women with grade 1 presumed stage IA endometrial adenocarcinoma : a meta-analysis. Int J Gynecol Cancer 2018 ; 28 : 385-93(メタ)【検】
11) Koskas M, Uzan J, Luton D, Rouzier R, Daraï E. Prognostic factors of oncologic and reproductive outcomes in fertility-sparing management of endometrial atypical hyperplasia and adenocarcinoma : systematic review and meta-analysis. Fertil Steril 2014 ; 101 : 785-94(メタ)【旧】
12) Gallos ID, Yap J, Rajkhowa M, Luesley DM, Coomarasamy A, Gupta JK. Regression, relapse, and live birth rates with fertility-sparing therapy for endometrial cancer and atypical complex endometrial hyperplasia : a systematic review and metaanalysis. Am J Obstet Gynecol 2012 ; 207 : 266. e1-12(メタ)【旧】

CQ 29

Systematic Review

妊孕性温存療法施行時に病変遺残がある，あるいは妊孕性温存療法後の子宮内再発に対して，保存的治療は勧められるか？

推奨

① 病変遺残の場合には，保存的治療は行わないことを推奨する。
　推奨の強さ　　1（↓↓）　　エビデンスレベル　　B　　合意率 86%（19/22 人）

② 子宮内再発で妊孕性温存を強く希望する場合には，厳重な管理のもとに再度の黄体ホルモン療法を提案する。
　推奨の強さ　　2（↑）　　エビデンスレベル　　C　　合意率 100%（22/22 人）

最終会議の論点

推奨①は当初，「保存的治療は行わないことを推奨する。推奨の強さ1（↓↓），エビデンスレベルB」であったが，合意率は50%であった。委員からは，解説では保存的治療に肯定的な記述があり推奨との間に乖離がある，推奨度が強すぎるとの意見や，病変遺残と子宮内再発に分けて記載した方がよいとの意見があった。これらの議論を踏まえて，CQを「妊孕性温存療法施行時に病変遺残がある，あるいは妊孕性温存療法後の子宮内再発に対して，保存的治療は勧められるか？」とし推奨①に「病変遺残の場合には」を加えたところ，合意率は86%となった。

▶▶ 目　的

妊孕性温存療法を施行しても病理組織学的に病変遺残が認められる，あるいは病変が消失（CR）した後の再発に対する治療法について，システマティックレビューを行うことにより検討する。

▶▶ 解　説

本来，子宮体癌に対しては子宮全摘出術が原則であり，妊孕性温存療法はあくまで選択肢である。妊孕性温存療法を施行しても病変遺残が認められる場合や，妊孕性温存療法後に子宮内再発した場合は，子宮全摘出術を勧めるべきである。

再発例に再度の黄体ホルモン療法を行うことに関する有効性のエビデンスは未だ十分ではない。国内のMPAを用いた多施設共同第Ⅱ相試験では，再発した14例中8例に再度MPA投与が行われ，6例（75%）に病変の消失を認めたと報告されている[1]。しかし，その中の1例では，2回目のMPA投与で病変が消失するも，わずか3カ月で大量の癌性腹水貯留を伴う腹膜癌が発症し，化学療法などにも反応せず死亡に至っている。また，黄体ホルモン療法が奏効しなかった症例に新たに卵巣腫瘍が発生した[2,3]，子宮外に進展した症例が8%認められた[4]，3～6カ月の治療中に卵巣癌が発見された[5]，などの報告もある。卵巣転移率は，子宮体癌Ⅰ期（FIGO 1988）では5%程度だが，若年子宮体癌では7～30%であり，重複癌もみられ，卵巣が腫大しない症例も存在する。妊孕性温存に固執すると外科的切除が遅れるとの

報告もある[6]。一方で，45例の再発症例のうち，再発病変が子宮内膜異型増殖症または子宮内膜に限局した類内膜癌G1で妊孕性温存を希望した33例に対して再度の高用量黄体ホルモン療法を施行したところ，28例(85%)で病変が消失し，その後の再発は5例(18%)で，初回治療の成績と遜色がなかったとの報告もある[7]。

今回，妊孕性温存療法施行後の再発例を抽出し，システマティックレビューおよびメタアナリシスを行った[8]。2001〜2021年の後方視的観察研究20件，前方視的観察研究11件から抽出した322症例(類内膜癌G2/G3は除外)を対象とした。CRから再発までの期間の中央値は13.0カ月(7.0〜23.8カ月)であった。241症例(75%)が再発後に妊孕性温存療法を再度施行し，81症例(25%)が子宮全摘出術を施行された。再発症例に対する妊孕性温存療法として232症例(96%)でMPAもしくはMAが投与され，198症例(82%)でCRが得られ，再発後の妊孕性温存療法の有用性が示唆された[8]。今回のシステマティックレビューおよびメタアナリシスにおいて，再発例への黄体ホルモン再投与の成績は良好であり，またESGOのclinical recommendationでは，再発時の黄体ホルモンの再投与を許容している[9]。しかし，黄体ホルモン療法の再治療を受けた症例は，子宮全摘出術を受けた症例よりも再々発のリスクが有意に高い。再々発は93症例(39%)に認められ，OR 6.7(95%CI 2.11-6.58)のため，黄体ホルモン療法の再治療を受けた症例は厳重な管理が必要である。また，治療後の再々発も少なくないため，妊孕性温存療法を施行後は長期的な管理が必要である。黄体ホルモンが奏効し，妊娠・分娩が終了した後は，再発徴候がなくとも計画的に子宮全摘出術を行うべきという意見もある[10]。今回のシステマティックレビューでは，再発後に妊孕性温存療法を施行した241症例中，64症例(27%)で最終的に子宮全摘出術が施行されていた。

同様に，妊孕性温存療法施行後の病変遺残例について，システマティックレビュー，メタアナリシスを行った[8]。現時点で，初回治療の妊孕性温存療法施行で病変遺残した場合に黄体ホルモンの再投与を許容する十分なエビデンスは示されなかった[8]。

以上のことから，妊孕性温存希望が強く，再発時の組織が子宮内膜異型増殖症または子宮内膜限局の類内膜癌G1であることを子宮内膜全面掻爬で確認し，さらに画像検査で筋層浸潤を認めず，子宮外進展がない症例に限り，厳重な管理のもとに，黄体ホルモン療法を再度施行することも考慮される。そのことから，子宮内膜異型増殖症または類内膜癌G1でMPAを用いた高用量黄体ホルモン療法を施行してCRを得た症例のうち，子宮内再発をした症例を対象とし，反復高用量黄体ホルモン療法の有効性や安全性を評価する第II相試験(JGOG 2051試験/REMPA trial)が現在進行中である。一方，黄体ホルモン療法は手術療法に比べて治療成績が劣ることは明らかであり，また十分なエビデンスが蓄積されているわけではない。したがって，本来の妊孕性温存の主目的とは異なる，子宮摘出を回避したいという理由のみでの安直な再発治療は厳に慎み，また本治療に精熟した婦人科腫瘍専門医により行われる必要がある。

▶ **参考文献**

1) Ushijima K, Yahata H, Yoshikawa H, Konishi I, Yasugi T, Saito T, et al. Multicenter phase II study of fertility-sparing treatment with medroxyprogesterone acetate for endometrial carcinoma and atypical hyperplasia in young women. J Clin Oncol 2007 ; 25 : 2798-803(非ランダム)【検】
2) Yang YC, Wu CC, Chen CP, Chang CL, Wang KL. Reevaluating the safety of fertility-sparing hormonal therapy for early endometrial cancer. Gynecol Oncol 2005 ; 99 : 287-93(ケースコントロール)【検】
3) Niwa K, Tagami K, Lian Z, Onogi K, Mori H, Tamaya T. Outcome of fertility-preserving treatment in young women with endometrial carcinomas. BJOG 2005 ; 112 : 317-20(非ランダム)【検】
4) Morice P, Fourchotte V, Sideris L, Gariel C, Duvillard P, Castaigne D. A need for laparoscopic evaluation of patients with endometrial carcinoma selected for conservative treatment. Gynecol Oncol 2005 ; 96 : 245-8(ケースコントロール)【旧】
5) Fujiwara H, Jobo T, Takei Y, Saga Y, Imai M, Arai T, et al. fertility-sparing treatment using medroxyprogesterone acetate for endometrial carcinoma. Oncol Lett 2012 ; 3 : 1002-6(ケースコントロール)【検】
6) Shamshirsaz AA, Withiam-Leitch M, Odunsi K, Baker T, Frederick PJ, Lele S. Young patients with endometrial carcinoma selected for conservative treatment : a need for vigilance for synchronous ovarian carcinomas, case report and literature review. Gynecol Oncol 2007 ; 104 : 757-60(メタ)【旧】
7) Park JY, Lee SH, Seong SJ, Kim DY, Kim TJ, Kim JW, et al. Progestin re-treatment in patients with recurrent endometrial adenocarcinoma after successful fertility-sparing management using progestin. Gynecol Oncol 2013 ; 129 : 7-11(ケースコントロール)【検】
8) Murakami I, Machida H, Morisada T, Terao T, Tabata T, Mikami M, et al. Effects of a fertility-sparing re-treatment for recurrent atypical endometrial hyperplasia and endometrial cancer : a systematic literature review. J Gynecol Oncol 2023 ; 34 : e49(メタ)【委】
9) Rodolakis A, Biliatis I, Morice P, Reed N, Mangler M, Kesic V, et al. European society of gynecological oncology task force for fertility preservation : clinical recommendations for fertility-sparing management in young endometrial cancer patients. Int J Gynecol Cancer 2015 ; 25 : 1258-65(ガイドライン)【旧】
10) Perri T, Korach J, Gotlieb WH, Beiner M, Meirow D, Friedman E, et al. Prolonged conservative treatment of endometrial cancer patients : more than 1 pregnancy can be achieved. Int J Gynecol Cancer 2011 ; 21 : 72-8(ケースコントロール)【検】

CQ 30
妊孕性温存療法後の患者に対して，生殖補助医療は勧められるか？

推奨
妊娠成立のために生殖補助医療（ART）を提案する。
推奨の強さ　2(↑)　　エビデンスレベル　C　　合意率 100%（16/16 人）

▶▶▶ 目　的
妊孕性温存療法後の患者に対する ART の問題点と安全性について検討する。

▶▶▶ 解　説
　妊孕性温存療法の主たる目的は，原疾患治療後に生児を得ることにある。妊孕性温存療法後の転帰を解析したレビューでは，挙児希望のある 451 例について検討している[1]。生児が得られた例は，ART が実施された群では 142 例中 56 例（39%）であったのに対して，ART を用いなかった群では 309 例中 46 例（15%）であり，ART 症例での妊娠率が有意に高率であった[1]。また本邦で行われた MPA を用いた多施設共同第Ⅱ相試験では，妊娠成立例 11 例中 10 例が不妊治療によるもので，7 例では hMG-hCG 投与による排卵誘発が行われていた。さらにそのうち 5 例が IVF-ET により妊娠に至っている[2]。また，2022 年のシステマティックレビューでは，861 例中 286 例（33%）の症例で妊娠が成立しており，そのうち自然妊娠例が 79 例（28%）に対して，158 例（55%）で不妊治療を行っていた[3]。このように原疾患治療後の妊娠は，ART をはじめとした不妊治療を行った方がより高い頻度で成立していることが，これまでの報告から示されている。

　子宮体癌患者では，そもそも排卵障害に伴う月経不順を訴える女性が多く，不妊治療を開始する際のスクリーニングで偶発的に子宮体癌が見つかるケースも少なくない。また，妊孕性温存療法後の累積再発率は 6 カ月，12 カ月，18 カ月，24 カ月の時点でそれぞれ 10%，17%，26%，29% と上昇するため[4]，治療後早期の妊娠成立が望まれる。そのため，妊孕性温存療法を行う前に，将来の妊娠に向けて ART を含めた治療方針について，不妊治療施設と密に連携しながら患者およびその家族に十分な説明をしておく必要がある。

　一方，妊孕性温存療法後の排卵誘発や ART が再発リスクにどのような影響を及ぼすかについては，まとまった報告や比較試験はない。子宮体癌，特に若年者に多くみられるエストロゲンに依存して発症するタイプの類内膜癌では，未産，肥満などとともに，黄体ホルモンを併用しないエストロゲン投与がリスク因子である[5]。排卵誘発剤は血中エストロゲン濃度を上昇させるため，病変の進行のリスクになるという報告もあるが[6]，MPA 療法後に CR

を得た 36 例に対し不妊治療を行った国内の報告では，不妊治療の有無によって再発リスクに有意な差は認められていない[7]。2017 年のシステマティックレビューでは，特にクロミフェンクエン酸塩の 2,000 mg/日以上や 7 周期以上の使用は子宮体癌発症のリスク因子となることが示されているが，これは薬剤自体の影響よりも，多囊胞性卵巣症候群のような，疾患そのものの背景因子に起因すると考察している[8]。さらに最近の報告では，IVF のサイクル数や卵巣刺激時の血清エストロゲン濃度，卵巣刺激法やゴナドトロピン製剤の総投与量は再発リスクに影響を及ぼさないことが示されている[9]。薬剤による排卵誘発は再発率を上げず，むしろ排卵が起こることにより内因性の黄体ホルモンが分泌されることや，周期的な消退出血が起こることにより再発を予防できる可能性が考えられる。いずれにしても，生児獲得を目指した治療を行いながら，子宮内膜病変を定期的に観察することは重要である。

▶ 参考文献

1) Gallos ID, Yap J, Rajkhowa M, Luesley DM, Coomarasamy A, Gupta JK. Regression, relapse, and live birth rates with fertility-sparing therapy for endometrial cancer and atypical complex endometrial hyperplasia : a systematic review and metaanalysis. Am J Obstet Gynecol 2012 ; 207 : 266. e1-12(メタ)【旧】
2) Ushijima K, Yahata H, Yoshikawa H, Konishi I, Yasugi T, Saito T, et al. Multicenter phase II study of fertility-sparing treatment with medroxyprogesterone acetate for endometrial carcinoma and atypical hyperplasia in young women. J Clin Oncol 2007 ; 25 : 2798-803(非ランダム)【旧】
3) Herrera Cappelletti E, Humann J, Torrejón R, Gambadauro P. Chances of pregnancy and live birth among women undergoing conservative management of early-stage endometrial cancer : a systematic review and meta-analysis. Hum Reprod Update 2022 ; 28 : 282-95(メタ)【検】
4) Koskas M, Uzan J, Luton D, Rouzier R, Daraï E. Prognostic factors of oncologic and reproductive outcomes in fertility-sparing management of endometrial atypical hyperplasia and adenocarcinoma : systematic review and meta-analysis. Fertil Steril 2014 ; 101 : 785-94(メタ)【旧】
5) Shapiro S, Kaufman DW, Slone D, Rosenberg L, Miettinen OS, Stolley PD, et al. Recent and past use of conjugated estrogens in relation to adenocarcinoma of the endometrium. N Engl J Med 1980 ; 303 : 485-9(ケースコントロール)【旧】
6) Althuis MD, Moghissi KS, Westhoff CL, Scoccia B, Lamb EJ, Lubin JH, et al. Uterine cancer after use of clomiphene citrate to induce ovulation. Am J Epidemiol 2005 ; 161 : 607-15(ケースコントロール)【旧】
7) Ichinose M, Fujimoto A, Osuga Y, Minaguchi T, Kawana K, Yano T, et al. The influence of infertility treatment on the prognosis of endometrial cancer and atypical complex endometrial hyperplasia. Int J Gynecol Cancer 2013 ; 23 : 288-93(ケースコントロール)【旧】
8) Skalkidou A, Sergentanis TN, Gialamas SP, Georgakis MK, Psaltopoulou T, Trivella M, et al. Risk of endometrial cancer in women treated with ovary-stimulating drugs for subfertility. Cochrane Database Syst Rev 2017 ; (3) : CD010931(メタ)【検】
9) Vaugon M, Peigné M, Phelippeau J, Gonthier C, Koskas M. IVF impact on the risk of recurrence of endometrial adenocarcinoma after fertility-sparing management. Reprod Biomed Online 2021 ; 43 : 495-502(ケースコントロール)【検】

第7章　肉腫の治療

総説

　子宮肉腫は婦人科腫瘍の中でも特に予後不良の腫瘍であり，標準的治療法が確立していない。その大きな理由として，発生頻度が低いために臨床試験の実施が困難であることが挙げられる。肉腫の大部分は子宮体部に発生し，子宮体部悪性腫瘍全体の4～9％と報告され，子宮肉腫の40～50％を平滑筋肉腫が占めている[1]。子宮肉腫は平滑筋肉腫 leiomyosarcoma，低異型度子宮内膜間質肉腫 low-grade endometrial stromal sarcoma，高異型度子宮内膜間質肉腫 high-grade endometrial stromal sarcoma，未分化子宮肉腫 undifferentiated uterine sarcoma に分類される。癌肉腫はこれまで上皮性・間葉性混合腫瘍に分類されていたが，『子宮体癌取扱い規約 病理編 第5版』(2022年12月)からは上皮性腫瘍に分類されたため[2]，本ガイドラインでは子宮体癌の項目で解説されている。

　発症年齢のピークは平滑筋肉腫，子宮内膜間質肉腫ともに50歳前後であるが，閉経前の若年者においても発症することがあり，子宮筋腫核出術後や卵巣温存後の子宮全摘出術後に診断が確定されることもあるため，取り扱いに注意が必要である[3]。予後に関しては進行度に依存するが，平滑筋肉腫の5年生存率は15～25％であり，低異型度子宮内膜間質肉腫の5年生存率はⅠ・Ⅱ期では90％以上と良好であるがⅢ・Ⅳ期の進行症例では約50％であり，高異型度子宮内膜間質肉腫では約40％と予後が不良である[3]。

　子宮肉腫の病理組織学的診断は，頻度が低く，同一組織型であっても多彩な形態を示すため，しばしば大きな困難を伴う。しかし，治療方針の決定と予後予測は画像診断や組織学的診断に負うところが大きいため，婦人科医，放射線科医と病理医間の情報の共有により診断を確定することが重要である。

　平滑筋肉腫の病理組織学的診断にはHendricksonとKempsonのグループによって提唱された診断基準[4]が広く用いられている。すなわち，①細胞異型，②核分裂(指数)，③凝固壊死を総合的に評価する。平滑筋肉腫の初回治療は，摘出可能な症例では腹式単純子宮全摘出術と両側付属器摘出術が基本であるが(CQ31)，子宮平滑筋肉腫は稀な腫瘍で，症状・所見が子宮筋腫と類似し，術前の診断が困難なことが多い。実際に半数以上は子宮筋腫として手術を受け，術後の病理組織学的検査により初めて本腫瘍と判明することに注意が必要である(CQ32)。一方で，拡大手術やリンパ節郭清の追加が予後を改善することを示す明確なエビデンスはない。術後治療としての放射線治療や薬物療法の有効性も，十分な症例数で行われた前方視的研究はこれまでにみられないため，明確なエビデンスとして示されていないのが現状である(CQ33，CQ34)。

　子宮内膜間質肉腫はもともと低悪性度と高悪性度に分類されていたが，WHO分類 第3版(2003年)では，高悪性度子宮内膜間質肉腫が，子宮内膜間質との類似性が必ずしも認め

られないとの理由で，未分化子宮内膜肉腫 undifferentiated endometrial sarcoma とよばれることとなった[5]。その後，子宮内膜間質に似た細胞形態を示し，異型が目立つ腫瘍，あるいは未分化子宮内膜肉腫とされていた腫瘍のうち比較的均一な細胞からなる腫瘍は，低悪性度子宮内膜間質肉腫にみられる *JAZF1-SUZ12*(*JJAZ1*)の融合遺伝子はみられないが，cyclin D1 の発現や *YWHAE-NUTM2A/B*(*FAM22A/B*)，*ZC3H7B-BCOR* の融合遺伝子や *BCOR*-ITD (internal tandem duplications)がみられることから，WHO 分類 第 4 版(2014 年)からは高異型度子宮内膜間質肉腫として独立した疾患単位とされた[6]。この名称は WHO 分類 第 3 版(2003 年)より前の高悪性度子宮内膜間質肉腫とは定義が若干異なっており，文献を読むときには注意が必要である。また，未分化子宮内膜肉腫とされていた腫瘍のうち高異型度子宮内膜間質肉腫を除いたものは極めて高度な細胞異型を示し，子宮内膜間質細胞との類似性がみられないため，名称から「内膜」がはずされ，未分化子宮肉腫と名称が変更された。なお，WHO 分類 第 4 版(2014 年)に基づき改訂された本邦の『子宮体癌取扱い規約 病理編 第 4 版』(2017 年)[7]では，「悪性度」という用語から「異型度」に変更となった。現行の WHO 分類 第 5 版(2020 年)においても，低異型度子宮内膜間質肉腫，高異型度子宮内膜間質肉腫，未分化子宮肉腫の 3 つに分類されており[3]，本ガイドラインでは，これに倣い「異型度」と表記する。

　子宮内膜間質肉腫の治療も平滑筋肉腫と同様に，腹式単純子宮全摘出術と両側付属器摘出術による手術が基本であるが(CQ31)，高異型度子宮内膜間質肉腫では子宮外病変を伴う場合が多く，腫瘍減量術を行うと予後が改善するという報告があるため，積極的な腫瘍減量術を考慮する[8]。低異型度子宮内膜間質肉腫でのリンパ節転移率は 7〜9.9％と報告されているが[9]，リンパ節郭清による予後改善効果は認められない。一方，高異型度子宮内膜間質肉腫では後腹膜リンパ節への転移が 15〜22％に認められ[8,10]，リンパ節郭清が考慮されるが，子宮外病変を伴うことが多く，その意義は明らかではない。低異型度子宮内膜間質肉腫の術後治療においては，ホルモン療法および放射線治療が推奨されるが，本邦では 2021 年 9 月にレトロゾール 2.5 mg/日と MPA 400〜600 mg/日の適応外使用が新たに承認され，術後補助療法としても使用可能となった。高異型度子宮内膜間質肉腫では，放射線照射，化学療法およびホルモン療法の有効性は明らかではなく，確立したものはない。

▶ 参考文献

1) Brooks SE, Zhan M, Cote T, Baquet CR. Surveillance, epidemiology, and end results analysis of 2,677 cases of uterine sarcoma 1989-1999. Gynecol Oncol 2004 ; 93 : 204-8
2) 日本産科婦人科学会，日本病理学会 編．子宮体癌取扱い規約 病理編 第 5 版．金原出版，東京，2022
3) WHO Classification of Tumours Editorial Board ed. World Health Organization Classification of Tumours. 5th ed. Female genital tumours. IARC Press, Lyon, 2020, 283-93
4) Bell SW, Kempson RL, Hendrickson MR. Problematic uterine smooth muscle neoplasms. a clinicopathologic study of 213 cases. Am J Surg Pathol 1994 ; 18 : 535-58
5) Hendrickson MR, Tavassoli FA, Kempson RL, McCluggage WG, Haller U, Kubik-Huch RA. Mesenchymal tumours and related lesions. In : Tavassoli FA, Devilee P, eds. World Health Organization Classifi-

cation of Tumours. 3rd ed. Pathology & Genetics. Tumours of the Breast and Female Genital Organs. IARC Press, Lyon, 2003, 233-44
6) Kurman RJ, Carcangiu ML, Herington CS, Young RH. Chapter 5. Tumours of the uterine corpus. World Health Organization Classification of Tumours of Female Reproductive Organs. 4th Edition. IARC Press, Lyon, 2014, 142-5
7) 日本産科婦人科学会，日本病理学会 編．子宮体癌取扱い規約 病理編 第4版．金原出版，東京，2017
8) Leath CA 3rd, Huh WK, Hyde J Jr, Cohn DE, Resnick KE, Taylor NP, et al. A multi-institutional review of outcomes of endometrial stromal sarcoma. Gynecol Oncol 2007 ; 105 : 630-4
9) Capozzi VA, Monfardini L, Ceni V, Cianciolo A, Butera D, Gaiano M, et al. Endometrial stromal sarcoma : A review of rare mesenchymal uterine neoplasm. J Obstet Gynaecol Res 2020 ; 46 : 2221-36
10) Kostov S, Kornovski Y, Ivanova V, Dzhenkov D, Metodiev D, Watrowski R, et al. New aspects of sarcomas of uterine corpus-a brief narrative review. Clin Pract 2021 ; 11 : 878-900

CQ 31

子宮肉腫が疑われた場合に，どのような手術が勧められるか？

推奨

①腹式単純子宮全摘出術および両側付属器摘出術を推奨する。
　推奨の強さ　1（↑↑）　エビデンスレベル　B　合意率 88％（14/16 人）

②完全摘出を目指した腫瘍減量術を提案する。
　推奨の強さ　2（↑）　エビデンスレベル　C　合意率 100％（16/16 人）

③平滑筋肉腫と低異型度子宮内膜間質肉腫でリンパ節転移が疑われない場合は，リンパ節郭清を行わないことを提案する。
　推奨の強さ　2（↓）　エビデンスレベル　B　合意率 75％（12/16 人）

▶▶ 目　的

子宮肉腫が疑われた症例に対して推奨される手術術式について，後方視的研究をもとに検討する。

▶▶ 解　説

平滑筋肉腫と低異型度・高異型度子宮内膜間質肉腫に対して腹腔鏡下子宮全摘出術と腹式単純子宮全摘出術とで予後を比較した報告はないが，腹式単純子宮全摘出術および両側付属器摘出術が標準術式となる。稀に症状・所見が子宮筋腫と類似し，子宮筋層内に限局している症例では，子宮筋腫との鑑別が難しいため，子宮温存手術が行われることがある。以下，平滑筋肉腫と低異型度・高異型度子宮内膜間質肉腫に分けて解説する。

子宮平滑筋肉腫は予後不良で，唯一有効な治療は完全摘出とされている。しかし術前診断が難しいため子宮温存手術を行うことがある。13,964 例の良性婦人科手術の記録で，腹腔鏡下子宮筋腫核出術から 1 年以内に発症する平滑筋肉腫の発生率は 25〜39 歳で 0/10,000 例，40〜49 歳で 33.8/10,000 例，50〜64 歳で 90.1/10,000 例であり，全体の発生率は 17.3/10,000 例であった[1]。米国医療研究品質局（AHRQ）の 2017 年のレポートによると，症状のある平滑筋腫として手術をした場合に子宮平滑筋肉腫である確率は 770〜10,000 回の手術に 1 回であり，ACOG は術前に悪性の除外をすることと，悪性の可能性や良性であっても再発する場合があることを患者へ説明する必要があると 2021 年に Committee Opinion を出している[2]。2017 年の ESGO の Statement では，超音波で悪性が疑われる場合，3 カ月以内で急速に増大する場合，閉経後に急速に増大する場合は肉腫である可能性が考えられ，その際には，肉腫細胞を拡散して予後不良になることや病理に基づく適切な病期分類が困難になることからモルセレーションを避けるべきとしている[3]。また，平滑筋肉腫の卵巣への転移率は約 4％

とされる[4]。1998〜2013年の7,455例の平滑筋肉腫において762例(10％，年齢中央値46歳)に対して卵巣摘出を行っていないが，ETRが1.06(95％CI 0.90-1.25)で生存予後との関係は認められなかった[5]。2010〜2016年の50歳未満の平滑筋肉腫Ⅰ期において225例(28％)が卵巣温存を行い，卵巣温存群は5年生存率67％(95％CI 59.8-75.2)，卵巣摘出群は72％(95％CI 67.2-77.5)であり，生存率に差はなかった〔HR 1.19(95％CI 0.80-1.77)〕[6]。以上から，腫瘍が画像検査ならびに術中肉眼所見で子宮に限局している閉経前の早期症例は卵巣温存を考慮できる。後腹膜リンパ節への転移は5〜11％と低い割合である[7]。リンパ節に転移をきたしている場合は既に肺，肝への血行性転移や腹腔内播種を伴う進行症例が多く[7]，腫瘍が肉眼的に子宮に限局している症例のリンパ節転移率は0〜4％とさらに低い[8]。リンパ節郭清は，メタアナリシスでRR 0.90(95％CI 0.62-1.31)[9]，7,455例の平滑筋肉腫に対する観察コホート研究ではETRが1.02(95％CI 0.94-1.10)[5]と生存期間の改善はなかった。以上より，リンパ節転移が疑われない場合はリンパ節郭清を行わないことを提案する。

　低異型度子宮内膜間質肉腫は比較的予後良好であるが，早期進行期例でも晩期に再発を認めることがあり，長期間のフォローを要する。子宮外病変を認める場合は，標準術式に加え腫瘍減量術が推奨される[7,10,11]が，予後には関わらないとの報告もある[10]ため，症状緩和の側面からも考慮するべきである。卵巣温存に関しては，メタアナリシスで190例の卵巣温存例のうち89例(47％)に再発を認め，両側付属器切除例(501例中121例，24％)と比較すると有意に再発率が高く〔OR 2.70(95％CI 1.39-5.28)〕[12]，女性ホルモン依存性であるため再発率を上げるとの報告が複数ある[10]。一方で，死亡率は卵巣温存例(34例中2例，5.9％)と両側付属器切除例(128例中9例，7％)とで差がなかった〔OR 0.80(95％CI 0.18-3.47)〕[12]との報告もあり，卵巣温存は，十分に再発リスクについて説明された上で，卵巣温存希望が強い早期症例に限り検討される[10]。腫瘍摘出術による子宮温存は生存予後には関わらないという報告があるが，再発率が極めて高いため避けるべきである(**CQ32 参照**)[10,13,14]。モルセレーションは悪性が疑われる場合は避けるべきで，行う場合はインバック・モルセレーションなど安全性を高める工夫をする[10]。リンパ節転移率は7〜9.9％と報告されており[10]，メタアナリシスではRR 0.96(95％CI 0.69-1.34)とリンパ節郭清により全生存期間を改善しなかったため[9]，リンパ節郭清を行わないことを提案する。ただし，転移が疑われる腫大リンパ節は腫瘍減量術の観点から切除が望まれる[10]。

　高異型度子宮内膜間質肉腫は *YWHAE-NUTM2A/B* 融合遺伝子を認める予後不良の疾患としてWHO分類 第4版(2014年)より再度細分類された。希少疾患である上，新しい疾患概念であるため，現在のところ臨床像を含め治療法に関するエビデンスは乏しい。モルセレーションは使うべきではない。閉経前の症例に対する卵巣温存については確定的な結論はない[10]。後腹膜リンパ節への転移は全進行期で15〜22％に認められる[7,15]。リンパ節に転移がない症例の全生存期間平均値は70.9カ月(95％CI 64.7-77.0)である一方，リンパ節転移例の全生存期間は38.3カ月(95％CI 28.6-48.0)，リンパ節郭清を行わない症例は46.8カ月(95％CI 46.8-52.1)と予後不良であるという報告や[16]，リンパ節郭清が予後に相関しないという後

方視的研究があるため〔HR 0.965（95％CI 0.758-1.228）〕[17]，リンパ節郭清（生検）の意義は確定されていない。子宮外病変を伴うことが多く，残存腫瘍は予後不良因子であり[10]，子宮外病変を伴う場合に腫瘍減量術を行うと予後が改善するという報告がある[10, 15]ため，積極的な腫瘍減量術を考慮する。

▶ 参考文献

1) Glaser LM, Friedman J, Tsai S, Chaudhari A, Milad M. Laparoscopic myomectomy and morcellation : a review of techniques, outcomes, and practice guidelines. Best Pract Res Clin Obstet Gynaecol 2018 ; 46 : 99-112（レビュー）【検】
2) American College of Obstetricians and Gynecologists' Committee on Gynecologic PracticePractice. Uterine Morcellation for Presumed Leiomyomas : ACOG Committee Opinion, Number 822. Obstet Gynecol 2021 ; 137 : e63-e74（ガイドライン）【検】
3) Halaska MJ, Haidopoulos D, Guyon F, Morice P, Zapardiel I, Kesic V ; ESGO Council. European Society of Gynecological Oncology statement on fibroid and uterine morcellation. Int J Gynecol Cancer 2017 ; 27 : 189-92（ガイドライン）【検】
4) Leitao MM, Sonoda Y, Brennan MF, Barakat RR, Chi DS. Incidence of lymph node and ovarian metastases in leiomyosarcoma of the uterus. Gynecol Oncol 2003 ; 91 : 209-12（横断）【旧】
5) Seagle BL, Sobecki-Rausch J, Strohl AE, Shilpi A, Grace A, Shahabi S. Prognosis and treatment of uterine leiomyosarcoma : A National Cancer Database study. Gynecol Oncol 2017 ; 145 : 61-70（コホート）【検】
6) Sia TY, Huang Y, Gockley A, Melamed A, Khoury-Collado F, St Clair C, et al. Trends in ovarian conservation and association with survival in premenopausal patients with stage I leiomyosarcoma. Gynecol Oncol 2021 ; 161 : 734-40（コホート）【検】
7) Kostov S, Kornovski Y, Ivanova V, Dzhenkov D, Metodiev D, Watrowski R, et al. New aspects of sarcomas of uterine corpus-a brief narrative review. Clin Pract 2021 ; 11 : 878-900（レビュー）【検】
8) Ayhan A, Aksan G, Gultekin M, Esin S, Himmetoglu C, Dursun P, et al. Prognosticators and the role of lymphadenectomy in uterine leiomyosarcomas. Arch Gynecol Obstet 2009 ; 280 : 79-85（コホート）【旧】
9) Si M, Jia L, Song K, Zhang Q, Kong B. Role of lymphadenectomy for uterine sarcoma : a meta-analysis. Int J Gynecol Cancer 2017 ; 27 : 109-16（メタ）【検】
10) Capozzi VA, Monfardini L, Ceni V, Cianciolo A, Butera D, Gaiano M, et al. Endometrial stromal sarcoma : a review of rare mesenchymal uterine neoplasm. J Obstet Gynaecol Res 2020 ; 46 : 2221-36（メタ）【検】
11) Thiel FC, Halmen S. Low-grade endometrial stromal sarcoma- a review. Oncol Res Treat 2018 ; 41 : 687-92（レビュー）【検】
12) Nasioudis D, Ko EM, Kolovos G, Vagios S, Kalliouris D, Giuntoli RL. Ovarian preservation for low-grade endometrial stromal sarcoma : a systematic review of the literature and meta-analysis. Int J Gynecol Cancer 2019 ; 29 : 126-32（メタ）【検】
13) Bai H, Yang J, Cao D, Huang H, Xiang Y, Wu M, et al. Ovary and uterus-sparing procedures for low-grade endometrial stromal sarcoma : a retrospective study of 153 cases. Gynecol Oncol 2014 ; 132 : 654-60（コホート）【旧】
14) Dondi G, Porcu E, De Palma A, Damiano G, De Crescenzo E, Cipriani L, et al. Uterine preservation treatments in sarcomas : oncological problems and reproductive results : a systematic review. Cancers (Basel) 2021 ; 13 : 5808（レビュー）【検】
15) Leath CA 3rd, Huh WK, Hyde J Jr, Cohn DE, Resnick KE, Taylor NP, et al. A multi-institutional review of outcomes of endometrial stromal sarcoma. Gynecol Oncol 2007 ; 105 : 630-4（横断）【旧】
16) Seagle BL, Shilpi A, Buchanan S, Goodman C, Shahabi S. Low-grade and high-grade endometrial stromal sarcoma : A National Cancer Database study. Gynecol Oncol 2017 ; 146 : 254-62（コホート）【検】
17) Wu J, Zhang H, Li L, Hu M, Chen L, Wu S, et al. Prognostic nomogram for predicting survival in patients with high grade endometrial stromal sarcoma : a Surveillance Epidemiology, and End Results database analysis. Int J Gynecol Cancer 2020 ; 30 : 1520-7（コホート）【検】

CQ 32
術後に子宮肉腫と判明した患者に対して，追加手術は勧められるか？

推奨

子宮全摘出術および両側付属器摘出術を完遂する追加手術を提案する。

推奨の強さ　2(↑)　　エビデンスレベル　C　　合意率 100%（22/22 人）

最終会議の論点
当初，推奨②として「閉経前の早期平滑筋肉腫に対しては，卵巣温存を提案する。推奨の強さ 2(↑)，エビデンスレベル C」があったが，「閉経前」が適切か，良性を想定した核出術後の患者にも温存が適切か？などの意見があり，推奨②の削除が検討された。最初，削除することの合意率は 69% であったため，推奨文の文言修正も議論されたが，最終的に削除することで 100% の合意となった。

▶▶▶ 目 的
子宮全摘出術後あるいは腫瘍摘出後に子宮肉腫であることが判明した場合，追加手術を提案すべきかを腫瘍学的予後の観点から検討する。

▶▶▶ 解 説
平滑筋肉腫と低異型度・高異型度子宮内膜間質肉腫に分けて解説する。

子宮平滑筋肉腫は予後不良で，唯一有効な治療は早期の完全摘出とされ，単純子宮全摘出術＋両側付属器摘出術を標準術式とする。しかし子宮平滑筋肉腫は稀な腫瘍で，症状・所見が子宮筋腫と類似し，術前の診断が困難なことが多い。実際に半数以上は子宮筋腫として手術を受け，術後の病理組織学的検査により初めて本腫瘍と判明する[1]（付記）。子宮筋腫の診断で筋腫核出術後に平滑筋肉腫と診断された場合，再手術による子宮完全摘出において約 20% の頻度で残存子宮に肉腫成分を認めたという報告[2]や，再手術により無増悪生存期間の有意な延長を認めた（再手術なし 12 カ月，再手術あり 32 カ月；$p<0.05$）という報告[3]から，再開腹による標準術式を行うことが推奨される。一方で，平滑筋肉腫の卵巣への転移率は約 4% とされる[4]。卵巣摘出に関しては，予後に影響しないとする報告が多数みられること[3,5,6]，また卵巣温存例が非温存例に比較し予後良好な傾向であったとの報告（5 年生存率：卵巣温存例 73%，卵巣非温存例 69%；$p=0.078$）[6]から，閉経前で，腫瘍が画像検査ならびに術中肉眼所見で子宮に限局している早期症例は卵巣温存を考慮できる。このため卵巣を温存した子宮全摘出術を受けた場合，再開腹による両側卵巣摘出の有用性は低いと考えられる。しかしながら，卵巣温存に関するこれらの報告は子宮を一塊として摘出した場合であり，腫瘍摘出のみが行われた場合の卵巣温存の安全性については言及されていない。また，平滑筋肉腫

における卵巣温存については，危険性を十分に説明した上で，早期症例の若年者に対して卵巣温存が考慮できる旨を「推奨」に入れることがガイドライン委員会で議論されたが，現時点では前方視的な検証試験はないことから解説としての記載にとどめ，約4％の卵巣転移率や閉経前の女性への卵巣摘出に伴う心血管疾患，骨粗鬆症，脳卒中のリスクなどを説明した上で，最終的に患者と十分に相談して決定する。さらに腫瘍が肉眼的に子宮に限局している症例の後腹膜リンパ節への転移率は，0～4％と低率である[7]。早期症例の後腹膜リンパ節郭清は予後に関与しないとの報告もあり[3,8]，画像検査でリンパ節腫大が確認されない場合は再開腹によるリンパ節郭清の意義は乏しい。

子宮内膜間質肉腫は異型度にかかわらず，その稀な発生頻度のために治療法に関する前方視的研究はほとんどみられず，標準治療法は未だ確立していない。

低異型度子宮内膜間質肉腫に対する標準術式は，単純子宮全摘出術＋両側付属器摘出術である。低異型度症例も平滑筋肉腫と同様，良性腫瘍として手術され，術後初めて本腫瘍の診断に至ることも多い[9]。標準術式が完遂されていない場合は，再開腹による完遂が推奨される。平滑筋肉腫と異なり，女性ホルモン依存性である低異型度症例における卵巣温存は，死亡率は上げない〔卵巣温存例5.9％，卵巣非温存例7％；OR 0.80（95％CI 0.18-3.47）〕[6]が，再発率の有意な上昇〔卵巣温存例47％，卵巣非温存例24％；OR 2.70（95％CI 1.39-5.28）〕を示す報告が複数みられる[3,6,10]。したがって低異型度子宮内膜間質肉腫における卵巣温存は，若年で再発リスクについて十分に説明された早期症例に限り検討される。腫瘍のみ摘出し子宮の完全摘出が行われていない症例への妊孕性温存について，システマティックレビューによる63例の報告では，再発例が34例（54％）と頻度が高いが，27例（43％）が妊娠に至り，死亡に至った症例は2例（3.2％）であった[11]。この報告では35例（56％）で何らかのホルモン療法が行われている。低異型度症例153例の後方視的検討では，19例に対し腫瘍摘出が行われている[12]。この報告においても子宮温存は生存には悪影響を与えないものの，腫瘍摘出群の5年PFSは0％であり，再発までの中央値は20.5カ月（3～53カ月）であった。5例（26％）で妊娠に至っているが再発までの期間が短期であることから，妊孕性温存後は早期の妊娠成立を目指し，分娩後の子宮摘出が推奨されている[12]。したがって低異型度子宮内膜間質肉腫における子宮，卵巣の温存は，再発リスクについて十分に説明された上で，若年の妊孕性温存希望が強い早期症例に限り検討される。また，後腹膜リンパ節はその郭清が予後に相関しないという複数の報告から[8,13,14]，標準術式を完遂し画像上リンパ節に腫大がない場合，再開腹による郭清を行う意義は低い。

高異型度子宮内膜間質肉腫の場合も，標準術式は単純子宮全摘出術＋両側付属器摘出術である。残存腫瘍は予後不良因子であり，子宮外病変を伴う症例では腫瘍減量術により予後改善の報告があるため[15]，積極的な腫瘍減量術を考慮する。高異型度症例の場合，良性腫瘍の疑いで手術が行われる頻度は低いと予想されるが，標準術式が完遂されていない完全切除が望まれる症例は再開腹での完遂を行う。また，初回手術時のリンパ節郭清の意義は確定されていない[6,16]。

付記　悪性度不明な平滑筋腫瘍（STUMP）

　子宮平滑筋腫瘍の良悪性の病理組織学的鑑別は，①細胞異型，②核分裂，③凝固壊死等の所見より総合的になされる。これらの所見の一部を認めるものの平滑筋肉腫の診断基準を満たさず，悪性とも良性とも断定できない場合を「悪性度不明な平滑筋腫瘍」とよぶ[17]。

　「悪性度不明な平滑筋腫瘍」とされた場合，一部に転移・再発をきたす症例が含まれる[18]。平滑筋肉腫よりは悪性度が低いが，子宮摘出が行われていない症例では，追加手術について年齢等を考慮し個別化して検討する[19]。

▶ 参考文献

1) Singh N, Al-Ruwaisan M, Batra A, Itani D, Ghatage. Factors affecting overall survival in premenopausal women with uterine leiomyosarcoma : a retrospective analysis with long-term follow-up. J Obstet Gynaecol Can 2020 ; 42 : 1483-8（コホート）【検】
2) Zhang W, Han Z, Li Z, Zheng Z, Wu X. Reoperation with total hysterectomy after incomplete surgery is helpful in patients with incidentally diagnosed uterine leiomyosarcoma. Gynecol Obstet Invest 2021 ; 86 : 408-14（ケースコントロール）【検】
3) Kostov S, Kornovski Y, Ivanova V, Dzhenkov D, Metodiev D, Watrowski R, et al. New aspects of sarcomas of uterine corpus-a brief narrative review. Clin Pract 2021 ; 11 : 878-900（レビュー）【検】
4) Kapp DS, Shin JY, Chan JK. Prognostic factors and survival in 1,396 patients with uterine leiomyosarcomas : emphasis on impact of lymphadenectomy and oophorectomy. Cancer 2008 ; 112 : 820-30（コホート）【旧】
5) Sia TY, Huang Y, Gockley A, Melamed A, Khoury-Collado F, St Clair C, et al. Trends in ovarian conservation and association with survival in premenopausal patients with stage I leiomyosarcoma. Gynecol Oncol 2021 ; 161 : 734-40（コホート）【検】
6) Nasioudis D, Chapman-Davis E, Frey M, Holcomb. Safety of ovarian preservation in premenopausal women with stage I uterine sarcoma. J Gynecol Oncol 2017 ; 28 : e46（コホート）【検】
7) Ayhan A, Aksan G, Gultekin M, Esin S, Himmetoglu C, Dursun P, et al. Prognosticators and the role of lymphadenectomy in uterine leiomyosarcomas. Arch Gynecol Obstet 2009 ; 280 : 79-85（コホート）【旧】
8) Nasioudis D, Mastroyannis SA, Latif NA, Ko EM, Haggerty AF, Kim SH, et al. Role of lymphadenectomy for apparent early stage uterine sarcoma ; a comprehensive analysis of the National Cancer Database. Surg Oncol 2021 ; 38 : 101589（コホート）【検】
9) Kurman RJ, Carcangiu ML, Herington CS, Young RH. Chapter 5. Tumours of the uterine corpus. World Health Organization Classification of Tumours of Female Reproductive Organs. 4th Edition. IARC Press, Lyon, 2014, 142-5（規約）【旧】
10) Nasioudis D, Ko EM, Kolovos G, Vagios S, Kalliouris D, Giuntoli RL. Ovarian preservation for low-grade endometrial stromal sarcoma : a systematic review of the literature and meta-analysis. Int J Gynecol Cancer 2019 ; 29 : 126-32（メタ）【検】
11) Dondi G, Porcu E, De Palma A, Damiano G, De Crescenzo E, Cipriani L, et al. Uterine preservation treatments in sarcomas : oncological problems and reproductive results : a systematic review. Cancers （Basel） 2021 ; 13 : 5808（レビュー）【検】
12) Bai H, Yang J, Cao D, Huang H, Xiang Y, Wu M, et al. Ovary and uterus-sparing procedures for low-grade endometrial stromal sarcoma : a retrospective study of 153 cases. Gynecol Oncol 2014 ; 132 : 654-60（コホート）【旧】
13) Zhang Y, Li N, Wang W, Yao H, An J, Li N, et al. Long-term impact of lymphadenectomies in patients with low-grade, early-stage uterine endometrial stroma sarcoma. J Obstet Gynaecol Res 2020 ; 46 : 654-62（コホート）【検】
14) Ayhan A, Toptas T, Oz M, Vardar MA, Kayikcioglu F, Ozgul N, et al. Low-grade endometrial stromal sarcoma : a Turkish uterine sarcoma group study analyzing prognostic factors and disease outcomes. Gynecol Oncol 2021 ; 160 : 674-80（コホート）【検】

15) Capozzi VA, Monfardini L, Ceni V, Cianciolo A, Butera D, Gaiano M, et al. Endometrial stromal sarcoma : a review of rare mesenchymal uterine neoplasm. J Obstet Gynaecol Res 2020 ; 46 : 2221-36（メタ）【検】
16) Wu J, Zhang H, Li L, Hu M, Chen L, Wu S, et al. Prognostic nomogram for predicting survival in patients with high grade endometrial stromal sarcoma : a Surveillance Epidemiology, and End Results database analysis. Int J Gynecol Oncol 2020 ; 30 : 1520-7（コホート）【委】
17) Bell SW, Kempson RL, Hendrickson MR. Problematic uterine smooth muscle neoplasms. A clinicopathologic study of 213 cases. Am J Surg Pathol 1994 ; 18 : 535-58（ケースコントロール）【旧】
18) Guntupalli SR, Ramirez PT, Anderson ML, Milam MR, Bodurka DC, Malpica A. Uterine smooth muscle tumor of uncertain malignant potential : a retrospective analysis. Gynecol Oncol 2009 ; 113 : 324-6（コホート）【旧】
19) Ng JS, Han A, Chew SH, Low J. A clinicopathologic study of uterine smooth muscle tumours of uncertain malignant potential (STUMP). Ann Acad Med Singapore 2010 ; 39 : 625-8（コホート）【旧】

CQ 33
初回手術で肉眼的完全摘出を完遂した子宮肉腫の患者に対して，どのような術後補助療法が勧められるか？

推奨

① Ⅰ期の平滑筋肉腫に対しては術後補助療法を実施しないことを提案する。
推奨の強さ　2(↓)　　エビデンスレベル　B　　合意率 95%（21/22 人）

② 平滑筋肉腫や未分化子宮肉腫・高異型度子宮内膜間質肉腫に対して術後補助療法を行う場合には，化学療法を提案する。
推奨の強さ　2(↑)　　エビデンスレベル　C　　合意率 86%（19/22 人）

③ 低異型度子宮内膜間質肉腫に対して術後補助療法を行う場合には，ホルモン療法を提案する。
推奨の強さ　2(↑)　　エビデンスレベル　C　　合意率 95%（21/22 人）

▶▶▶ 目　的

残存なく初回手術を完遂した子宮肉腫に対する術後補助療法の必要性に関して，十分な症例数で行われた前方視的研究はこれまでにみられないため，後方視的研究と限られた症例数での臨床試験，メタアナリシスの結果をもとに検討する。

▶▶▶ 解　説

初回手術で完全切除できた子宮肉腫（平滑筋肉腫，低異型度子宮内膜間質肉腫，高異型度子宮内膜間質肉腫・未分化子宮肉腫）への術後補助療法の必要性を解説する。

平滑筋肉腫の術後補助療法は，NCCN ガイドライン 2022 年版では，Ⅰ期では経過観察，Ⅱ・Ⅲ期の完全切除かつ切除断端が陰性の場合には経過観察もしくは化学療法および/または放射線治療が提示されている[1]。しかし，子宮平滑筋肉腫 103 例を含む Ⅰ・Ⅱ期の肉腫 224 例に対する第Ⅲ相試験で，術後照射は予後を改善せず，平滑筋肉腫症例のみに限ると局所制御効果もなく[2]，子宮外病変を有するⅢ期以上の症例に行った術後照射も予後に寄与しなかった[3]ことから，子宮平滑筋肉腫に対する術後照射の有効性は否定的である。一方，本邦の JGOG で実施された 53 施設による後方視的多施設研究では，Ⅰ期の平滑筋肉腫において術後化学療法を受けた群では経過観察の群に比べて，5 年生存率は有意に高い結果であり（68% vs. 47%，p = 0.0461），術後化学療法の可能性を示している報告もある[4]。化学療法のレジメンとしては，NCCN ガイドライン 2022 年版では，ドキソルビシン（アドリアマイシン）単剤投与もしくは DG 療法（ドセタキセル＋ゲムシタビン）が記載されている[1]。

術後化学療法に関する数少ない第Ⅲ相試験では，手術進行期 Ⅰ・Ⅱ期の完全摘出例（平滑筋肉腫だけでなく癌肉腫も含まれている）に対して無治療群とドキソルビシン単剤投与群を

比較した結果，無再発生存期間中央値は延長されたものの，全生存期間中央値は改善されなかった[5]。第Ⅱ相試験としてはDG療法が行われ，2年生存率で59％という良好な成績が示された[6]。近年施行された第Ⅲ相試験（GOG0277試験）において，Ⅰ期の術後化学療法としてDG療法4サイクル施行後にドキソルビシン4サイクルを追加もしくは経過観察群での比較検討が行われたが，期間内エントリー数の不足により早期に中断に至った。エントリーした少数例（治療群20例/経過観察群18例）での解析結果では，全生存期間と無再発生存期間に有意差を認めず，結果として多数例での統計学的解析は未施行であり，DG療法後ドキソルビシン追加治療群の有用性は証明されなかった[7]。術後補助療法に関する3つのメタアナリシスでは，早期症例（Ⅰ・Ⅱ期）に対する術後補助療法の意義は明らかでない[8-10]。545例〔術後補助療法群（化学療法の単独，および/または放射線治療）252例，経過観察群293例〕のメタアナリシスでは，両群において遠隔転移率・局所再発率・全再発率に有意差を認めなかった[10]。以上より，平滑筋肉腫のⅠ期症例に対しては，術後補助療法を実施しないことを提案する。Ⅱ期症例は，メタアナリシスでは半数以上の解析論文でⅡ期が含まれているが，その術後補助療法の意義は不明である。Ⅲ，Ⅳ期など手術が完遂されたが術後補助療法が必要と考えられる場合には，化学療法を提案する。そのレジメンとしては，ドキソルビシン単剤，もしくはDG療法が提案される。

低異型度子宮内膜間質肉腫の術後治療は，NCCNガイドライン2022年版では，両側付属器摘出術施行症例のⅠ期では経過観察（未施行例では両側付属器摘出術追加施行を推奨），Ⅱ～Ⅳ期症例では術後にホルモン療法および/または放射線治療（外照射：カテゴリー2B）が推奨されている。ホルモン療法としてはER，PgR発現陽性の他組織型の肉腫も含めて，アロマターゼ阻害薬であるレトロゾールが推奨されている。またカテゴリー2BとしてMPA，MA，GnRHアナログが提示されている[1]。術後ホルモン療法に関しては10編の後方視的検討をまとめた1つのメタアナリシスがあり，経過観察群，化学療法群，放射線治療群と比較してホルモン療法単独群のみが有意に再発率を抑制（$p=0.02$）したことが報告された。進行期別のサブグループ解析では，Ⅰ・Ⅱ期では有意に再発率の抑制（$p=0.02$）を認めたが生存率の改善は認めなかった。一方，Ⅲ・Ⅳ期では生存率改善の傾向を認めた[11]。本邦では低異型度子宮内膜間質肉腫に対して，2021年9月にレトロゾール2.5 mg/日とMPA 400～600 mg/日の投与が承認され（医薬品適応外使用），術後補助療法としても使用可能となった。なお，ホルモン療法の治療期間に関しては現時点ではエビデンスが確立しておらず，今後の検討が待たれる。

高異型度子宮内膜間質肉腫や未分化子宮肉腫の術後治療は，NCCNガイドライン2022年版では，Ⅰ期で完全摘出された場合には経過観察，Ⅱ・Ⅲ期で切除断端が陰性の場合には経過観察，または再発のリスクを考慮して化学療法（単独，および/または放射線治療）が提案されている[1]。低異型度子宮内膜間質肉腫に比べてER，PgRの発現率が低いため，ホルモン療法は推奨されず，むしろ化学療法あるいは放射線治療が中心となる[12]。高異型度子宮内膜間質肉腫に対する術後補助療法に関して，フランスのSarcoma Groupによる多施設第Ⅲ

相試験(高異型度子宮内膜間質肉腫9例，平滑筋肉腫53例，癌肉腫19例)が行われた．放射線治療(全骨盤照射＋腔内照射)群と放射線治療後の化学療法〔API療法(ドキソルビシン＋イホスファミド＋シスプラチン)〕併用群において，癌肉腫症例を除いたサブグループ解析では3年無病生存率は両群に有意差を認めず，5年無病生存率は放射線治療群29%(95%CI 16-47)，化学療法併用群51%(95%CI 34-69)と，化学療法併用群で予後良好な傾向を認めた(p＝0.098)[13]．しかしながら希少な組織型ゆえ，多数例の報告は認めず，化学療法のレジメンとして確立されたものはない．

▶ 参考文献

1) Uterine Neoplasms (Version 1. 2022) NCCN Clinical Practice Guidelines in Oncology http://www.nccn.org/professionals/physician_gls/f_guidelines.asp(ガイドライン)【委】
2) Reed NS, Mangioni C, Malmström H, Scarfone G, Poveda A, Pecorelli S, et al. European Organisation for Research and Treatment of Cancer Gynaecological Cancer Group. Phase III randomised study to evaluate the role of adjuvant pelvic radiotherapy in the treatment of uterine sarcomas stages I and II : an European Organisation for Research and Treatment of Cancer Gynaecological Cancer Group Study (protocol 55874). Eur J Cancer 2008 ; 44 : 808-18(ランダム)【旧】
3) Dusenbery KE, Potish RA, Judson P. Limitations of adjuvant radiotherapy for uterine sarcomas spread beyond the uterus. Gynecol Oncol 2004 ; 94 : 191-6(ケースシリーズ)【旧】
4) Takehara K, Yamashita N, Watanabe R, Teramoto N, Tsuda H, Motohashi T, et al. Clinical status and prognostic factors in Japanese patients with uterine leiomyosarcoma. Gynecol Oncol 2020 ; 157 : 115-20 (コホート)【委】
5) Omura GA, Blessing JA, Major F, Lifshitz S, Ehrlich CE, Mangan C, et al. A randomized clinical trial of adjuvant adriamycin in uterine sarcomas : a Gynecologic Oncology Group study. J Clin Oncol 1985 ; 3 : 1240-5(ランダム)【旧】
6) Hensley ML, Ishill N, Soslow R, Larkin J, Abu-Rustum N, Sabbatini P, et al. Adjuvant gemcitabine plus docetaxel for completely resected stages I-IV high grade uterine leiomyosarcoma : results of a prospective study. Gynecol Oncol 2009 ; 112 : 563-7(非ランダム)【旧】
7) Hensley ML, Enserro D, Hatcher H, Ottevanger PB, Krarup-Hansen A, Blay JY, et al. Adjuvant gemcitabine plus docetaxel followed by doxorubicin versus observation for high-grade uterine leiomyosarcoma : a phase III NRG Oncology/Gynecologic Oncology Group Study. J Clin Oncol 2018 ; 36 : 3324-30 (ランダム)【検】
8) Bogani G, Fuca G, Maltese G, Ditto A, Martinelli F, Signorelli M, et al. Efficacy of adjuvant chemotherapy in early stage uterine leiomyosarcoma : a systematic review and meta-analysis. Gynecol Oncol 2016 ; 143 : 443-7(メタ)【旧】
9) Chae SH, Shim SH, Chang M, Choi AY, Kang GG, Lee SJ, et al. Effect of adjuvant therapy on the risk of recurrence in early-stage leiomyosarcoma : a meta-analysis. Gynecol Oncol 2019 ; 154 : 638-50(メタ)【検】
10) Rizzo A, Nannini M, Astolfi A, Indio V, De Iaco P, Perrone AM, et al. Impact of chemotherapy in the adjuvant setting of early stage uterine leiomyosarcoma : a systematic review and updated meta-analysis. Cancers 2020 ; 12 : 1899(メタ)【検】
11) Cui R, Cao G, Bai H, Zhang Z. The clinical benefits of hormonal treatment for LG-ESS : a meta-analysis. Arch Gynecol Obstet 2019 ; 300 : 1167-75(メタ)【委】
12) Garrett A, Quinn MA. Hormonal therapies and gynaecological cancers. Best Pract Res Clin Obstet Gynaecol 2008 ; 22 : 407-21(レビュー)【旧】
13) Pautier P, Floquet A, Gladieff L, Bompas E, Ray-Coquard I, Piperno-Neumann S, et al. A randomized clinical trial of adjuvant chemotherapy with doxorubicin, ifosfamide, and cisplatin followed by radiotherapy versus radiotherapy alone in patients with localized uterine sarco- mas(SARCGYN study). A study of the French sarcoma group. Ann Oncol 2013 ; 24 : 1099-104(ランダム)【委】

CQ 34
子宮肉腫の切除不能進行・再発患者に対して，薬物療法は勧められるか？

推奨

①全身状態を考慮して薬物療法を実施することを提案する。
推奨の強さ　2(↑)　エビデンスレベル　C　合意率94%(15/16人)

②薬物療法としてはドキソルビシン単剤療法を推奨する。
推奨の強さ　1(↑↑)　エビデンスレベル　A　合意率94%(15/16人)

③セカンドライン以降ではパゾパニブ，トラベクテジン，エリブリンを提案する。
推奨の強さ　2(↑)　エビデンスレベル　B　合意率94%(15/16人)

④低異型度子宮内膜間質肉腫ではホルモン療法を提案する。
推奨の強さ　2(↑)　エビデンスレベル　C　合意率100%(16/16人)

▶▶▶ 目　的

子宮肉腫の切除不能な局所病巣，転移病巣のある進行例，再発例に対する薬物療法の意義と推奨されるレジメンを検討する。

▶▶▶ 解　説

進行・転移病巣を伴う肉腫に対する治療としては全身治療である薬物療法が選択されるが，根治は困難であり生存期間の延長が目的となる。進行肉腫の治療経過を追跡した観察研究(METASARC試験)では[1]，多変量解析において女性，平滑筋肉腫，局所療法の施行，臨床試験への参加，初回の多剤併用療法が，良好なOSと相関する因子であった。子宮平滑筋肉腫を対象としたコホート研究では[2]，転移病巣に対しての薬物療法はOSを有意に延長させた。初回薬物療法を受けた肉腫患者を対象としたEORTCの12試験のプール解析では[3]，65歳以上では65歳未満と比べて治療奏効やOSは不良であった。緩和的薬物療法が行われた進行肉腫患者の嗜好調査(HOLISTIC試験)では[4]，全体集団ではQOLよりも生存期間を優先する割合がやや高く，特に40歳未満でその傾向が強かった。初回治療においては薬物療法のベネフィットが高い集団があるため，病態，全身状態，治療反応性や予後の見通しなどに基づいて治療選択を行う。

肉腫に対する殺細胞性薬剤の有効性はアントラサイクリン系薬剤であるドキソルビシンが最も高く，標準的な薬剤と位置付けられてきた。進行・転移病巣を伴う肉腫を対象とした初回治療におけるドキソルビシン単剤とAI療法(ドキソルビシン＋イホスファミド)を比較した第Ⅲ相試験(EORTC62012試験)では[5]，主要評価項目のOSは両群間で有意差を認めなかった(ドキソルビシン群12.8カ月 vs. AI群14.3カ月，HR 0.83)。PFS，奏効率ではAI療

法が良好であったものの，有害事象発現頻度は高い結果であった。本試験では平滑筋肉腫が25％を占めていたが，サブグループ解析では未分化多形肉腫以外にAI療法の有用性は示されなかった[6]。抗PDGF-αモノクローナル抗体であるolaratumabは第Ⅱ相試験においてドキソルビシンとの併用によるOSの延長効果が示され，ドキソルビシン単剤と比較した第Ⅲ相試験（ANNOUNCE試験）が行われたが，主要評価項目であるOSの延長は認めなかった（ドキソルビシン群19.7カ月 vs. ドキソルビシン＋olaratumab群20.4カ月，HR 1.05）[7]。本邦においても子宮肉腫を含めたHRD陽性再発・難治性婦人科希少がんに対するニラパリブの安全性・有効性を評価する単群・非盲検第Ⅱ相試験（JGOG2052試験）が進行中であり，その結果が期待される。

　平滑筋肉腫に対する初回治療として，DG療法（ゲムシタビン＋ドセタキセル）の高い奏効率が報告されてきた。進行・転移病巣を伴う肉腫を対象とした，初回治療におけるドキソルビシン単剤とDG療法を比較した第Ⅲ相試験（GeDDiS試験）では[8]，主要評価項目である24週時点での無増悪生存率は両群間で有意差を認めなかった（ドキソルビシン群46％ vs. DG群46％）。本試験では子宮平滑筋肉腫が28％を占めていたが，子宮原発や平滑筋肉腫のサブグループにおいても両群間の差は認めなかった。

　肉腫を対象とした初回化学療法の27のRCTを用いたメタアナリシスでは[9]，ドキソルビシン単剤（75 mg/m^2）と比較して他の薬剤または併用レジメンは1年OSでは良好であったものの，全体のOS，PFSでは差がなく，有害事象は高頻度であった。ドキソルビシン単剤に対してOSの延長を示した治療レジメンはなく，現在のところ初回治療の標準レジメンはドキソルビシン単剤である。最近，転移性または切除不能な平滑筋肉腫に対するドキソルビシン単剤（75 mg/m^2）とドキソルビシン（60 mg/m^2）＋トラベクテジン（1.1 mg/m^2）併用およびトラベクテジン維持療法を比較した第Ⅲ相試験（LMS-04試験）で，ドキソルビシン＋トラベクテジン併用群はドキソルビシン単剤群に比べてPFSを有意に延長したことが報告された（12.2カ月［95％CI 10.1-15.6］ vs. 6.2カ月［95％CI 4.1-7.1］，p＜0.0001）[10]。平滑筋肉腫に対するドキソルビシン＋トラベクテジン併用療法は選択肢として考慮される可能性がある。

　進行・再発肉腫のセカンドラインとしては，従来はドキソルビシン以外の薬剤が選択されていたが，エビデンスが乏しく予後改善効果も不明であった。マルチチロシンキナーゼ阻害薬であるパゾパニブは，アントラサイクリンを含む前治療後に増悪した肉腫（脂肪肉腫などの一部の組織型を除く）を対象にプラセボと比較した第Ⅲ相試験（PALETTE試験）において，主要評価項目のPFSで有意な延長を認めた（パゾパニブ群4.6カ月 vs. プラセボ群1.6カ月，HR 0.31）[11]。サブグループ解析では，全体集団と同様に平滑筋肉腫における有効性も示された。トラベクテジンは，標準的初回治療後に増悪した染色体転座をもつ肉腫を対象とした国内第Ⅱ相試験において，BSC群と比較し主要評価項目のPFSで有意な延長を認めた（トラベクテジン群5.6カ月 vs. BSC群0.9カ月，HR 0.07）[12]。また，アントラサイクリンを含む前治療後に増悪した脂肪肉腫，平滑筋肉腫を対象としたトラベクテジンとダカルバジンを比較する第Ⅲ相試験では，主要評価項目のOSでは両群間で差はなかったが，PFSではトラ

ベクテジン群で有意な延長を認め(トラベクテジン群 4.2 カ月 vs. ダカルバジン群 1.5 カ月，HR 0.55)[13]，平滑筋肉腫のサブグループでも同様の有効性が示された[14]。エリブリンは，アントラサイクリンを含む少なくとも 2 レジメンの前治療後に増悪した脂肪肉腫，平滑筋肉腫を対象にダカルバジンと比較した第Ⅲ相試験において，主要評価項目の OS で有意な延長を認めた(エリブリン群 13.5 カ月 vs. ダカルバジン群 11.5 カ月，HR 0.77)[15]。平滑筋肉腫のサブグループでは両群間の差は認めておらず，ダカルバジンと同等程度の有効性が示唆された。

これらの薬剤は，有効性が認められた組織型が異なり，投与の至適順位は不明であることから，病状，各薬剤の投与方法や有害事象等を考慮して選択される。前治療歴のある再発肉腫に対するサルベージ薬物療法は，10 の RCT を用いたメタアナリシスにて OS，PFS 延長のベネフィットが示されている[16]。ただし，セカンドラインをこえての効果は限定的とされる[1]。

高頻度マイクロサテライト不安定性(MSI-high)固形腫瘍に対して，抗 PD-1 抗体であるペムブロリズマブが保険診療下で使用可能である。肉腫に対する免疫チェックポイント阻害薬を使用した 27 試験を対象にしたメタアナリシスでは[17]，奏効率は集団全体で 14% であったが，組織型による差が大きく，平滑筋肉腫では 10% と限定的な効果であった。

低異型度子宮内膜間質肉腫に対しては，ER/PgR の発現を認め，臨床的に緩徐な経過をとることから，ホルモン療法が検討される[18,19]。進行・再発例に対して，MPA やアロマターゼ阻害薬であるレトロゾールによる治療効果が示されている(4 報告 18 名のうち 11 名で奏効)[18]。高異型度子宮内膜間質肉腫，未分化子宮肉腫に対しては，ホルモン感受性が低く病勢進行が速いことより，殺細胞性薬剤による治療が検討される[18,20]。進行・再発例に対してドキソルビシン(奏効率 50%)やイホスファミド(奏効率 33%)による治療効果が報告されており[18]，後方視的コホート研究では薬物療法の施行は良好な OS と相関していた[21]。進行・再発子宮内膜間質肉腫に対する個別の薬物療法のエビデンスは少なく，一般的な肉腫と同様の治療レジメンが選択される。

▶ 参考文献

1) Savina M, Le Cesne A, Blay JY, Ray-Coquard I, Mir O, Toulmonde M, et al. Patterns of care and outcomes of patients with METAstatic soft tissue SARComa in a real-life setting : the METASARC observational study. BMC Med 2017 ; 15 : 78(コホート)【検】
2) Seagle BL, Sobecki-Rausch J, Strohl AE, Shilpi A, Grace A, Shahabi S. Prognosis and treatment of uterine leiomyosarcoma : a National Cancer Database study. Gynecol Oncol 2017 ; 145 : 61-70(コホート)【検】
3) Younger E, Litire S, Le Cesne A, Mir O, Gelderblom H, Italiano A, et al. Outcomes of elderly patients with advanced soft tissue sarcoma treated with first-line chemotherapy : a pooled analysis of 12 EORTC soft tissue and bone sarcoma group trials. Oncologist 2018 ; 23 : 1250-9(コホート)【検】
4) Younger E, Jones RL, den Hollander D, Soomers VLMN, Desar IME, Benson C, et al. Priorities and preferences of advanced soft tissue sarcoma patients starting palliative chemotherapy : baseline results from the HOLISTIC study. ESMO Open 2021 ; 6 : 100258(コホート)【検】
5) Judson I, Verweij J, Gelderblom H, Hartmann JT, Schöffski P, Blay JY, et al. Doxorubicin alone versus intensified doxorubicin plus ifosfamide for first-line treatment of advanced or metastatic soft-tissue sarcoma : a randomised controlled phase 3 trial. Lancet Oncol 2014 ; 15 : 415-23(ランダム)【委】
6) Young RJ, Litière S, Lia M, Hogendoorn PCW, Fisher C, Mechtersheimer G, et al. Predictive and prog-

nostic factors associated with soft tissue sarcoma response to chemotherapy : a subgroup analysis of the European Organisation for Research and Treatment of Cancer 62012 study. Acta Oncol 2017 ; 56 : 1013-20（ランダム）【検】

7) Tap WD, Wagner AJ, Schöffski P, Martin-Broto J, Krarup-Hansen A, Ganjoo KN, et al. Effect of doxorubicin plus olaratumab vs doxorubicin plus placebo on survival in patients with advanced soft tissue sarcomas : the ANNOUNCE randomized clinical trial. JAMA 2020 ; 323 : 1266-76（ランダム）【検】

8) Seddon B, Strauss SJ, Whelan J, Leahy M, Woll PJ, Cowie F, et al. Gemcitabine and docetaxel versus doxorubicin as first-line treatment in previously untreated advanced unresectable or metastatic soft-tissue sarcomas (GeDDiS) : a randomised controlled phase 3 trial. Lancet Oncol 2017 ; 18 : 1397-410（ランダム）【検】

9) Tanaka K, Kawano M, Iwasaki T, Itonaga I, Tsumura H. A meta-analysis of randomized controlled trials that compare standard doxorubicin with other first-line chemotherapies for advanced/metastatic soft tissue sarcomas. PLoS One 2019 ; 14 : e0210671（メタ）【検】

10) Pautier P, Italiano A, Piperno-Neumann S, Chevreau C, Penel N, Firmin N, et al. Doxorubicin alone versus doxorubicin with trabectedin followed by trabectedin alone as first-line therapy for metastatic or unresectable leiomyosarcoma (LMS-04) : a randomised, multicentre, open-label phase 3 trial. Lancet Oncol 2022 ; 23 : 1044-54（ランダム）【委】

11) van der Graaf WT, Blay JY, Chawla SP, Kim DW, Bui-Nguyen B, Casali PG, et al. Pazopanib for metastatic soft-tissue sarcoma (PALETTE) : a randomised, double-blind, placebo-controlled phase 3 trial. Lancet 2012 ; 379 : 1879-86（ランダム）【旧】

12) Kawai A, Araki N, Sugiura H, Ueda T, Yonemoto T, Takahashi M, et al. Trabectedin monotherapy after standard chemotherapy versus best supportive care in patients with advanced, translocation-related sarcoma : a randomised, open-label, phase 2 study. Lancet Oncol 2015 ; 16 : 406-16（ランダム）【委】

13) Demetri GD, von Mehren M, Jones RL, Hensley ML, Schuetze SM, Staddon A, et al. Efficacy and safety of trabectedin or dacarbazine for metastatic liposarcoma or leiomyosarcoma after failure of conventional chemotherapy : results of a phase III randomized multicenter clinical trial. J Clin Oncol 2016 ; 34 : 786-93（ランダム）【旧】

14) Hensley ML, Patel SR, von Mehren M, Ganjoo K, Jones RL, Staddon A, et al. Efficacy and safety of trabectedin or dacarbazine in patients with advanced uterine leiomyosarcoma after failure of anthracycline-based chemotherapy : Subgroup analysis of a phase 3, randomized clinical trial. Gynecol Oncol 2017 ; 146 : 531-7（ランダム）【検】

15) Schoffski P, Chawla S, Maki RG, Italiano A, Gelderblom H, Choy E, et al. Eribulin versus dacarbazine in previously treated patients with advanced liposarcoma or leiomyosarcoma : a randomised, open-label, multicentre, phase 3 trial. Lancet 2016 ; 387 : 1629-37（ランダム）【旧】

16) Comandone A, Petrelli F, Boglione A, Barni S. Salvage Therapy in advanced adult soft tissue sarcoma : a systematic review and meta-analysis of randomized trials. Oncologist 2017 ; 22 : 1518-27（メタ）【検】

17) Saerens M, Brusselaers N, Rottey S, Decruyenaere A, Creytens D, Lapeire L. Immune checkpoint inhibitors in treatment of soft-tissue sarcoma : a systematic review and meta-analysis. Eur J Cancer 2021 ; 152 : 165-82（メタ）【検】

18) Rauh-Hain JA, del Carmen MG. Endometrial stromal sarcoma : a systematic review. Obstet Gynecol 2013 ; 122 : 676-83（メタ）【委】

19) Pink D, Lindner T, Mrozek A, Kretzschmar A, Thuss-Patience PC, Dörken B, et al. Harm or benefit of hormonal treatment in metastatic low-grade endometrial stromal sarcoma : single center experience with 10 cases and review of the literature. Gynecol Oncol 2006 ; 101 : 464-9（ケースシリーズ）【旧】

20) Hemming ML, Wagner AJ, Nucci MR, Chiang S, Wang L, Hensley ML, et al. YWHAE-rearranged high-grade endometrial stromal sarcoma : two-center case series and response to chemotherapy. Gynecol Oncol 2017 ; 145 : 531-5（ケースシリーズ）【旧】

21) Seagle BL, Shilpi A, Buchanan S, Goodman C, Shahabi S. Low-grade and high-grade endometrial stromal sarcoma : a National Cancer Database study. Gynecol Oncol 2017 ; 146 : 254-62（コホート）【委】

第8章 絨毛性疾患の治療

総説

　絨毛性疾患とは胎盤栄養膜細胞（トロホブラスト）の異常増殖をきたす疾患の総称であり，『絨毛性疾患取扱い規約 第3版』[1]において，胞状奇胎 hydatidiform mole，侵入胞状奇胎（侵入奇胎）invasive mole，絨毛癌 choriocarcinoma，胎盤部トロホブラスト腫瘍 placental site trophoblastic tumor（PSTT），類上皮性トロホブラスト腫瘍 epithelioid trophoblastic tumor（ETT），存続絨毛症 persistent trophoblastic disease の6つに分類されている。病理学的には，胞状奇胎（全胞状奇胎，部分胞状奇胎，侵入奇胎），絨毛癌，中間型トロホブラスト腫瘍（PSTT，ETT）に分類される（表4）。2020年のWHO第5版の組織分類においては，悪性の絨毛性疾患としては，妊娠性絨毛癌，PSTT，ETTに加えて，これらのうち2ないし3つの混合型の腫瘍として mixed trophoblastic tumor が分類されている[2]。侵入奇胎，絨毛癌，PSTT，ETT，存続絨毛症は薬物療法や病巣の摘出手術を必要とし，いずれも臨床的な性格から腫瘍として捉えられており，本ガイドラインではそれらの治療について解説する。

　侵入奇胎は胞状奇胎絨毛が子宮筋層内へ浸潤したものであり，全胞状奇胎の15〜20%，部分胞状奇胎の1〜4%に続発する[3-6]。約1/3の症例に肺転移を認める。一方，絨毛癌は全胞状奇胎の1〜2%に続発するとともに，分娩・流産などあらゆる妊娠に続発し得る。病理組織学的には合胞体・細胞性栄養膜細胞類似の異型細胞が two cell pattern を形成し，中間型栄養膜細胞類似の腫瘍細胞も混在し，出血・壊死を伴って増殖・浸潤する。免疫組織化学的に腫瘍細胞は hCG が陽性となる[2]。絨毛形態を認めない点で侵入奇胎と区別される。肺，脳，肝など全身に血行性転移を起こしやすい。

　絨毛癌と侵入奇胎はともに hCG という特異的腫瘍マーカーが存在し，薬物療法が著効するという共通点を有する。絨毛癌は侵入奇胎に比べて予後不良であるため，治療開始前に両者を判別し，適切な治療方針と薬物療法レジメンを選択することが重要である。本来，両者の鑑別には病理組織学的診断が必要だが，妊孕性温存などの理由から薬物療法のみで治療を開始し，組織学的所見が得られない場合が多い。このように hCG 値（必ず mIU/mL の単位で測定する）や画像検査により，侵入奇胎または絨毛癌などが臨床的に疑われるものの，病

表4　病理学的分類

1) 胞状奇胎　hydatidiform mole
　　(1) 全胞状奇胎（全奇胎）　complete hydatidiform mole
　　(2) 部分胞状奇胎（部分奇胎）　partial hydatidiform mole
　　(3) 侵入胞状奇胎（侵入奇胎）　invasive hydatidiform mole
2) 絨毛癌　choriocarcinoma
3) 中間型トロホブラスト腫瘍　intermediate trophoblastic tumor
　　(1) 胎盤部トロホブラスト腫瘍　placental site trophoblastic tumor（PSTT）
　　(2) 類上皮性トロホブラスト腫瘍　epithelioid trophoblastic tumor（ETT）

表5 絨毛癌診断スコア[1]

合計スコアが4点以下の場合は臨床的侵入奇胎，5点以上の場合は臨床的絨毛癌と診断する。

スコア （絨毛癌である可能性）		0 （〜50%）	1 （〜60%）	2 （〜70%）	3 （〜80%）	4 （〜90%）	5 （〜100%）
先行妊娠		胞状奇胎			流産		正期産
潜伏期		〜6カ月未満				6カ月〜3年未満	3年〜
原発病巣		子宮体部 子宮傍結合織 腟			卵管 卵巣	子宮頸部	骨盤外
転移部位		なし 肺 骨盤内					骨盤外 （肺を除く）
肺転移巣	直径	〜20mm未満			20〜30mm未満		30mm〜
	大小不同性	なし				あり	
	個数	〜20					21〜
hCG値（mIU/mL）		〜10^6未満	10^6〜10^7未満		10^7〜		
基礎体温 （月経周期）		不規則・1相性（不規則）					2相性（整調）

［注］
1. 先行妊娠：直前の妊娠とする。
2. 潜伏期：先行妊娠の終了から診断までの期間とする。
3. 肺転移巣の大小不同性：肺陰影の大小に直径1cm以上の差がある場合に大小不同とする。
4. 基礎体温（月経周期）：先行妊娠の終了から診断までの期間に少なくとも数カ月以上続いて基礎体温が2相性を示すか，あるいは規則正しく月経が発来する場合に整調とする。なお，整調でなくともこの間にhCGがカットオフ値以下であることが数回にわたって確認されていれば5点を与える。
5. 胞状奇胎娩出後hCGがカットオフ値以下になった後に，新たな妊娠ではなくhCG値の再上昇を示す場合には5点を与える。

巣の組織学的確認が得られない場合を存続絨毛症と総称し，臨床的侵入奇胎，臨床的絨毛癌，奇胎後hCG存続症の3つに細分類されている。画像で病巣が確認できる場合には絨毛癌診断スコア（表5）を用いて，合計4点以下を臨床的侵入奇胎，5点以上を臨床的絨毛癌と診断する[1]。胞状奇胎後hCG値の下降が非順調型であるが，画像で病巣が確認できない場合には奇胎後hCG存続症と診断する。FIGO 2000[7]では，これらを妊娠性絨毛性腫瘍（GTN）と称して包括的に捉え，FIGO staging and risk factor scoring system（表6）を用いて，合計スコア6点以下をlow risk，7点以上をhigh riskに分類している。絨毛性腫瘍の診断においては絨毛癌診断スコアとFIGOリスクスコアの両者によるスコアリングを行う。本邦における臨床的侵入奇胎および奇胎後hCG存続症はFIGO分類のlow risk GTNに，臨床的絨毛癌はhigh risk GTNに概ね相当するが，両者の間で診断が異なる場合は，本邦では絨毛癌診断スコアを優先して治療法の選択をしていることが多い。

侵入奇胎（low risk GTN）に対する初回治療はメトトレキサートまたはアクチノマイシンDの単剤投与が基本である[8-11]（CQ35）。初回治療による寛解率は70〜80%程度であるが，その後の治療を含めての最終的な寛解率は，ほぼ100%である。絨毛癌（high risk GTN）に対してはメトトレキサート，アクチノマイシンD，エトポシドの3剤を含む多剤併用療法が

表6 FIGO2000 staging and risk factor scoring system for gestational trophoblastic neoplasia(GTN)

FIGO Staging	
Stage Ⅰ	腫瘍が子宮に限局するもの
Stage Ⅱ	腫瘍が子宮外に及ぶが，付属器，腟，広靱帯内にとどまるもの
Stage Ⅲ	肺転移のあるもの（性器病変の有無にかかわらない）
Stage Ⅳ	肺以外の遠隔転移のあるもの

FIGO Scoring				
Score	0	1	2	4
年齢	<40	≧40	-	-
先行妊娠	胞状奇胎	流産	正期産	-
先行妊娠からの期間(月)	<4	4〜<7	7〜<13	≧13
治療前血中 hCG(mIU/mL)	$<10^3$	10^3〜$<10^4$	10^4〜$<10^5$	$≧10^5$
腫瘍最大径(cm)(子宮を含む)	<3	3〜<5	≧5	-
転移部位	肺	脾臓，腎臓	消化管	肝臓，脳
転移個数	-	1〜4	5〜8	>8
前化学療法	-	-	単剤	2剤または多剤

合計スコア6点以下を low risk GTN，7点以上を high risk GTN とする。

初回治療として選択され，寛解率は80％程度である[10-15]（CQ36）。薬物療法抵抗性病変や制御困難な出血などに対して，子宮全摘出術や転移巣の外科的切除が行われる[16]（CQ37）。脳転移に対する開頭術や放射線治療も適応に準じて薬物療法と併用して選択される（CQ37）。これらの薬物療法を中心とした集学的治療により，絨毛癌の生存率は85〜91％と報告されている[14,15,17]が，肺以外の遠隔転移や初回薬物療法抵抗性は予後不良となるリスク因子であり[18]，10％前後の難治性絨毛癌症例に対する治療法の確立は重要な検討課題である。

侵入奇胎および絨毛癌の多くは生殖年齢の女性に発症し，薬物療法を中心とした妊孕性温存治療によって寛解する症例も多い。挙児希望のある患者には寛解後は1年間の避妊を指導し，その間に再発を認めなければ次の妊娠を許可できる。

PSTTおよびETTは稀な絨毛性疾患であり，中間型栄養膜細胞由来の腫瘍に分類される[19]。両者とも診断には病理組織学的検査が必要であり，前述のスコアリングによる臨床診断は適用されない[1,7]。PSTTは胎盤着床部の中間型栄養膜細胞に類似した腫瘍細胞が子宮平滑筋束や平滑筋線維を押し分けるように増殖する像が特徴的で，通常，絨毛形態は存在しない。免疫組織化学的に腫瘍細胞はhPLとMel-CAMが陽性となることが特徴で[2,10,19]，hCGは一部に陽性または陰性である。PSTTは薬物療法に対する感受性が一般に低く，治療は病巣が子宮に限局した症例では子宮全摘出術が第一選択であり，生存率は90％以上と良好である[20]（CQ38）。子宮外病変や転移を有する症例では手術に加えて，シスプラチンを含む多剤併用療法が選択されるが，生存率は60％程度と低い[10,20]。一方，ETTは絨毛膜無毛部の中間型栄養膜細胞に類似する細胞からなり[19]，単核の腫瘍細胞が巣状・索状・地図状に増殖し，中央部に硝子様変化や壊死を伴うことが多い。免疫組織化学的には腫瘍細胞はサイトケラチン陽性に加え，p63が陽性となることが特徴的であり[2,10,19]，hCGは一部に陽性または陰性である。30〜50％が子宮頸部に発生し，扁平上皮癌との鑑別を要する。ETTに

対しては主に手術療法が行われ，進行例においては PSTT と同様の薬物療法が選択されるが[10,21]，多数の症例を検討した報告はなく治療法は確立していない。

▶ 参考文献

1) 日本産科婦人科学会，日本病理学会 編．絨毛性疾患取扱い規約 第3版．金原出版，東京，2011
2) WHO Classification of Tumours Editorial Board ed. World Health Organization classification of tumours. 5th ed. Female genital tumours. IARC Press, Lyon, 2020, 309-33
3) Albright BB, Shorter JM, Mastroyannis SA, Ko EM, Schreiber CA, Sonalkar S. Gestational trophoblastic neoplasia after human chorionic gonadotropin normalization following molar pregnancy : a systematic review and meta-analysis. Obstet Gynecol 2020 ; 135 : 12-23
4) Kaneki E, Kobayashi H, Hirakawa T, Matsuda T, Kato H, Wake N. Incidence of postmolar gestational trophoblastic disease in androgenetic moles and the morphological features associated with low risk postmolar gestational trophoblastic disease. Cancer Sci 2010 ; 101 : 1717-21
5) Usui H, Qu J, Sato A, Pan Z, Mitsuhashi A, Matsui H, et al. Gestational trophoblastic neoplasia from genetically confirmed hydatidiform moles : prospective observational cohort study. Int J Gynecol Cancer 2018 ; 28 : 1772-80
6) Yamamoto E, Nishino K, Niimi K, Watanabe E, Oda Y, Ino K, et al. Evaluation of a routine second curettage for hydatidiform mole : a cohort study. Int J Clin Oncol 2020 ; 25 : 1178-86
7) FIGO Oncology Committee. FIGO staging for gestational trophoblastic neoplasia 2000. FIGO Oncology Committee. Int J Gynaecol Obstet 2002 ; 77 : 285-7
8) Lawrie TA, Alazzam M, Tidy J, Hancock BW, Osborne R. First-line chemotherapy in low-risk gestational trophoblastic neoplasia. Cochrane Database Syst Rev 2016 ; (6) : CD007102
9) Schink JC, Filiaci V, Huang HQ, Tidy J, Winter M, Carter J, et al. An international randomized phase III trial of pulse actinomycin-D versus multi-day methotrexate for the treatment of low risk gestational trophoblastic neoplasia ; NRG/GOG 275. Gynecol Oncol 2020 ; 158 : 354-60
10) Gestational Trophoblastic Neoplasia (Version 1. 2022). NCCN Clinical Practice Guidelines in Oncology http://www.nccn.org/professionals/physician_gls/f_guidelines.asp
11) Lok C, van Trommel N, Massuger L, Golfier F, Seckl M, Clinical Working Party of the EOTTD. Practical clinical guidelines of the EOTTD for treatment and referral of gestational trophoblastic disease. Eur J Cancer 2020 ; 130 : 228-40
12) Sato S, Yamamoto E, Niimi K, Ino K, Nishino K, Suzuki S, et al. The efficacy and toxicity of 4-day chemotherapy with methotrexate, etoposide and actinomycin D in patients with choriocarcinoma and high-risk gestational trophoblastic neoplasia. Int J Clin Oncol 2020 ; 25 : 203-9
13) Bower M, Newlands ES, Holden L, Short D, Brock C, Rustin GJ, et al. EMA/CO for high-risk gestational trophoblastic tumors : results from a cohort of 272 patients. J Clin Oncol 1997 ; 15 : 2636-43
14) Matsui H, Suzuka K, Iitsuka Y, Seki K, Sekiya S. Combination chemotherapy with methotrexate, etoposide, and actinomycin D for high-risk gestational trophoblastic tumors. Gynecol Oncol 2000 ; 78 : 28-31
15) Kim SJ, Bae SN, Kim JH, Kim CJ, Jung JK. Risk factors for the prediction of treatment failure in gestational trophoblastic tumors treated with EMA/CO regimen. Gynecol Oncol 1998 ; 71 : 247-53
16) Lurain JR, Singh DK, Schink JC. Role of surgery in the management of high-risk gestational trophoblastic neoplasia. J Reprod Med 2006 ; 51 : 773-6
17) Alifrangis C, Agarwal R, Short D, Fisher RA, Sebire NJ, Harvey R, et al. EMA/CO for high-risk gestational trophoblastic neoplasia : good outcomes with induction low-dose etoposide-cisplatin and genetic analysis. J Clin Oncol 2013 ; 31 : 280-6
18) Powles T, Savage PM, Stebbing J, Short D, Young A, Bower M, et al. A comparison of patients with relapsed and chemo-refractory gestational trophoblastic neoplasia. Br J Cancer 2007 ; 96 : 732-7
19) Shih IM, Kurman RJ. The pathology of intermediate trophoblastic tumors and tumor-like lesions. Int J Gynecol Pathol 2001 ; 20 : 31-47

20) Froeling FEM, Ramaswami R, Papanastasopoulos P, Kaur B, Sebire NJ, Short D, et al. Intensified therapies improve survival and identification of novel prognostic factors for placental-site and epithelioid trophoblastic tumours. Br J Cancer 2019 ; 120 : 587-94
21) Frijstein MM, Lok CAR, van Trommel NE, Ten Kate-Booij MJ, Massuger LFAG, van Werkhoven E, et al. Management and prognostic factors of epithelioid trophoblastic tumors : results from the International Society for the Study of Trophoblastic Diseases database. Gynecol Oncol 2019 ; 152 : 361-7

CQ 35
侵入奇胎，臨床的侵入奇胎，および奇胎後 hCG 存続症に対して推奨される薬物療法は？

推奨
メトトレキサートあるいはアクチノマイシン D による単剤療法を推奨する。
推奨の強さ　1(↑↑)　エビデンスレベル　B　合意率 100%（16/16 人）

▶▶ 目　的

Low risk GTN に相当する侵入奇胎，臨床的侵入奇胎，および奇胎後 hCG 存続症に対する薬物療法について検討する（レジメンの詳細は 40 頁～参照）。

▶▶ 解　説

侵入奇胎，臨床的侵入奇胎，および奇胎後 hCG 存続症に対して汎用される薬剤は，メトトレキサートあるいはアクチノマイシン D の 2 剤であり，投与方法が異なる複数のレジメンが存在する。メトトレキサートの主な有害事象は肝機能障害，口内炎，皮疹であり，アクチノマイシン D の有害事象は悪心・嘔吐，脱毛，骨髄抑制，血管外漏出による皮膚壊死などである。エトポシドの効果はメトトレキサート，アクチノマイシン D と同等あるいはそれ以上とされたが[1]，エトポシド投与後の二次性発がん（白血病など）の問題があり，予後良好な侵入奇胎に対する初回薬物療法としては原則として使用されていない。

初回薬物療法として使用されるメトトレキサート単剤療法においては 5-day メトトレキサート療法またはメトトレキサート-ホリナートカルシウム療法が勧められる。5-day メトトレキサート療法（0.4 mg/kg を 5 日間筋肉内投与）は，国内では最も汎用されており，初回治療による寛解率は 68～78% と報告されている[2-4]。メトトレキサート-ホリナートカルシウム療法は，5-day メトトレキサート療法の効果増強と有害事象軽減を目的としてメトトレキサート 1.0 mg/kg を Day 1, 3, 5, 7 に筋肉内投与し，Day 2, 4, 6, 8 にホリナートカルシウム（ロイコボリン）0.1 mg/kg を投与する。初回治療による寛解率は 60～77% と報告されている[5-7]。メトトレキサート 30～50 mg/m^2 を毎週 1 回筋肉内投与する weekly メトトレキサート療法は，初回治療寛解率が低いことより推奨されない[8,9]。

一方，アクチノマイシン D を用いたレジメンは，5-day アクチノマイシン D 療法とアクチノマイシン D パルス療法がある。5-day アクチノマイシン D 療法（10 μg/kg を 5 日間静注）による初回治療寛解率は 71～84% と報告されている[2,5,10]。アクチノマイシン D パルス療法は，5-day アクチノマイシン D 療法の有害事象軽減のためにアクチノマイシン D（40 μg/kg または 1.25 mg/m^2）を 2 週間に 1 回静注する方法である[11,12]。アクチノマイシン D パルス療

法とメトトレキサート複数日投与療法(5-day メトトレキサート療法およびメトトレキサート-ホリナートカルシウム療法)を比較する RCT(GOG275 試験：NCT01535053)の結果，初回治療寛解率および有害事象総合評価に有意な差を認めなかった[12]。メトトレキサートは骨髄抑制や脱毛，悪心・嘔吐の有害事象がアクチノマイシン D に比べて少ないことより，NCCN ガイドライン 2022 年版では初回治療のレジメンとしてメトトレキサート複数日投与療法が推奨されている[8]が，メトトレキサートとアクチノマイシン D のいずれのレジメンが最も推奨されるかについては，まだ結論が得られていない。なお，GOG275 試験では 5-day メトトレキサート療法は静脈内投与だが，国内では筋肉内投与が一般的である。

薬物療法を施行するも hCG 値が上昇する場合，あるいは 2〜3 サイクルで十分な hCG 値の下降が得られない場合に薬剤抵抗性と判定し，投与薬剤あるいは投与法の変更を考慮する必要がある。セカンドラインのレジメンとしては，ファーストラインがメトトレキサートであればアクチノマイシン D に，アクチノマイシン D であればメトトレキサートに変更する。また，ファーストラインがアクチノマイシン D パルス療法であった場合には，投与法をパルス法から 5 日間投与法へ変更することも考慮すべきと報告されている[13]。メトトレキサート治療後薬剤抵抗性となりアクチノマイシン D を投与した場合，5 日間投与法でもパルス療法でも寛解率は 72〜74％と差を認めなかった[9,14]。パルス療法に比べて 5 日間投与法の方が血小板減少，口内炎，脱毛の有害事象の頻度が高かったが，寛解までの投与回数は少なかった[9]。

いずれのレジメンを使用しても，ファーストラインによる寛解率は 70〜80％程度，セカンドラインによる寛解率は約 90％だが[7,15,16]，サードライン以降のレジメンや多剤併用療法を含めた治療により，最終的にはほぼ 100％の寛解率を達成することが可能である[3]。サードラインのレジメンには，エトポシド単剤療法，あるいは絨毛癌の項(**CQ36**)で述べる多剤併用療法を用いる。また，寛解後再発した場合も，絨毛癌に対する治療を行う。

治療により hCG が正常値(測定単位は mIU/mL)に下降した後，1〜3 サイクル程度の追加薬物療法を行うことが一般的である[11,17]。

侵入奇胎においては，ほとんどが薬物療法のみで治療されるため，手術療法の役割は少ないが，制御困難な性器出血や腹腔内出血では子宮全摘出術や腫瘍摘出術，腟転移切除等の手術療法が必要とされる場合がある。さらに，子宮内に病巣があり，転移のない場合には手術療法により薬物療法のサイクル数を減少できる可能性が示唆されており，挙児希望がない症例では子宮全摘出術を行うこともある[18,19]。子宮全摘出術を行った場合でも，術後の薬物療法は必要と考えられている。

▶ **参考文献**

1) Newlands ES, Bagshawe KD. Anti-tumour activity of the epipodophyllin derivative VP16-213 (etoposide : NSC-141540) in gestational choriocarcinoma. Eur J Cancer 1980 ; 16 : 401-5(ケースコントロール)【旧】
2) Matsui H, Iitsuka Y, Seki K, Sekiya S. Comparison of chemotherapies with methotrexate, VP-16 and actinomycin-D in low-risk gestational trophoblastic disease. Remission rates and drug toxicities. Gynecol Obstet Invest 1998 ; 46 : 5-8(ケースコントロール)【旧】

3) Mousavi A, Cheraghi F, Yarandi F, Gilani MM, Shojaei H. Comparison of pulsed actinomycin D versus 5-day methotrexate for the treatment of low-risk gestational trophoblastic disease. Int J Gynecol Obstet 2012 ; 116 : 39-42（ケースコントロール）【委】
4) Yarandi F, Mousavi A, Abbaslu F, Aminimoghaddam S, Nekuie S, Adabi K, et al. Five-day intravascular methotrexate versus biweekly actinomycin-D in the treatment of low-risk gestational trophoblastic neoplasia : a clinical randomized trial. Int J Gynecol Cancer 2016 ; 26 : 971-6（ランダム）【委】
5) Lertkhachonsuk AA, Israngura N, Wilailak S, Tangtrakul S. Actinomycin d versus methotrexate-folinic acid as the treatment of stage I, low-risk gestational trophoblastic neoplasia : a randomized controlled trial. Int J Gynecol Cancer 2009 ; 19 : 985-8（ランダム）【委】
6) Taylor F, Grew T, Everard J, Ellis L, Winter MC, Tidy J, et al. The outcome of patients with low risk gestational trophoblastic neoplasia treated with single agent intramuscular methotrexate and oral folinic acid. Eur J Cancer 2013 ; 49 : 3184-90（ケースコントロール）【旧】
7) Braga A, de Souza Hartung Araújo C, Mora PAR, Paulino E, de Melo AC, Velarde GC, et al. Comparison of treatment for low-risk GTN with standard 8-day MTX/FA regimen versus modified MTX/FA regimen without chemotherapy on the weekend. Gynecol Oncol 2020 ; 156 : 598-605（ケースコントロール）【検】
8) Gestational Trophoblastic Neoplasia（Version 1. 2022）. NCCN Clinical Practice Guidelines in Oncology http://www.nccn.org/professionals/physician_gls/f_guidelines.asp（ガイドライン）【委】
9) Maestá I, Nitecki R, Desmarais CCF, Horowitz NS, Goldstein DP, Elias KM, et al. Effectiveness and toxicity of second-line actinomycin D in patients with methotrexate-resistant postmolar low-risk gestational trophoblastic neoplasia. Gynecol Oncol 2020 ; 157 : 372-8（ケースコントロール）【委】
10) Abrão RA, de Andrade JM, Tiezzi DG, Marana HR, Candido dos Reis FJ, Clagnan WS. Treatment for low-risk gestational trophoblastic disease : comparison of singleagent methotrexate, dactinomycin and combination regimens. Gynecol Oncol 2008 ; 108 : 149-53（ケースコントロール）【委】
11) Osborne RJ, Filiaci V, Schink JC, Mannel RS, Alvarez Secord A, Kelley JL, et al. Phase III trial of weekly methotrexate or pulsed dactinomycin for low-risk gestational trophoblastic neoplasia : a Gynecologic Oncology Group Study. J Clin Oncol 2011 ; 29 : 825-31（ランダム）【旧】
12) Schink JC, Filiaci V, Huang HQ, Tidy J, Winter M, Carter J, et al. An international randomized phase III trial of pulse actinomycin-D versus multi-day methotrexate for the treatment of low risk gestational trophoblastic neoplasia ; NRG/GOG 275. Gynecol Oncol 2020 ; 158 : 354-60（ランダム）【検】
13) Kohorn EI. Is lack of response to single-agent chemotherapy in gestational trophoblastic disease associated with dose scheduling or chemotherapy resistance? Gynecol Oncol 2002 ; 85 : 36-9（ケースシリーズ）【旧】
14) Covens A, Filiaci VL, Burger RA, Osborne R, Chen MD ; Gynecologic Oncology Group. Phase II trial of pulse dactinomycin as salvage therapy for failed low-risk gestational trophoblastic neoplasia : a Gynecologic Oncology Group study. Cancer 2006 ; 107 : 1280-6（コホート）【旧】
15) Lurain JR, Chapman-Davis E, Hoekstra AV, Schink JC. Actinomycin D for methotrexate-failed low-risk gestational trophoblastic neoplasia. J Reprod Med 2012 ; 57 : 283-7（ケースコントロール）【委】
16) Prouvot C, Golfier F, Massardier J, You B, Lotz JP, Patrier S, et al. Efficacy and safety of second-line 5-day dactinomycin in case of methotrexate failure for gestational trophoblastic neoplasia. Int J Gynecol Cancer 2018 ; 28 : 1038-44（ケースコントロール）【検】
17) Lybol C, Sweep FC, Harvey R, Mitchell H, Short D, Thomas CM, et al. Relapse rates after two versus three consolidation courses of methotrexate in the treatment of low-risk gestational trophoblastic neoplasia. Gynecol Oncol 2012 ; 125 : 576-9（ケースコントロール）【旧】
18) Bolze PA, Mathe M, Hajri T, You B, Dabi Y, Schott AM, et al. First-line hysterectomy for women with low-risk non-metastatic gestational trophoblastic neoplasia no longer wishing to conceive. Gynecol Oncol 2018 ; 150 : 282-7（ケースコントロール）【旧】
19) Eysbouts YK, Massuger LFAG, IntHout J, Lok CAR, Sweep FCGJ, Ottevanger PB. The added value of hysterectomy in the management of gestational trophoblastic neoplasia. Gynecol Oncol 2017 ; 145 : 536-42（ケースコントロール）【検】

CQ 36

絨毛癌に対して推奨される薬物療法は？

推奨

メトトレキサート，アクチノマイシン D，エトポシドを含む多剤併用療法を推奨する。

推奨の強さ　1(↑↑)　エビデンスレベル　B　合意率 100％（16/16 人）

▶▶ 目　的

病理組織学的に診断された絨毛癌および臨床的絨毛癌（high risk GTN）に対する薬物療法について検討する（レジメンの詳細は 40 頁〜参照）。

▶▶ 解　説

絨毛癌および臨床的絨毛癌（high risk GTN）に対する治療の中心は薬物療法であり，メトトレキサート，アクチノマイシン D，エトポシドの 3 剤を含む多剤併用療法が初回治療の第一選択となる[1-3]。

EMA/CO 療法はエトポシド，メトトレキサート，アクチノマイシン D，シクロホスファミド，ビンクリスチンの 5 剤併用療法であり初回治療として最も汎用されている[3-7]。初回寛解率は報告全体として 67〜91％である。また，寛解後再発をきたす症例は 7〜19％と報告されている。MEA 療法はメトトレキサート，エトポシド，アクチノマイシン D の 3 剤併用療法であり，報告により投与量や投与法に若干の違いがあるが，初回寛解率は 75〜88％，再発率は 4〜10％であり[7-10]，治療成績・有害事象発生頻度も EMA/CO 療法と同程度である。

EMA/CO 療法，MEA 療法など多剤併用療法では，メトトレキサートやアクチノマイシン D 単剤療法に比較して，悪心・嘔吐，脱毛，口内炎，骨髄抑制などの発生頻度は高く，重症化することがある。また，早発閉経リスクの上昇が報告された[11]。エトポシドを含む治療法であるため，二次性発がん（白血病など）リスク上昇の可能性がある[11]。

絨毛癌の薬物療法中に 2〜3 サイクル以上にわたり hCG 値が変化しない場合，もしくは再上昇する場合は，レジメン変更が必要である[1,3]。また，hCG 値が正常範囲内（測定単位は mIU/mL）に下降後，追加薬物療法を行うことが必須であり，侵入奇胎に比較して再発率も高いことから，少なくとも 3〜4 サイクル程度の追加薬物療法が推奨されている[1,2,8,10]。また絨毛癌の治療においては，薬物療法をスケジュール通り遂行することが奏効率を高める重要な因子であり，G-CSF 製剤などの支持療法も積極的に行うべきである[1,3]。

治療抵抗例や再発例に対しては，以下に述べる薬物療法が推奨されている。EP/EMA 療

法[3]はエトポシド，メトトレキサート，アクチノマイシン D にシスプラチンを加えた 4 剤併用療法であり，EMA/CO 療法抵抗性となった 34 例を治療し 88％が生存した[12]。有害事象としては，グレード 3，グレード 4 の骨髄抑制が 60％以上にみられ，BUN 上昇などの腎毒性も 40％程度で認められている[12]。最近の報告では，初回治療 27 例と救済治療 17 例に対する EP/EMA 療法の寛解率はそれぞれ 59％，35％，全生存率は 93％，59％であった[13]。

セカンドラインまたはサードライン薬物療法として FA 療法[14]〔フルオロウラシル（5-FU）＋アクチノマイシン D〕，TP/TE 療法[15]（パクリタキセル＋シスプラチン/パクリタキセル＋エトポシド）や胚細胞腫瘍に行われる BEP 療法[16]（ブレオマイシン＋エトポシド＋シスプラチン）なども行われている。絨毛癌全体の生存率は 85〜91％[4,5,8,9]と報告されているが，薬物療法抵抗性症例の予後は依然として不良である[4,13]。薬物療法抵抗性で病巣が確認できれば，手術療法も検討する必要がある（CQ37）。

治療開始直後の早期死亡を防ぐため，進行例・全身状態不良例に対して，低用量のエトポシド，シスプラチン療法（low-dose EP 療法）[3]を 1〜3 サイクル施行後に EMA/CO 療法または EP/EMA 療法を開始する治療戦略の結果，low-dose EP 療法群 33 例全例で，治療開始 4 週間以内の早期死亡が回避された[17]。呼吸不全や播種性血管内凝固症候群（DIC）を呈している患者に対しては，low-dose EP 療法による薬物療法導入も選択肢となる。

従来の化学療法に抵抗性を示す難治性絨毛性腫瘍に対する免疫チェックポイント阻害薬の有効性が報告され始めている。抗 PD-1 抗体であるペムブロリズマブ[3]の奏効例[18,19]，Camrelizumab（抗 PD-1 抗体，国内未承認）と Apatinib（VEGFR-2 選択的チロシンキナーゼ阻害薬，国内未承認）を併用した第Ⅱ相試験〔奏効率 55％（11/20），完全奏効率 50％（10/20）〕の結果が報告されている[20]。

▶ 参考文献

1) Lok C, van Trommel N, Massuger L, Golfier F, Seckl M ; Clinical Working Party of the EOTTD. Practical clinical guidelines of the EOTTD for treatment and referral of gestational trophoblastic disease. Eur J Cancer 2020 ; 130 : 228-40（ガイドライン）【検】
2) Seckl MJ, Sebire NJ, Fisher RA, Golfier F, Massuger L, Sessa C ; ESMO Guidelines Working Group. Gestational trophoblastic disease : ESMO Clinical Practice Guidelines for diagnosis, treatment and follow-up. Ann Oncol 2013 ; 24 Suppl 6 : vi39-50（ガイドライン）【委】
3) Gestational Trophoblastic Neoplasia (Version 1. 2022). NCCN Clinical Practice Gidelines in Oncology http://www.nccn.org/professionals/physician_gls/f_guidelines.asp（ガイドライン）【委】
4) Kim SJ, Bae SN, Kim JH, Kim CJ, Jung JK. Risk factors for the prediction of treatment failure in gestational trophoblastic tumors treated with EMA/CO regimen. Gynecol Oncol 1998 ; 71 : 247-53（ケースコントロール）【旧】
5) Bower M, Newlands ES, Holden L, Short D, Brock C, Rustin GJ, et al. EMA/CO for high-risk gestational trophoblastic tumors : results from a cohort of 272 patients. J Clin Oncol 1997 ; 15 : 2636-43（コホート）【旧】
6) Anantharaju AA, Pallavi VR, Bafna UD, Rathod PS, R VC, K S, et al. Role of salvage therapy in chemo resistant or recurrent high-risk gestational trophoblastic neoplasm. Int J Gynecol Cancer 2019 ; 29 : 547-53（ケースシリーズ）【検】
7) Singh K, Gillett S, Ireson J, Hills A, Tidy JA, Coleman RE, et al. M-EA（methotrexate, etoposide, dacti-

nomycin) and EMA-CO (methotrexate, etoposide, dactinomycin / cyclophosphamide, vincristine) regimens as first-line treatment of high-risk gestational trophoblastic neoplasia. Int J Cancer 2021 ; 148 : 2335-44(コホート)【検】

8) Matsui H, Suzuka K, Iitsuka Y, Seki K, Sekiya S. Combination chemotherapy with methotrexate, etoposide, and actinomycin D for high-risk gestational trophoblastic tumors. Gynecol Oncol 2000 ; 78 : 28-31(コホート)【旧】

9) Dobson LS, Lorigan PC, Coleman RE, Hancock BW. Persistent gestational trophoblastic disease : results of MEA (methotrexate, etoposide and dactinomycin) as first-line chemotherapy in high risk disease and EA (etoposide and dactinomycin) as second-line therapy for low risk disease. Br J Cancer 2000 ; 82 : 1547-52(コホート)【旧】

10) Sato S, Yamamoto E, Niimi K, Ino K, Nishino K, Suzuki S, et al. The efficacy and toxicity of 4-day chemotherapy with methotrexate, etoposide and actinomycin D in patients with choriocarcinoma and high-risk gestational trophoblastic neoplasia. Int J Clin Oncol 2020 ; 25 : 203-9(コホート)【検】

11) Savage P, Cooke R, O'Nions J, Krell J, Kwan A, Camarata M, et al. Effects of single-agent and combination chemotherapy for gestational trophoblastic tumors on risks of second malignancy and early menopause. J Clin Oncol 2015 ; 33 : 472-8(ケースコントロール)【旧】

12) Newlands ES, Mulholland PJ, Holden L, Seckl MJ, Rustin GJ. Etoposide and cisplatin/etoposide, methotrexate, and actinomycin D (EMA) chemotherapy for patients with high-risk gestational trophoblastic tumors refractory to EMA/cyclophosphamide and vincristine chemotherapy and patients presenting with metastatic placental site trophoblastic tumors. J Clin Oncol 2000 ; 18 : 854-9(横断)【旧】

13) Maestá I, de Freitas Segalla Moreira M, Rezende-Filho J, Bianconi MI, Jankilevich G, Otero S, et al. Outcomes in the management of high-risk gestational trophoblastic neoplasia in trophoblastic disease centers in South America. Int J Gynecol Cancer 2020 ; 30 : 1366-71(ケースコントロール)【検】

14) Matsui H, Suzuka K, Iitsuka Y, Yamazawa K, Tanaka N, Mitsuhashi A, et al. Salvage combination chemotherapy with 5-fluorouracil and actinomycin D for patients with refractory, high-risk gestational trophoblastic tumors. Cancer 2002 ; 95 : 1051-4(横断)【旧】

15) Wang J, Short D, Sebire NJ, Lindsay I, Newlands ES, Schmid P, et al. Salvage chemotherapy of relapsed or high-risk gestational trophoblastic neoplasia (GTN) with paclitaxel/cisplatin alternating with paclitaxel/etoposide (TP/TE). Ann Oncol 2008 ; 19 : 1578-83(コホート)【旧】

16) Song SQ, Wang C, Zhang GN, Shi Y, Zhu Y, Hu T, et al. BEP for high-risk gestational trophoblastic tumor : results from a cohort of 45 patients. Eur J Gynaecol Oncol 2015 ; 36 : 726-9(横断)【旧】

17) Alifrangis C, Agarwal R, Short D, Fisher RA, Sebire NJ, Harvey R, et al. EMA/CO for high-risk gestational trophoblastic neoplasia : good outcomes with induction low-dose etoposide-cisplatin and genetic analysis. J Clin Oncol 2013 ; 31 : 280-6(コホート)【旧】

18) Huang M, Pinto A, Castillo RP, Slomovitz BM. Complete serologic response to pembrolizumab in a woman with chemoresistant metastatic choriocarcinoma. J Clin Oncol 2017 ; 35 : 3172-4(ケースシリーズ)【検】

19) Ghorani E, Kaur B, Fisher RA, Short D, Joneborg U, Carlson JW, et al. Pembrolizumab is effective for drug-resistant gestational trophoblastic neoplasia. Lancet 2017 ; 390 : 2343-5(ケースシリーズ)【検】

20) Cheng H, Zong L, Kong Y, Wang X, Gu Y, Cang W, et al. Camrelizumab plus apatinib in patients with high-risk chemorefractory or relapsed gestational trophoblastic neoplasia (CAP 01) : a single-arm, open-label, phase 2 trial. Lancet Oncol 2021 ; 22 : 1609-17(非ランダム)【検】

CQ 37

絨毛癌に対して薬物療法以外の治療は勧められるか？

推奨

①薬物療法抵抗性の子宮病巣や転移病巣に対して，適応を慎重に検討し手術療法を提案する。
　推奨の強さ　2(↑)　　エビデンスレベル　C　　合意率 81%（13/16人）

②出血の制御が困難な子宮病巣，あるいは緊急性のある出血・脳圧亢進症状を伴う脳転移に対しては，手術療法を提案する。
　推奨の強さ　2(↑)　　エビデンスレベル　C　　合意率 100%（16/16人）

③脳転移例に対しては，適応を慎重に検討し放射線治療を提案する。
　推奨の強さ　2(↑)　　エビデンスレベル　C　　合意率 81%（13/16人）

▶▶▶ 目 的

絨毛癌に対する手術療法（子宮全摘出術，肺転移巣摘出術等）を検討する。また，絨毛癌脳転移に対する治療（開頭術・放射線治療等）を検討する。

▶▶▶ 解 説

絨毛癌の治療は薬物療法が中心であり，初回薬物療法による寛解率は80%前後と高い。このため，手術療法の適応は限定的である。しかしながら，薬物療法に抵抗性の病巣が存在する場合や，制御困難な出血，脳圧亢進による意識障害など救命を必要とする場合には手術療法も考慮される。

子宮全摘出術は，①薬物療法抵抗性の子宮病変，②緊急性のある大量子宮出血，③妊孕性温存希望のない症例に対する選択的治療法とされている[1]。摘出子宮の病理組織検査で胎盤部トロホブラスト腫瘍（PSTT）と診断される症例が存在するため診断的意義もある[2]。子宮病巣の腫瘍摘出術は，妊孕性温存を強く希望する患者に対して，薬物療法抵抗性病巣の摘出，子宮破裂・穿孔の止血・修復などのために施行する場合がある[3]。子宮全摘出術後の薬物療法は必要である。

絨毛癌の肺転移病巣に対する手術療法は，他の転移巣がなく，片肺の孤立性病巣であり，術前hCG値が概ね1,500 mIU/mL以下である場合が適応で，寛解率は73～93%であったと報告されている[4-6]。なお，薬物療法によりhCG値が正常化し寛解した後に，画像上残存する肺病変に対する手術療法は不要である[7]。

High risk GTN 17例のべ21回の手術の検討では，肉眼的に完全切除できた場合と腫瘍残存した場合の無増悪生存期間の中央値はそれぞれ，追跡期間中央値111.5カ月で未到達，2.9

カ月であり，完全切除が予後に寄与すると報告されている[8]。

　腟転移や肝転移あるいは他の遠隔転移（脾，腎，腸管など）に対する手術療法の適応は，肺転移や脳転移と同様に，多量出血を認める場合であるが，近年は血管塞栓術などの進歩に伴い，手術療法の適応はより限定的となっている[9, 10]。

　絨毛癌の脳転移の頻度は10％程度であり，予後不良因子の一つである[11]。多剤併用療法が導入された1990年代以降の報告をまとめると，絨毛癌脳転移初回治療例の寛解率は83％（71〜90％）であるが，早期（治療開始4週間以内）死亡率は約10％と報告されている[12-15]。一方，再発や薬剤抵抗性で治療中に脳転移が見つかった症例の寛解率は約50％であった[13]。絨毛癌の脳転移は出血や急速な増大を伴う場合が多く，治療前または治療開始早期の急な死亡につながる神経学的機能障害や脳出血，頭蓋内圧上昇をきたしやすい[13, 14]。絨毛癌の脳転移に対する開頭術は，意識障害などの脳圧亢進症状や重篤な神経症状がある場合に，薬物療法に先行もしくは並行して行われる。脳転移をきたした症例の開頭術の頻度は10〜22％である[12-14]。初回治療例では，緊急時には開頭術を行うが，多剤併用療法を優先する。

　最近では，脳転移に対するルーチンでの放射線治療は行われない[12-14]。他臓器転移を併発している場合も多いため，脳転移の個数や大きさ，場所，症状の有無，他臓器病変の状態等に基づき，多剤併用療法を中心に，手術療法や放射線治療などを組み合わせた集学的治療が施行されている[12-14]。残存病変に対して，全脳照射[15-17]や定位(的)放射線照射[12-15, 17]が行われているが，近年ではガンマナイフなどの定位(的)放射線照射が行われることが多い[12-15]。難治例に対しては，適応を慎重に検討し放射線治療も考慮する。長期生存も十分に見込めるため，照射晩期合併症にも配慮する必要がある。脳転移例に対して，髄腔内メトトレキサート(MTX)投与[12-15, 17]や高用量MTX療法[12, 14, 17]を採用している国も多いが，国内では治療実績が乏しく，今後の検討課題である。

　絨毛癌に対しては，薬物療法をはじめとした治療を行うのが原則であるが，胎盤内絨毛癌はその例外である。レビュー論文によると，胎盤の病理学的検索により見つかった転移のない胎盤内絨毛癌のうち，薬物療法を行わずに経過観察を行った25例中24例で絨毛癌は再発しなかったと報告されている[18]。子宮病巣なく，転移もない胎盤内絨毛癌では，追加薬物療法を行わず，hCGを慎重にフォローアップする選択を提案できる。

▶ 参考文献

1) Eysbouts YK, Massuger LFAG, IntHout J, Lok CAR, Sweep FCGJ, Ottevanger PB. The added value of hysterectomy in the management of gestational trophoblastic neoplasia. Gynecol Oncol 2017 ; 145 : 536-42（コホート）【検】

2) Fang J, Wang S, Han X, An R, Wang W, Xue Y. Role of adjuvant hysterectomy in management of high-risk gestational trophoblastic neoplasia. Int J Gynecol Cancer 2012 ; 22 : 509-14（ケースコントロール）【旧】

3) Cheng B, Liu ZX, Zhou W, Qian JH. Fertility-sparing partial hysterectomy for gestational trophoblastic neoplasia : an analysis of 36 cases. J Reprod Med 2014 ; 59 : 274-8（横断）【旧】

4) Tomoda Y, Arii Y, Kaseki S, Asai Y, Gotoh S, Suzuki T, et al. Surgical indications for resection in pul-

monary metastasis of choriocarcinoma. Cancer 1980 ; 46 : 2723-30（ケースシリーズ）【旧】
5) Cao Y, Xiang Y, Feng F, Wan X, Yang X. Surgical resection in the management of pulmonary metastatic disease of gestational trophoblastic neoplasia. Int J Gynecol Cancer 2009 ; 19 : 798-801（ケースコントロール）【旧】
6) Kanis MJ, Lurain JR. Pulmonary resection in the management of high-risk gestational trophoblastic neoplasia. Int J Gynecol Cancer 2016 ; 26 : 796-800（ケースシリーズ）【検】
7) Powles T, Savage P, Short D, Young A, Pappin C, Seckl MJ. Residual lung lesions after completion of chemotherapy for gestational trophoblastic neoplasia : should we operate? Br J Cancer 2006 ; 94 : 51-4（コホート）【旧】
8) Essel KG, Shafer A, Bruegl A, Gershenson DM, Drury LK, Ramondetta LM, et al. Complete resection is essential in the surgical treatment of gestational trophoblastic neoplasia. Int J Gynecol Cancer 2018 ; 28 : 1453-60（コホート）【検】
9) Lok CA, Reekers JA, Westermann AM, Van der Velden J. Embolization for hemorrhage of liver metastases from choriocarcinoma. Gynecol Oncol 2005 ; 98 : 506-9（ケースシリーズ）【旧】
10) Keepanasseril A, Suri V, Prasad GR, Gupta V, Bagga R, Aggarwal N, et al. Management of massive hemorrhage in patients with gestational trophoblastic neoplasia by angiographic embolization : a safer alternative. J Reprod Med 2011 ; 56 : 235-40（ケースシリーズ）【旧】
11) Piura E, Piura B. Brain metastases from gestational trophoblastic neoplasia : review of pertinent literature. Eur J Gynaecol Oncol 2014 ; 35 : 359-67（レビュー）【旧】
12) Savage P, Kelpanides I, Tuthill M, Short D, Seckl MJ. Brain metastases in gestational trophoblast neoplasia : an update on incidence, management and outcome. Gynecol Oncol 2015 ; 137 : 73-6（コホート）【旧】
13) Xiao C, Yang J, Zhao J, Ren T, Feng F, Wan X, et al. Management and prognosis of patients with brain metastasis from gestational trophoblastic neoplasia : a 24-year experience in Peking union medical college hospital. BMC Cancer 2015 ; 15 : 318（ケースコントロール）【旧】
14) Gavanier D, Leport H, Massardier J, Abbas F, Schott AM, Hajri T, et al. Gestational trophoblastic neoplasia with brain metastasis at initial presentation : a retrospective study. Int J Clin Oncol 2019 ; 24 : 153-60（ケースコントロール）【検】
15) Xiao P, Guo T, Luo Y, Zhang M, Yin R. Real-world data of 14 cases of brain metastases from gestational trophoblastic neoplasia and a literature review. Arch Gynecol Obstet 2022 ; 305 : 929-35（ケースシリーズ）【検】
16) Neubauer NL, Latif N, Kalakota K, Marymont M, Small W Jr, Schink JC, et al. Brain metastasis in gestational trophoblastic neoplasia : an update. J Reprod Med 2012 ; 57 : 288-92（ケースシリーズ）【旧】
17) Gestational Trophoblastic Neoplasia (Version 1. 2022). NCCN Clinical Practice Gidelines in Oncology http://www.nccn.org/professionals/physician_gls/f_guidelines.asp（ガイドライン）【委】
18) Jiao L, Ghorani E, Sebire NJ, Seckl MJ. Intraplacental choriocarcinoma : systematic review and management guidance. Gynecol Oncol 2016 ; 141 : 624-31（レビュー）【委】

CQ 38

PSTT, ETTに対して推奨される治療法は？

推奨

①病巣が子宮に限局した患者に対しては、子宮全摘出術を提案する。
　推奨の強さ　2(↑)　　エビデンスレベル　C　　合意率100%(16/16人)

②子宮外病変を有する患者に対しては、子宮全摘出術を含む手術療法およびプラチナ製剤を含む多剤併用療法を提案する。
　推奨の強さ　2(↑)　　エビデンスレベル　C　　合意率94%(15/16人)

▶▶▶ 目　的

絨毛性疾患の中でも稀な疾患である胎盤部トロホブラスト腫瘍(PSTT)および類上皮性トロホブラスト腫瘍(ETT)について、その治療法を検討する。

▶▶▶ 解　説

PSTT, ETTともに絨毛癌や侵入奇胎と比較して、一般に薬物療法の感受性は低く、手術療法が治療の中心となる。

病巣が子宮に限局するⅠ期のPSTT, ETTに対する最適な治療は子宮全摘出術である[1-3]。PSTT 108例の報告では、Ⅰ期が71例(66%)で全例に手術療法が行われており、生存率は94%であった。この報告では、生存率および再発率において、術後薬物療法を併用した症例との差は認められなかった[4]。ETTはPSTTよりさらに稀な疾患であり報告も少ない。International Society for the Study of Trophoblastic Diseasesから報告されている、ETT 54例(PSTTとETTの混合9例を含む)が最大のケースシリーズである。Ⅰ期の全36例に手術療法が行われており、生存率は約90%であった[5]。

英国データベースの125例の解析で、PSTT, ETTの独立した予後不良因子として、病期の進行と、先行妊娠から48カ月以上経過していることが報告された。Ⅰ期においては、74例中、死亡した5例がすべて先行妊娠から48カ月以上経過して発症していた[6]。先行妊娠から24カ月以上の発症を予後不良因子とする報告もあり[2]、NCCNガイドライン2022年版では、Ⅰ期で手術を施行された症例でも、先行妊娠から発症までの期間が2年以上、深い筋層浸潤、腫瘍壊死、核分裂像(>5/10HPF)がある場合は術後薬物療法を考慮している[2]。一方、欧州のガイドラインでは、先行妊娠から48カ月以上経過していれば、Ⅰ期でも子宮全摘出術後の薬物療法を推奨している[3]。Ⅰ期全体における術後薬物療法の有効性を示す研究はないが、先行妊娠から診断までの期間が長いときは術後薬物療法を提案する。

子宮外病変や転移を有するPSTT Ⅱ～Ⅳ期の症例においても子宮全摘出術が行われる場

合が多く[4,6,7]，推奨されている[2,3,7]。手術と薬物療法を併用した17例のうち再発は6例（35%）であったのに対して，手術のみでは3例のうち再発は2例（67%），薬物療法のみを施行した8例で長期生存できたのは2例（25%）のみであった[7]。II期以上の症例に対しては，手術に加えて薬物療法が推奨されている[2,3,6]。PSTT，ETTのII～IV期51例では，1例を除いて手術と薬物療法もしくは薬物療法のみが行われ，生存率は約60%であり[6]，ETTのみのII～IV期18例では，生存率は約60%であった[5]。病期の進行は予後不良因子である[3,4]。

　PSTT，ETTに対する有効なレジメンを詳細に比較検討した報告は認められない。先行妊娠から48カ月以上経過して発症した30例を治療時期で比較した報告では，近年（2007～2014年）治療した17例の全生存期間中央値は8.3年で，それ以前（1976～2006年）に治療した13例の2.6年と比較して有意に延長した[6]。その理由として，プラチナ製剤を含むレジメンでの治療の増加，大量化学療法施行例の増加などが挙げられた。PSTT，ETTの薬物療法は，絨毛癌で初回治療に用いられるEMA/CO療法やMEA療法ではなく，初回からプラチナ製剤を含む多剤併用レジメンであるEP/EMA療法やTP/TE療法を行うことが主流となっている[2,3]。

　近年，PSTT，ETTに対して抗PD-1抗体であるペムブロリズマブを使用した報告が増えてきており，有効性を認めている[8,9]。II期以上で先行妊娠から48カ月以上経過した症例や，IV期の症例に対しては，プラチナ製剤を含む多剤併用療法が奏効しない場合に，抗PD-1抗体や大量化学療法[10]の有効性が報告されている[2,3]。

　妊孕性温存のために子宮内容除去術や子宮部分切除術を施行した18例のレビューにおいて，薬物療法を併用して治癒した例も認められるが，5例で子宮全摘出術を要した[11]。子宮温存療法を選択肢の一つとして考慮する報告もあるが[4,6]，そのリスク評価，管理方法は確立していない。また，リンパ節転移を3.2～5.9%に認める[7,12]が，後腹膜リンパ節郭清の有効性は検討されていない。

参考文献

1) Horowitz NS, Goldstein DP, Berkowitz RS. Placental site trophoblastic tumors and epithelioid trophoblastic tumors : biology, natural history, and treatment modalities. Gynecol Oncol 2017 ; 144 : 208-14（レビュー）【検】
2) Gestational Trophoblastic Neoplasia (Version 1. 2022). NCCN Clinical Practice Guidelines in Oncology http://www.nccn.org/professionals/physician_gls/f_guidelines.asp（ガイドライン）【委】
3) Lok C, van Trommel N, Massuger L, Golfier F, Seckl M ; Clinical Working Party of the EOTTD. Practical clinical guidelines of the EOTTD for treatment and referral of gestational trophoblastic disease. Eur J Cancer 2020 ; 130 : 228-40（ガイドライン）【検】
4) Zhao J, Lv WG, Feng FZ, Wan XR, Liu JH, Yi XF, et al. Placental site trophoblastic tumor : a review of 108 cases and their implications for prognosis and treatment. Gynecol Oncol 2016 ; 142 : 102-8（ケースシリーズ）【旧】
5) Frijstein MM, Lok CAR, van Trommel NE, Ten Kate-Booij MJ, Massuger LFAG, van Werkhoven E, et al. Management and prognostic factors of epithelioid trophoblastic tumors : results from the International Society for the Study of Trophoblastic Diseases database. Gynecol Oncol 2019 ; 152 : 361-7（ケースシリーズ）【委】

6) Froeling FEM, Ramaswami R, Papanastasopoulos P, Kaur B, Sebire NJ, Short D, et al. Intensified therapies improve survival and identification of novel prognostic factors for placental-site and epithelioid trophoblastic tumours. Br J Cancer 2019 ; 120 : 587-94(ケースコントロール)【検】
7) Schmid P, Nagai Y, Agarwal R, Hancock B, Savage PM, Sebire NJ, et al. Prognostic markers and long-term outcome of placental-site trophoblastic tumours : a retrospective observational study. Lancet 2009 ; 374 : 48-55(ケースコントロール)【旧】
8) Ghorani E, Kaur B, Fisher RA, Short D, Joneborg U, Carlson JW, et al. Pembrolizumab is effective for drug-resistant gestational trophoblastic neoplasia. Lancet 2017 ; 390 : 2343-5(ケースシリーズ)【委】
9) Choi MC, Oh J, Lee C. Effective anti-programmed cell death 1 treatment for chemoresistant gestational trophoblastic neoplasia. Eur J Cancer 2019 ; 121 : 94-7(ケースシリーズ)【委】
10) Frijstein MM, Lok CAR, Short D, Singh K, Fisher RA, Hancock BW, et al. The results of treatment with high-dose chemotherapy and peripheral blood stem cell support for gestational trophoblastic neoplasia. Eur J Cancer 2019 ; 109 : 162-71(ケースシリーズ)【検】
11) Chiofalo B, Palmara V, Laganà AS, Triolo O, Vitale SG, Conway F, et al. Fertility sparing strategies in patients affected by placental site trophoblastic tumor. Curr Treat Options Oncol 2017 ; 18 : 58(ケースシリーズ)【検】
12) Lan C, Li Y, He J, Liu J. Placental site trophoblastic tumor : lymphatic spread and possible target markers. Gynecol Oncol 2010 ; 116 : 430-7(ケースシリーズ)【旧】

CQ 39

hCG 低単位が持続する患者に対して推奨される取り扱いは？

推奨

①病巣検索および real hCG であることの確認を推奨する。
　推奨の強さ　1(↑↑)　　エビデンスレベル　B　　合意率 100%（16/16 人）

②病巣が確認できた場合や hCG 値が上昇傾向に転じた場合には，絨毛性腫瘍として治療を行うことを推奨する。
　推奨の強さ　1(↑↑)　　エビデンスレベル　B　　合意率 100%（14/14 人）

③病変を認めず，経過観察を行っても低単位 real hCG が消失しない場合には，薬物療法を行い効果があるかを見極めることを提案する。
　推奨の強さ　2(↑)　　エビデンスレベル　C　　合意率 86%（12/14 人）

> **最終会議の論点**
> 　当初，推奨②「病巣が確認できた場合や hCG 値が上昇傾向に転じた場合には，絨毛性腫瘍として臨床診断に基づいた治療を行うことを推奨する。推奨の強さ 1(↑↑)，エビデンスレベル B」，推奨③「低単位 real hCG が消失しない場合，薬物療法を行い効果があるかを見極めることを提案する。推奨の強さ 2(↑)，エビデンスレベル C」であったが，合意率はそれぞれ 69%，19% であった。推奨②に関しては文言を一部修正し議論した結果，合意率 100% となった。一方，推奨③については，低単位 hCG が持続する症例すべてに薬物療法を行うことは過剰治療ではないか，経過観察の期間には言及できないか，などの意見があったが，低単位 hCG が持続する患者に対して安易に経過観察だけを続けるべきではないという作成委員の意見もあり，協議の結果，「病変を認めず，経過観察を行っても」の文言を加えて合意率は 86% となった。

▶▶▶ 目　的

　胞状奇胎を含むすべての妊娠後や絨毛性疾患治療後に，血中または尿中の hCG が検出されるが，新しい妊娠ではなく，画像上，腫瘍性病変が検出されない場合の対処法について検討する。

▶▶▶ 解　説

　胞状奇胎娩出術後は定期的（1～2 週間隔）に血中 hCG 値を測定し，本邦においては 5 週 1,000 mIU/mL，8 週 100 mIU/mL，24 週正常値の 3 点を結ぶ判別線[1]を用いて管理する（原則として mIU/mL 表示の hCG 測定法を使用する）。hCG 値が経過非順調型で，画像検査により病巣が確認できない場合は奇胎後 hCG 存続症と診断され，侵入奇胎と同様の薬物療法（CQ35 参照）が勧められる。しかし，6 カ月経過後に hCG が正常値に至らない症例でも自然寛解を期待できる可能性が示されている。胞状奇胎の後方視的研究において，奇胎娩出後 6 カ月の時点においても hCG が正常値に至らない症例は 1% 以下であり，その中で hCG 値

の低下を認める症例を経過観察したところ,約80%が自然寛解に至った[2-4]。奇胎娩出後6カ月以降に自然寛解した症例では,8カ月までに50～67%,12カ月までに80～91%の症例が,自然にhCGが正常値まで低下した[2,3]。また,経過観察のみで寛解した群は薬物療法が必要となった群に比較して,奇胎娩出後6カ月時のhCGの中央値が有意に低かった(13 mIU/mL vs. 157 mIU/mL)[2]。胞状奇胎娩出後のhCGが24週までに正常値に至らない経過非順調型の症例でも,病巣が検出されず,hCGが低値で自然下降を認めている場合には,経過観察も考慮できる。しかし,どのような症例が経過観察のみで寛解に至るかの基準は定められておらず,real hCGが持続して認められる場合は,原則として,奇胎後hCG存続症等の臨床診断に基づいた治療を行う。

　胞状奇胎を含むすべての妊娠後あるいは妊娠性絨毛性腫瘍治療後に,低単位のhCGが増加することなく持続するが画像診断により病巣が確認されない症例では,新しい妊娠を除外した上で下垂体性hCGとの鑑別が必要である。下垂体性hCGは,閉経や薬物療法による卵巣機能抑制に伴い上昇する。血中のLHとFSHが高値であり,エストロゲンとプロゲステロンの合剤の投与によりhCG値が低下する場合には下垂体性hCGと判断される[1,5]。下垂体性hCGの影響によるhCG測定値の上昇は10 mIU/mL以下のことが多く,15 mIU/mLをこえることはほとんどない[6,7]。下垂体性hCGではない場合には,false-positiveの可能性を考える。False-positiveは,hCG測定に用いる抗体と誤って結合する抗体が患者の血清中に存在することが原因と考えられるが,本邦では極めて稀である。同一検体を別のキットで測定した場合に両者間に5倍以上の測定値の差があり,また尿中hCGを測定するとhCGが検出されない[1,8]。これらの鑑別を行い,下垂体性hCGとfalse-positiveの両方が否定された場合に,real hCGと診断する。

　低単位であってもreal hCGが検出されるということは,なんらかの絨毛細胞または絨毛性腫瘍細胞が体内に存在することを意味している。低単位real hCGの検出が3カ月以上にわたって持続する症例の6～22%において,3カ月～4年後にhCG値の上昇や病巣が確認でき,絨毛性腫瘍として治療を行った後,hCG値の正常化を認めたとの報告がある[9-11]。低単位real hCGが,正常妊娠や流産,異所性妊娠,胞状奇胎後の絨毛細胞由来であるのか,治療を要する存続絨毛症・絨毛癌・胎盤部トロホブラスト腫瘍(PSTT)などの絨毛性腫瘍由来であるのかを臨床的に鑑別する必要がある。低単位real hCG持続症例に対する検査法としては,超音波カラードプラおよび骨盤MRIなどによる子宮・付属器病変の検索,および胸腹部CT・頭部MRIなどを行う。hCG値の上昇や病巣が確認された場合には絨毛性腫瘍として治療を行う。低単位hCGが自然に消失したとの報告もあるが,hCGが高値となるまで長く経過観察することで治療機会を失うことも懸念されており[12],絨毛性腫瘍の存在が推定される場合は,臨床診断に基づき薬物療法を行い,効果があるかを見極めるのが原則である。薬物療法の効果が認められず,hCG値が上昇しない状況では,定期的なhCG測定(1回/1カ月程度)による厳重な経過観察を行うことも可能である。

参考文献

1) 日本産科婦人科学会, 日本病理学会 編. 絨毛性疾患取扱い規約 第3版. 金原出版, 東京, 2011(規約)【旧】
2) Agarwal R, Teoh S, Short D, Harvey R, Savage PM, Seckl MJ. Chemotherapy and human chorionic gonadotropin concentrations 6 months after uterine evacuation of molar pregnancy : a retrospective cohort study. Lancet 2012 ; 379 : 130-5(ケースコントロール)【旧】
3) Taylor F, Short D, Harvey R, Winter MC, Tidy J, Hancock BW, et al. Late spontaneous resolution of persistent molar pregnancy. BJOG 2016 ; 123 : 1175-81(ケースコントロール)【旧】
4) Braga A, Torres B, Burlá M, Maestá I, Sun SY, Lin L, et al. Is chemotherapy necessary for patients with molar pregnancy and human chorionic gonadotropin serum levels raised but falling at 6months after uterine evacuation? Gynecol Oncol 2016 ; 143 : 558-64(ケースコントロール)【旧】
5) Lok C, van Trommel N, Massuger L, Golfier F, Seckl M ; Clinical Working Party of the EOTTD. Practical clinical guidelines of the EOTTD for treatment and referral of gestational trophoblastic disease. Eur J Cancer 2020 ; 130 : 228-40(ガイドライン)【委】
6) McCash SI, Goldfrank DJ, Pessin MS, Ramanathan LV. Reducing false-positive pregnancy test results in patients with cancer. Obstet Gynecol 2017 ; 130 : 825-9(ケースコントロール)【委】
7) Snyder JA, Haymond S, Parvin CA, Gronowski AM, Grenache DG. Diagnostic considerations in the measurement of human chorionic gonadotropin in aging women. Clin Chem 2005 ; 51 : 1830-5(横断)【委】
8) Kohorn EI. What we know about low-level hCG : definition, classification and management. J Reprod Med 2004 ; 49 : 433-7(ケースシリーズ)【旧】
9) Khanlian SA, Smith HO, Cole LA. Persistent low levels of human chorionic gonadotropin : a premalignant gestational trophoblastic disease. Am J Obstet Gynecol 2003 ; 188 : 1254-9(ケースコントロール)【旧】
10) Cole LA, Khanlian SA. Inappropriate management of women with persistent low hCG results. J Reprod Med 2004 ; 49 : 423-32(ケースコントロール)【旧】
11) Cole LA, Khanlian SA, Giddings A, Butler SA, Muller CY, Hammond C, et al. Gestational trophoblastic diseases : 4. Presentation with persistent low positive human chorionic gonadotropin test results. Gynecol Oncol 2006 ; 102 : 165-72(ケースコントロール)【旧】
12) Seckl MJ, Savage PM, Hancock BW, Berkowitz RS, Goldstein DP, Lurain JR, et al. "Hyperglycosylated hCG in the management of quiescent and chemorefractory gestational trophoblastic diseases". Gynecol Oncol 2010 ; 117 : 505-6(レビュー)【委】

第9章 資料集

I 略語一覧

ACOG	American College of Obstetricians and Gynecologists
ACP	advance care planning
AGO	Arbeitsgemeinschaft Gynäkologische Onkologie
AHRQ	Agency for Healthcare Research and Quality
AI	adriamycin(doxorubicin) and ifosfamide
AP	adriamycin(doxorubicin) and cisplatin
ART	assisted reproductive technology
ASCO	American Society of Clinical Oncology
ASTRO	American Society for Radiation Oncology
AUC	area under the concentration-time curve
BEP	bleomycin, etoposide, and cisplatin
BMI	body mass index
BSC	best supportive care
BSO	bilateral salpingo-oophorectomy
BUN	blood urea nitrogen
CGA	comprehensive geriatric assessment
CI	confidence interval
CQ	clinical question
CR	complete response
CT	computed tomography
CTV	clinical target volume
CVD	cardiovascular disease
DG	docetaxel and gemcitabine
DIC	disseminated intravascular coagulation
dMMR	mismatch repair-deficiency
DNA	deoxyribonucleic acid
DP	docetaxel and cisplatin
EMA/CO	etoposide, methotrexate, and actinomycin D/cyclophosphamide and vincristine
EORTC	European Organization for Research of Treatment of Cancer
EP/EMA	etoposide and cisplatin/etoposide, methotrexate, and actinomycin D
EPT	estrogen progestogen therapy
ER	estrogen receptor
ESGO	European Society of Gynaecological Oncology
ESMO	European Society for Medical Oncology
ESP	European Society of Pathology
ESTRO	European SocieTy for Radiotherapy and Oncology

ET	estrogen therapy
ETR	event time ratio
ETT	epithelioid trophoblastic tumor
FA	fluorouracil and actinomycin D
FDG-PET	^{18}F-fluorodeoxyglucose-positron emission tomography
FIGO	International Federation of Gynecology and Obstetrics
FSH	follicle stimulating hormone
FU	fluorouracil
G1	Grade 1
G2	Grade 2
G3	Grade 3
GA	Geriatric Assessment
G-CSF	granulocyte-colony stimulating factor
GOG	Gynecologic Oncology Group
GTN	gestational trophoblastic neoplasia
GTV	gross tumor volume
Gy	Gray
hCG	human chorionic gonadotropin
HDR	high dose rate
HGESS	high-grade endometrial stromal sarcoma
hMG	human menopausal gonadotropin
hPL	human placental lactogen
HR	hazard ratio
HRD	homologous recombination deficiency
HRT	hormone replacement therapy
ICG	indocyanine green
IGBT	image-guided brachytherapy
IMRT	intensity-modulated radiation therapy
irAE	immune-related adverse events
ITC	isolated tumor cells
ITV	internal target volume
IVF-ET	in vitro fertilization-embryo transfer
JCOG	Japan Clinical Oncology Group
JGOG	Japanese Gynecologic Oncology Group
KGOG	Korean Gynecologic Oncology Group
LDL	low-density lipoprotein
LGESS	low-grade endometrial stromal sarcoma
LH	luteinizing hormone
LMS	leiomyosarcoma
LNG-IUS	levonorgestrel-releasing intrauterine system
LP	lenvatinib and pembrolizumab
MA	megestrol acetate

MAC	macrometastasis
MEA	methotrexate, etoposide and actinomycin D
MIC	micrometastasis
MLC	multi-leaf collimator
MMR	mismatch repair
MPA	medroxyprogesterone acetate
MRI	magnetic resonance imaging
MSI	microsatellites instability
mTOR	mammalian target of rapamycin
MTX	methotrexate
NCCN	National Comprehensive Cancer Network®
NCDB	National Cancer Database
NCI	National Cancer Institute
NSGO	the Nordic Society of Gynecologic Oncology
OR	odds ratio
OS	overall survival
OSNA	one-step nucleic acid amplification
PD-1	programmed cell death protein 1
PEACE	Palliative care Emphasis program on symptom management and Assessment for Continuous medical Education
PET	positron emission tomography
PFS	progression-free survival
PGPV	presumed germline pathogenic variant
PgR	progesterone receptor
pMMR	mismatch repair proficiency
PORTEC	Postoperative Radiation Therapy in Endometrial Carcinoma
PR	partial response
PRO-CTCAE™	Patient-Reported Outcome-Common Terminology Criteria for Adverse Events
PS	performance status
PSTT	placental site trophoblastic tumor
PTV	planning target volume
QOL	quality of life
RCT	randomized controlled trial
RI	radioisotope
RR	relative risk
SBRT	stereotactic body radiation therapy
SEER	Surveillance, Epidemiology, and End Results(National Cancer Institute)
SGO	Society of Gynecologic Oncology
SR	systematic review
SRS	stereotactic radiosurgery
SRT	stereotactic radiotherapy
STI	stereotactic irradiation

STUMP	smooth muscle tumor of uncertain malignant potential
TAP	taxol(paclitaxel), adriamycin(doxorubicin), and cisplatin
TC	taxol(paclitaxel) and carboplatin
TMB	tumor mutation burden
TP/TE	taxol(paclitaxel) and cisplatin/taxol(paclitaxel) and etoposide
UICC	Union for International Cancer Control
UUS	undifferentiated uterine sarcoma
VEGFR	vascular endothelial growth factor receptor
vs.	versus
WAI	whole abdominal irradiation
WHO	World Health Organization
3D-CRT	three dimensional conformal radiation therapy

Ⅱ 日本婦人科腫瘍学会ガイドライン委員会業績

1. 書籍

2004 年	卵巣がん治療ガイドライン（第 1 版）
2006 年	子宮体癌治療ガイドライン（第 1 版）
2007 年	子宮頸癌治療ガイドライン（第 1 版）
2007 年	卵巣がん治療ガイドライン（第 2 版）
2009 年	子宮体がん治療ガイドライン（第 2 版）
2010 年	卵巣がん治療ガイドライン（第 3 版）
2010 年	患者さんとご家族のための子宮頸がん・子宮体がん・卵巣がん治療ガイドラインの解説（第 1 版）
2011 年	子宮頸癌治療ガイドライン（第 2 版）
2013 年	子宮体がん治療ガイドライン（第 3 版）
2015 年	卵巣がん治療ガイドライン（第 4 版）
2015 年	外陰がん・腟がん治療ガイドライン（第 1 版）
2016 年	患者さんとご家族のための子宮頸がん・子宮体がん・卵巣がん治療ガイドライン（第 2 版）
2016 年	婦人科がん治療ガイドライン エッセンシャル（第 1 版）
2017 年	子宮頸癌治療ガイドライン（第 3 版）
2018 年	子宮体がん治療ガイドライン（第 4 版）
2020 年	卵巣がん・卵管癌・腹膜癌治療ガイドライン（第 5 版）
2022 年	子宮頸癌治療ガイドライン（第 4 版）
2023 年	子宮体がん治療ガイドライン（第 5 版）
2023 年	患者さんとご家族のための子宮頸がん・子宮体がん・卵巣がん治療ガイドライン（第 3 版）

2. 論文発表

1) Nagase S, Inoue Y, Umesaki N, Aoki D, Ueda M, Sakamoto H, Kobayashi S, Kitagawa R, Toita T, Nagao S, Hasegawa K, Fukasawa I, Fujiwara K, Watanabe Y, Ito K, Niikura H, Iwasaka T, Ochiai K, Katabuchi H, Kamura T, Konishi I, Sakuragi N, Tanaka T, Hirai Y, Hiramatsu Y, Mukai M, Yoshikawa H, Takano T, Yoshinaga K, Otsuki T, Sakuma M, Inaba N, Udagawa Y, Yaegashi N; Japan Society of Gynecologic Oncology. Evidence-based guidelines for treatment of cervical cancer in Japan: Japan Society of Gynecologic Oncology (JSGO) 2007 edition. Int J Clin Oncol 2010 ; 15 : 117-24

2) Nagase S, Katabuchi H, Hiura M, Sakuragi N, Aoki Y, Kigawa J, Saito T, Hachisuga T, Ito K, Uno T, Katsumata N, Komiyama S, Susumu N, Emoto M, Kobayashi H, Metoki H, Konishi I, Ochiai K, Mikami M, Sugiyama T, Mukai M, Sagae S, Hoshiai H, Aoki D, Ohmichi M, Yoshikawa H, Iwasaka T, Udagawa Y, Yaegashi N; Japan Society of Gynecologic Oncology. Evidence-based guidelines for treatment of uterine body neoplasm in Japan: Japan Society of Gynecologic Oncology (JSGO) 2009 edition. Int J Clin Oncol

2010 ; 15 : 531-42
3) Ebina Y, Yaegashi N, Katabuchi H, Nagase S, Udagawa Y, Hachisuga T, Saito T, Mikami M, Aoki Y, Yoshikawa H. Japan Society of Gynecologic Oncology guidelines 2011 for the treatment of uterine cervical cancer. Int J Clin Oncol 2015 ; 20 : 240-8
4) Ebina Y, Katabuchi H, Mikami M, Nagase S, Yaegashi N, Udagawa Y, Kato H, Kubushiro K, Takamatsu K, Ino K, Yoshikawa H. Japan Society of Gynecologic Oncology guidelines 2013 for the treatment of uterine body neoplasms. Int J Clin Oncol 2016 ; 21 : 419-34
5) Komiyama S, Katabuchi H, Mikami M, Nagase S, Okamoto A, Ito K, Morishige K, Suzuki N, Kaneuchi M, Yaegashi N, Udagawa Y, Yoshikawa H. Japan Society of Gynecologic Oncology guidelines 2015 for the treatment of ovarian cancer including primary peritoneal cancer and fallopian tube cancer. Int J Clin Oncol 2016 ; 21 : 435-46
6) Shigeta S, Nagase S, Mikami M, Ikeda M, Shida M, Sakaguchi I, Ushioda N, Takahashi F, Yamagami W, Yaegashi N, Udagawa Y, Katabuchi H. Assessing the effect of guideline introduction on clinical practice and outcome in patients with endometrial cancer in Japan: a project of the Japan Society of Gynecologic Oncology (JSGO) guideline evaluation committee. J Gynecol Oncol 2017 ; 28 : e76
7) Saito T, Tabata T, Ikushima H, Yanai H, Tashiro H, Niikura H, Minaguchi T, Muramatsu T, Baba T, Yamagami W, Ariyoshi K, Ushijima K, Mikami M, Nagase S, Kaneuchi M, Yaegashi N, Udagawa Y, Katabuchi H. Japan Society of Gynecologic Oncology guidelines 2015 for the treatment of vulvar cancer and vaginal cancer. Int J Clin Oncol 2018 ; 23 : 201-34
8) Watanabe T, Mikami M, Katabuchi H, Kato S, Kaneuchi M, Takahashi M, Nakai H, Nagase S, Niikura H, Mandai M, Hirashima Y, Yanai H, Yamagami W, Kamitani S, Higashi T. Quality indicators for cervical cancer care in Japan. J Gynecol Oncol 2018 ; 29 : e83
9) Ebina Y, Mikami M, Nagase S, Tabata T, Kaneuchi M, Tashiro H, Mandai M, Enomoto T, Kobayashi Y, Katabuchi H, Yaegashi N, Udagawa Y, Aoki D. Japan Society of Gynecologic Oncology guidelines 2017 for the treatment of uterine cervical cancer. Int J Clin Oncol 2019 ; 24 : 1-19
10) Machida H, Matsuo K, Yamagami W, Ebina Y, Kobayashi Y, Tabata T, Kaneuchi M, Nagase S, Enomoto T, Mikami M. Trends and characteristics of epithelial ovarian cancer in Japan between 2002 and 2015: A JSGO-JSOG joint study. Gynecol Oncol 2019 ; 153 : 589-96
11) Machida H, Matsuo K, Enomoto T, Mikami M. Neoadjuvant chemotherapy for epithelial ovarian cancer in Japan: a JSGO-JSOG joint study. J Gynecol Oncol 2019 ; 30 : e113
12) Matsuo K, Machida H, Yamagami W, Ebina Y, Kobayashi Y, Tabata T, Kaneuchi M, Nagase S, Enomoto T, Mikami M. Intraoperative Capsule Rupture, Postoperative Chemotherapy, and Survival of Women With Stage I Epithelial Ovarian Cancer. Obstet Gynecol 2019 ; 134 : 1017-26
13) Yamagami W, Mikami M, Nagase S, Tabata T, Kobayashi Y, Kaneuchi M, Kobayashi H, Yamada H, Hasegawa K, Fujiwara H, Katabuchi H, Aoki D. Japan Society of Gynecologic Oncology 2018 guidelines for treatment of uterine body neoplasms. J Gynecol Oncol 2020 ; 31 : e18
14) Machida H, Tokunaga H, Matsuo K, Matsumura N, Kobayashi Y, Tabata T, Kaneuchi M, Nagase S, Mikami M. Survival outcome and perioperative complication related to neoadjuvant chemotherapy with carboplatin and paclitaxel for advanced ovarian cancer: a systematic review and meta-analysis. Eur J Surg Oncol 2020 ; 46 : 868-75
15) Machida H, Matsuo K, Matsuzaki S, Yamagami W, Ebina Y, Kobayashi Y, Tabata T, Kaneuchi M, Nagase S, Enomoto T, Mikami M. Proposal of a two-tier system in grouping adenocarcinoma of the uterine cervix. Cancers 2020 ; 12 : 1251
16) Chiyoda T, Sakurai M, Satoh T, Nagase S, Mikami M, Katabuchi H, Aoki D. Lymphadenectomy for primary ovarian cancer : a systematic review and meta-analysis. J Gynecol Oncol 2020 ; 31 : e67
17) Shigeta S, Shida M, Nagase S, Ikeda M, Takahashi F, Shibata T, Yamagami W, Katabuchi H, Yaegashi N, Aoki D, Mikami M. Epidemiological guideline influence on the therapeutic trend and patient outcome of uterine cervical cancer in Japan: Japan society of gynecologic oncology guideline evaluation committee project. Gynecol Oncol 2020 ; 159 : 248-55
18) Saotome K, Yamagami W, Machida H, Ebina Y, Kobayashi Y, Tabata T, Kaneuchi M, Nagase S, Enomoto

T, Aoki D, Mikami M. Impact of lymphadenectomy on the treatment of endometrial cancer using data from the JSOG cancer registry. Obstet Gynecol Sci 2021 ; 64 : 80-9

19) Ikeda M, Shida M, Shigeta S, Nagase S, Takahashi F, Yamagami W, Katabuchi H, Yaegashi N, Aoki D, Mikami M. The trend and outcome of postsurgical therapy for high-risk early-stage cervical cancer with lymph node metastasis in Japan: a report from the Japan Society of Gynecologic Oncology(JSGO) guidelines evaluation committee. J Gynecol Oncol 2021 ; 32 : e44

20) Tokunaga H, Mikami M, Nagase S, Kobayashi Y, Tabata T, Kaneuchi M, Satoh T, Hirashima Y, Matsumura N, Yokoyama Y, Kawana K, Kyo S, Aoki D, Katabuchi H. The 2020 Japan Society of Gynecologic Oncology guidelines for the treatment of ovarian cancer, fallopian tube cancer, and primary peritoneal cancer. J Gynecol Oncol 2021 ; 32 : e49

21) Ebina Y, Yamagami W, Kobayashi Y, Tabata T, Kaneuchi M, Nagase S, Enomoto T, Mikami M. Clinicopathological characteristics and prognostic factors of ovarian granulosa cell tumors: a JSGO-JSOG joint study. Gynecol Oncol 2021 ; 163 : 269-73

22) Machida H, Matsuo K, Kobayashi Y, Momomura M, Takahashi F, Tabata T, Kondo E, Yamagami W, Ebina Y, Kaneuchi M, Nagase S, Mikami M. Significance of histology and nodal status on the survival of women with early-stage cervical cancer: validation of the 2018 FIGO cervical cancer staging system. J Gynecol Oncol 2022 ; 33 : e26

23) Chiyoda T, Yoshihara K, Kagabu M, Nagase S, Katabuchi H, Mikami M, Tabata T, Hirashima Y, Kobayashi Y, Kaneuchi M, Tokunaga H, Baba T. Sentinel node navigation surgery in cervical cancer: a systematic review and meta-analysis. Int J Clin Oncol 2022 ; 27 : 1247-55

24) Sakai K, Yamagami W, Machida H, Ebina Y, Kobayashi Y, Tabata T, Kaneuchi M, Nagase S, Enomoto T, Aoki D, Mikami M. A retrospective study for investigating the outcomes of endometrial cancer treated with radiotherapy. Int J Gynaecol Obstet 2022 ; 156 : 262-9

25) Kondo E, Yoshida K, Tabata T, Kobayashi Y, Yamagami W, Ebina Y, Kaneuchi M, Nagase S, Machida H, Mikami M. Comparison of treatment outcomes of surgery and radiotherapy, including concurrent chemoradiotherapy for stage Ib2-IIb cervical adenocarcinoma patients: a retrospective study. J Gynecol Oncol 2022 ; 33 : e14

26) Murakami I, Machida H, Morisada T, Terao Y, Tabata T, Mikami M, Hirashima Y, Kobayashi Y, Baba T, Nagase S. Effects of a fertility-sparing re-treatment for recurrent atypical endometrial hyperplasia and endometrial cancer: a systematic literature review. J Gynecol Oncol 2023 ; 34 : e49

3. 学会報告

1) 子宮頸癌ガイドライン－その検証・問題点・今後の登録事業への反映－．第57回日本婦人科腫瘍学会学術講演会．アイーナいわて県民情報交流センター他．2015年8月7日～9日

2) がん診療ガイドライン委員会主催シンポジウム12．がん診療ガイドラインのアウトカムの検証．第53回日本癌治療学会学術集会．国立京都国際会館他．2015年10月29日～31日

3) JSOG婦人科腫瘍委員会 JSGOガイドライン委員会共同企画．日本産科婦人科学会婦人科腫瘍委員会婦人科悪性腫瘍登録事業データベースを用いた頸癌・体がん・卵巣がんの治療動向の推移および今後の登録事業への課題－婦人科がん治療ガイドライン導入による変化も含めて－．第68回日本産科婦人科学会学術講演会．東京国際フォーラム．2016年4月21日～24日

4) 子宮体がん・卵巣がん治療ガイドライン－検証・問題点・今後－．第58回日本婦人科腫瘍学会学術講演会．米子コンベンションセンター．2016年7月8日～10日

5) Guideline and Position statement. ASGO 5th International Workshop on Gynecologic

Oncology in Suwon, Korea. 2018.8.24-25
6) がん診療ガイドライン統括・連絡委員会企画シンポジウム．がん診療ガイドラインの進化と利用者からの視点．第 56 回日本癌治療学会学術集会．パシフィコ横浜．2018 年 10 月 18 日〜20 日
7) JSOG 婦人科腫瘍委員会 JSGO ガイドライン委員会共同企画．婦人科がん治療ガイドラインの Clinical Question 検証－日本産科婦人科学会婦人科腫瘍委員会腫瘍登録データを用いて－．第 71 回日本産科婦人科学会学術講演会．名古屋国際会議場．2019 年 4 月 11 日〜14 日
8) JSOG 婦人科腫瘍委員会 JSGO ガイドライン委員会共同企画．婦人科がん治療ガイドライン検証・明日への提言．第 61 回日本婦人科腫瘍学会学術講演会．朱鷺メッセ 新潟コンベンションセンター．2019 年 7 月 4 日〜6 日
9) がん診療ガイドライン統括・連絡委員会企画シンポジウム．がん診療ガイドラインのさらなる進歩と今後．第 57 回日本癌治療学会学術集会．福岡国際会議場他．2019 年 10 月 24 日〜26 日
10) JSOG 婦人科腫瘍委員会-JSGO ガイドライン委員会合同セッション．婦人科腫瘍登録のデータマネージメントと実際の活用．第 72 回日本産科婦人科学会学術講演会．Web 開催 東京．2020 年 4 月 23 日〜28 日
11) がん診療ガイドライン統括・連絡委員会企画シンポジウム．臓器癌登録データベースなどを用いた婦人科がん治療ガイドラインの検証．第 59 回日本癌治療学会学術集会．パシフィコ横浜．2021 年 10 月 23 日

4. その他

・ESMO and ESGO Consensus Conference on Ovarian Cancer, in Milan, Italy. 2018.4.12-14
・The 5th International Workshop of the Asian Society of Gynecologic Oncology (ASGO), Guidelines&position statement, in Suwon, Korea. 2018.8.24-25

Ⅲ 既刊の序文・委員一覧

子宮体癌治療ガイドライン 2006 年版（第 1 版）

序　文

　近年わが国の子宮体癌の罹患数は増加の一途をたどり，その罹患率も成人女性のあらゆる年齢層で上昇している。かような背景もあって日本婦人科腫瘍学会は，「卵巣がん治療ガイドライン」に引き続き「子宮体癌治療ガイドライン」の作成に着手した。体癌は手術および術後療法等の治療に関するエビデンスが少なくレベルも高くないこと，手術に関してはわが国と欧米間で選択する術式に差があること，術後療法に関しては欧米では放射線療法が中心であるのに対し，国内では化学療法が行われることが多く，欧米のエビデンスをそのまま国内に推奨として適用することができないことなどの問題点も多々あって，記述にはかなりの注意が払われ，かつ時間も要したが，ようやく此度の発刊にこぎつけた。

　本ガイドライン作成の目的は，体癌の日常診療に携わる医師に対して，現時点でコンセンサスが得られ，適正と考えられる体癌の標準的な治療法を示すことにある。それにより体癌の治療レベルの均霑化と治療の安全性や成績の向上を図ることが期待できる。本ガイドラインはあくまでも診療上の参考に供するものであって，これにより治療法自体に制約を加えるものではない。実際の臨床における治療法の選択は，個々の症例や患者および家族の意向にも考慮して，ガイドラインを参考にしたうえで医師の裁量で行われるべきものと考える。したがって，医事紛争や医療訴訟に本ガイドラインが利用されるようなことは私共の本旨ではない。なお，本ガイドラインの記述内容に対しては日本婦人科腫瘍学会が責任を負うものとするが，治療結果に対する責任は直接の治療担当者が負うべきものと考える。

　本ガイドラインの作成に当たっては，「卵巣がん」の時と同様にガイドライン検討委員会の中に作成委員会と評価委員会を設置し，作成委員には体癌の診療を専門的に行っている医師を広く全国から召集し，さらに放射線治療専門医と腫瘍内科医にも入っていただいた。作成形式は「卵巣がん」では総説的な体裁をとったが，本ガイドラインでは体癌の治療に関するエビデンスが少なくレベルも低いこと，欧米との治療上のギャップが少なくないことなどから，体癌の治療上の問題点を明らかにしそれに回答する「Q＆A形式」を採用することにした。取り扱う対象は，子宮体部に原発した癌，子宮内膜異型増殖症およびそれらの再発腫瘍とし，対象疾患の治療を主体とした5つのアルゴリズムを載せ，各項を「Q＆A形式」で記述した。すなわち，体癌治療における現在の問題点を臨床的疑問点（クリニカルクエスチョン：CQ）として取り上げ，各CQに対して国内外の文献を網羅的に収集し，各文献の構造化抄録を作成しエビデンスとして評価した。これを十分に吟味したうえで，総合的な判断からCQに対する答えを推奨として簡潔に記載し，さらにそのCQに対する背景・目的と推奨に至るまでの経緯を解説として記述し，最後にエビデンスのレベルを付記した参考文献を載せた。エビデンスのレベルと推奨のグレードに関しては，「卵巣がん治療ガイドライ

ン」との整合性から，そこで用いたものをそのまま使用することにした。ガイドライン原案は，評価委員会での検討に次いで本学会の審査を経て，コンセンサスミーティングで専門家間の長時間に亘る論議を尽くした後，全学会員に提示され，この一連の過程で多くの提言や助言を容れた。さらに婦人科悪性腫瘍化学療法研究機構（JGOG）や日本産婦人科医会，日本産科婦人科学会にも提示され，ここでも意見を採り入れたうえで，これらの学会の承認を得た。最終的には本年夏に開催された日本婦人科腫瘍学会理事会での承認を経て，此度の発刊に至った。

　本ガイドラインを「卵巣がん」同様に実地医療の場で十二分に活用していただきたいことはもちろんであるが，一方で本書は3年ごとに改訂される予定であることから，今後も引き続き多くの方々からご批判やご助言をいただきたい。

　終わりに，本ガイドラインの作成にあたり，献身的かつ多大なご尽力をいただいた八重樫伸生副委員長と日浦昌道，櫻木範明両小委員長を始めとした作成委員の先生方，編集にあたって種々のご苦労をおかけした金原出版編集部の方々，膨大な原稿の収集と整理を担当していただいた学会事務局の方々に深甚なる謝意を表します。

2006年9月

日本婦人科腫瘍学会子宮体癌治療ガイドライン作成委員会

委員長　宇田川　康博

委員長	宇田川　康博	藤田保健衛生大学医学部　産婦人科	
副委員長	八重樫　伸生	東北大学医学部　産婦人科	
手術小委員長	日浦　昌道	四国がんセンター　婦人科	
委　員	岡本　愛光	東京慈恵会医科大学　産婦人科	
	上坊　敏子	北里大学医学部　産婦人科	
	進　伸幸	慶應義塾大学医学部　産婦人科	
	蜂須賀　徹	福岡大学医学部　産婦人科	
術後小委員長	櫻木　範明	北海道大学医学部　産婦人科	
委　員	伊藤　潔	東北大学医学部　産婦人科	
	宇野　隆	千葉大学医学部　放射線医学	
	勝俣　範之	国立がんセンター中央病院　腫瘍内科	
	紀川　純三	鳥取大学医学部　産婦人科	
	喜多　恒和	防衛医科大学校　産婦人科	
	寒河江　悟	札幌鉄道病院　産婦人科	
評価委員	石倉　浩	千葉大学医学部　病態病理	
	伊東　久夫	千葉大学医学部　放射線医学	
	加来　恒壽	九州大学医学部　保健学科	
	片渕　秀隆	熊本大学医学部　産科婦人科	
	金澤　浩二	琉球大学医学部　産婦人科	

嘉村　　敏治	久留米大学医学部　産婦人科
葛谷　　和夫	くずやクリニック
蔵本　　博行	神奈川県予防医学協会
河野　　一郎	川崎医科大学　産婦人科
杉山　　　徹	岩手医科大学　産婦人科
鈴木　　光明	自治医科大学　産婦人科
波多江　正紀	鹿児島市立病院　産婦人科
星合　　　昊	近畿大学医学部　産婦人科
安田　　　允	東京慈恵会医科大学第三病院　産婦人科

（五十音順）

子宮体がん治療ガイドライン 2009 年版（第 2 版）

序　文

　『子宮体癌治療ガイドライン 2006 年版』を発刊してからすでに 3 年がたちました。この間，国内外の大規模臨床試験の結果が相次いで報告され，新たなエビデンスの蓄積がガイドライン改訂を後押ししました。さらに，子宮悪性腫瘍のなかで頻度はさほど多くないものの悪性度が高い肉腫や特殊組織型（漿液性腺癌など）に関する治療指針を示してほしいという要望も多く寄せられました。そこで発刊 1 年後の 2007 年秋に改訂委員会を立ち上げ鋭意作業を進めてまいりました。本ガイドラインが日常の実地診療に少しでも役立てば幸いです。

　今回発刊しました『子宮体がん治療ガイドライン 2009 年版』が 2006 年版と大きく変わった点は以下です。
1) 2009 年版では上皮性悪性腫瘍（いわゆる癌）のみならず間葉系悪性腫瘍（肉腫など）も扱うこととしたために，名称を「子宮体がん」と平仮名にしました。
2) Minds 診療ガイドライン作成の手引きを参考にしながら推奨の基準（グレード）を変更しました。これは 2006 年版で使用していた推奨の文言では，実際にその推奨文をどの程度強く奨めているのかわかりにくいということがありましたので，推奨の程度がわかるようにという配慮です。さらに 2006 年版では推奨グレード C が非常に多くありましたが，エビデンスがあまりないにしても，それを奨めているのか，逆にどちらかというと否定的なのかわかるようにしてほしい，というご意見も多くありました。そこで，肯定的に奨めている場合には C1，どちらかというと否定的な場合には C2 を用いることにしました。
3) 特殊組織型の漿液性腺癌と明細胞腺癌を第 8 章として別に扱いました。
4) 癌肉腫と肉腫を第 9 章として別に扱いました。

　今回の改訂に当たり，改訂作業の途中で委員長が宇田川康博先生から私に代わりました。これは学会の役員改選に伴う交代でしたが，委員長の重責を背負いながら改訂作業の途中で何度も投げ出したくなるような状況に陥りました。最後までたどり着きましたのも，前委員長の的確なアドバイスと稲葉憲之理事長をはじめとする理事の先生方の温かいご支援のお陰です。紙面を借りて感謝申し上げます。また，短期間に発刊に至りましたのは，副委員長と特殊組織型・肉腫担当小委員長を兼任していただきました片渕秀隆先生，初版に引き続き小委員長をお引き受けいただきました日浦昌道先生と櫻木範明先生，対価を求めず快く改訂作業を進めていただきました作成委員の先生方の献身によるものです。今回の改訂作業班のチームワークの良さには脱帽です。さらに，評価委員の先生方には，十分な仕上がりではない段階で評価をお願いしたにもかかわらず，快くお引き受けいただき，貴重な助言を多数お寄せいただき本当にありがとうございます。コンセンサスミーティングでご発言いただいた先生方，学会ホームページで掲載した際にパブリックコメントをくださった

先生方,関連学会・団体のコメントをお寄せいただいた先生方,私どもの慣れない事務作業・編集作業を肩代わりしていただきました学会事務局や金原出版の方々にも厚く御礼申し上げます。

最後に,3つの婦人科がん治療ガイドライン作成を日本婦人科腫瘍学会の主要プロジェクトの1つとして掲げられ私にチャンスを与えて下さいました故野澤志朗先生に深謝いたします。

2009年秋

日本婦人科腫瘍学会子宮体がん治療ガイドライン作成委員会

委員長　八重樫 伸生

委員長	八重樫	伸生	東北大学医学部　産婦人科
副委員長	片渕	秀隆	熊本大学医学部　産科婦人科
前委員長	宇田川	康博	藤田保健衛生大学医学部　産婦人科
小委員長	日浦	昌道	四国がんセンター　婦人科
委　員	青木	陽一	琉球大学医学部　産婦人科
	紀川	純三	鳥取大学がんセンター
	齋藤	豪	札幌医科大学　産婦人科
	蜂須賀	徹	産業医科大学医学部　産婦人科
小委員長	櫻木	範明	北海道大学医学部　産婦人科
委　員	伊藤	潔	東北大学医学部　産婦人科
	宇野	隆	千葉大学医学部　放射線科
	勝俣	範之	国立がんセンター中央病院　腫瘍内科
	小宮山	慎一	藤田保健衛生大学医学部　産婦人科
	進	伸幸	慶應義塾大学医学部　産婦人科
小委員長	片渕	秀隆	熊本大学医学部　産科婦人科
委　員	江本	精	福岡大学医学部　産婦人科
	小林	裕明	九州大学医学部　産婦人科
	永瀬	智	東北大学医学部　産婦人科
評価委員	青木	大輔	慶應義塾大学医学部　産婦人科
	井上	芳樹	近畿大学医学部奈良病院　産婦人科
	植田	政嗣	大阪がん予防検診センター　婦人科検診部
	大道	正英	大阪医科大学　産婦人科
	木村	英三	立正佼成会附属佼成病院　産婦人科
	蔵本	博行	神奈川県予防医学協会
	寒河江	悟	札幌鉄道病院　産婦人科
	上坊	敏子	社会保険相模野病院　婦人科腫瘍センター
	鈴木	直	聖マリアンナ医科大学　産婦人科
	津田	浩史	慶應義塾大学医学部　産婦人科
	戸板	孝文	琉球大学医学部　放射線科
	中山	裕樹	神奈川県立がんセンター　婦人科

長谷川　清志	藤田保健衛生大学医学部　産婦人科	
深澤　　一雄	獨協医科大学　産婦人科	
安田　　　允	東京慈恵会医科大学附属第三病院　産婦人科	
山嵜　　正人	大阪労災病院　産婦人科	
吉川　　裕之	筑波大学臨床医学系　産婦人科	
渡部　　　洋	近畿大学医学部　産婦人科	

（五十音順）

子宮体がん治療ガイドライン 2013 年版(第 3 版)

序　文

　日本婦人科腫瘍学会のガイドライン委員会が 2002 年に設置され，宇田川康博委員長と八重樫伸生副委員長のご尽力によって，最初の発刊となった『卵巣がん治療ガイドライン 2004 年版』に引き続き，『子宮体癌治療ガイドライン 2006 年版』が刊行されました。その 3 年後，八重樫伸生委員長の下で改訂作業が進められ，『子宮体がん治療ガイドライン 2009 年版』が上梓されました。そして，再度の改訂作業により，ここに第 3 版となる『子宮体がん治療ガイドライン 2013 年版』出版の運びとなりました。2011 年 11 月 24 日に開催された第 1 回作成委員会は，歴代委員長，委員長，副委員長，小委員長，委員，幹事をあわせて 43 名と，これまで設置された委員会の中で最も多い構成でした。委員には，日本病理学会と日本放射線腫瘍学会からもご推薦を頂き，腫瘍内科医の方々にもこれまで通り加わって頂きました。最後の 2013 年 9 月 27 日までに 7 回の作成委員会を開催し，その間にホームページ上でパブリック・コメントを会員に募集し，また第 52 回学術講演会(2011 年 7 月 21 日：東京，瀧澤 憲会長)と第 54 回学術講演会(2012 年 7 月 20 日：東京，落合和徳会長)においてコンセンサス・ミーティングを実施し，最終段階として 30 名の委員によって構成される評価委員会で検討致しました。この 2 年間の作業工程において，国内外の子宮体がんの治療に関するデータを渉猟し，また現在のわが国における叡智を結集し，最終的に日本の実地治療に最も適合し得ると考えられる治療指針を 48 項目にわたって提示致しました。本ガイドラインが，子宮体がんの治療にあたる医療従事者にとって必携の書となり，それが患者さんとそのご家族にとって最良の結果が得られることにつながるものと確信しております。

　子宮体癌に限って治療指針を提示した初版を踏まえて，第 2 版では，子宮体癌の特殊組織型ならびに癌肉腫・肉腫の項目を新設したことによって「子宮体がん治療ガイドライン」と名称を新たにし，また推奨グレード C を C1，C2 の 2 段階に変更しました。今回の第 3 版では，以下の点をさらに改変・変更しました。

1. 第 1 章「ガイドライン総説」には，作成費用と利益相反を新たに明記しました。
2. 第 2 章「初回治療」には別章にあった子宮体癌の特殊組織型を含め，骨盤リンパ節郭清と傍大動脈リンパ節郭清をそれぞれ独立させ，それぞれの臨床的意義について詳述しました。また，標準治療としての腹腔鏡下手術の適応をより明確にし，子宮摘出術後に子宮体癌と診断された症例の取り扱いも採り上げました。
3. 第 3 章「術後治療」にも特殊組織型を含め，わが国の治療の現状に即して，化学療法を放射線治療に優先する立場を取りました。
4. 第 4 章「治療後の経過観察」では，日本産科婦人科学会，日本女性医学学会編の『ホルモン補充療法ガイドライン 2012 年度版』に基づき，治療後のホルモン補充療法(HRT)の指針を新たに示しました。
5. 第 5 章「進行・再発癌の治療」では，初回手術後に行う化学療法，放射線治療，ホルモン療法との相違を明確にしました。

6. 第6章「妊孕性温存療法」では，子宮内膜異型増殖症と類内膜腺癌G1相当の2つの疾患をまとめ，新たにこの治療後の再発癌の指針を示しました。
7. 前版で新設された「癌肉腫・肉腫の治療」の第7章に加え，2011年7月に16年ぶりに改訂された『絨毛性疾患取扱い規約 第3版』に即応するために，第8章として「絨毛性疾患の治療」を新たに設けました。

さらに，明解な「フローチャート」に整理し，本章の前に「本ガイドラインにおける基本事項」として，進行期分類，手術術式，化学療法，放射線治療，リンパ節の部位と名称を設けることで，本文の理解をより促すように努めました。また，使用される語句や用語の統一を図り，2013年5月発刊の日本産科婦人科学会編『産科婦人科用語集・用語解説集』をはじめ各専門領域の用語を採用しました。最善を尽くして完成させたガイドラインでありますが，日々の臨床の進歩・発展は目覚ましく，本学会会員諸氏，本書を手にされた多くの方々，そしてご後援頂いた日本産科婦人科学会，日本産婦人科医会，婦人科悪性腫瘍研究機構，日本放射線腫瘍学会，日本病理学会にご叱正を請いながら，次の改訂につながることは申し上げるに及びません。

今回の改訂にあたり，宇田川康博教授，八重樫伸生教授のおふたりの歴代委員長には常に貴重で的確なご助言を頂きました。また，作成のパートナーである三上幹男副委員長，そして，加藤秀則，久布白兼行，髙松潔，井箟一彦の各小委員長，永瀬智，村松俊成，田畑務，蝦名康彦，小宮山慎一，大竹秀幸の各幹事の懸命且つ献身的なご尽力に深甚なる謝意を表します。さらに，嘉村敏治理事長をはじめ，理事会，評議員会，会員の皆様の暖かいご支援に心からお礼申し上げます。加えて，編集の過程で昼夜を問わずご苦労頂いた本学会事務局の安田利恵さん，ならびに金原出版株式会社の編集部の方々に感謝申し上げます。

2013年秋

日本婦人科腫瘍学会子宮体がん治療ガイドライン2013年版検討委員会

委員長　片渕　秀隆

ガイドライン作成委員会

委員長	片渕　秀隆	熊本大学医学部　産科婦人科	
副委員長	三上　幹男	東海大学医学部　産婦人科	
初代委員長	宇田川　康博	藤田保健衛生大学(2002〜2008年)	
第2代委員長	八重樫　伸生	東北大学医学部　産婦人科(2008〜2012年)	

子宮体がん治療ガイドライン2013年版(第3版)検討委員会
作成委員会
2章(初回治療)

小委員長	加藤　秀則	国立病院機構北海道がんセンター　婦人科	
委　員	工藤　正尊	北海道大学医学部　産婦人科	

	進 伸幸	慶應義塾大学医学部　産婦人科
	寺井 義人	大阪医科大学　産婦人科
	中西 透	愛知県がんセンター中央病院　婦人科
	中村 隆文	川崎医科大学　産婦人科
	蓮尾 泰之	国立病院機構九州医療センター　産科婦人科
	八幡 哲郎	新潟大学医学部　産科婦人科
	渡利 英道	北海道大学医学部　産婦人科
主幹事	永瀬 智	東北大学医学部　産婦人科

3, 5章（術後治療，進行・再発癌の治療）

小委員長	久布白 兼行	東邦大学医療センター大橋病院　産婦人科
委　員	宇野 隆	千葉大学医学部　放射線科
	兼安 祐子	広島大学医学部　放射線治療科
	小林 陽一	杏林大学医学部　産科婦人科
	高野 政志	防衛医科大学校　産科婦人科
	田畑 務	三重大学医学部　産科婦人科
	戸板 孝文	琉球大学医学部　放射線科
	長尾 昌二	兵庫県立がんセンター　婦人科
	藤原 久也	中国労災病院　産婦人科
	松本 光史	兵庫県立がんセンター　腫瘍内科
幹　事	村松 俊成	東海大学医学部　産婦人科

4, 6章（治療後の経過観察，妊孕性温存療法）

小委員長	高松 潔	東京歯科大学市川総合病院　産婦人科
委　員	尾﨑 喜一	がん・感染症センター都立駒込病院　婦人科
	戸澤 晃子	聖マリアンナ医科大学　産婦人科
	中山 理	聖隷浜松病院　婦人科
	本郷 淳司	香川県立中央病院　産婦人科
	横山 良仁	弘前大学医学部　産科婦人科
幹　事	蝦名 康彦	神戸大学医学部　産科婦人科

7, 8章（癌肉腫・肉腫，絨毛性疾患）

小委員長	井箟 一彦	和歌山県立医科大学　産科婦人科
委　員	川村 直樹	大阪市立総合医療センター　婦人科
	竹内 聡	岩手医科大学　産婦人科
	松井 英雄	東京女子医科大学　産婦人科
	矢内原 臨	東京慈恵会医科大学　産婦人科
	山澤 功二	国立国際医療研究センター病院　産婦人科
	山本 英子	名古屋大学医学部　産婦人科
幹　事	大竹 秀幸	人吉総合病院　産婦人科

病　理

委　員	福永 眞治	東京慈恵会医科大学附属第三病院　病院病理部
	三上 芳喜	京都大学医学部附属病院　病理診断科
	安田 政実	埼玉医科大学国際医療センター　病理診断科

評価委員会

委　員	青木　大輔	慶應義塾大学医学部　産婦人科
	青木　陽一	琉球大学医学部　産科婦人科
	梅澤　　聡	武蔵野赤十字病院　産婦人科
	榎本　隆之	新潟大学医学部　産科婦人科
	江本　　精	福岡山王病院予防医学センター　婦人科
	落合　和徳	東京慈恵会医科大学　産婦人科
	笠松　高弘	国立がん研究センター中央病院　婦人腫瘍科
	勝俣　範之	日本医科大学武蔵小杉病院　腫瘍内科
	鴨井　青龍	日本医科大学千葉北総病院　女性診療科・産科
	紀川　純三	松江市立病院
	蔵本　博行	神奈川県予防医学協会
	黒田　　誠	藤田保健衛生大学医学部　病理診断科 I
	古平　　毅	愛知県がんセンター中央病院　放射線治療部
	児玉　順一	広島市立広島市民病院　産科・婦人科
	小林　裕明	九州大学医学部　産科婦人科
	小宮山　慎一	東邦大学医療センター大橋病院　産婦人科
	齋藤　　豪	札幌医科大学　産婦人科
	齋藤　俊章	国立病院機構九州がんセンター　婦人科
	坂本　　優	佐々木研究所附属杏雲堂病院　婦人科
	櫻木　範明	北海道大学医学部　産婦人科
	竹島　信宏	がん研究会有明病院　婦人科
	東矢　俊光	熊本労災病院　産婦人科
	中野　隆史	群馬大学医学部　放射線科
	奈須　家栄	大分大学医学部　産科婦人科
	沼　　文隆	徳山中央病院　産婦人科
	蜂須賀　徹	産業医科大学　産婦人科
	万代　昌紀	近畿大学医学部　産科婦人科
	宮城　悦子	横浜市立大学附属病院　化学療法センター
	柳井　広之	岡山大学病院　病理診断科
	渡部　　洋	東北大学医学部　産婦人科

（五十音順）

子宮体がん治療ガイドライン 2018 年版（第 4 版）

序　文

　日本婦人科腫瘍学会ガイドライン委員会が 2002 年に設置され，宇田川康博初代委員長と八重樫伸生第 2 代委員長のご尽力によって，初版の『卵巣がん治療ガイドライン 2004 年版』，『子宮体癌治療ガイドライン 2006 年版』，そして『子宮頸癌治療ガイドライン 2007 年版』が刊行されました。その後，片渕秀隆第 3 代委員長にバトンタッチされ様々な改訂が重ねられ，婦人科がんの中で最後に残っていた『外陰がん・腟がん治療ガイドライン 2015 年版』が発刊されました。現在は最新の卵巣がん 2015 年版（第 4 版），子宮体がん 2013 年版（第 3 版），子宮頸癌 2017 年版（第 3 版）が臨床の現場で活用されており，今回 5 年の歳月を経て第 4 版の子宮体がん治療ガイドラインの改訂・発刊に至りました。

　ガイドラインは発刊されると必ず，日本癌治療学会がん診療ガイドライン評価委員会より評価を受け，その評価をもとにガイドライン改訂時に指摘を受けた点を改善するべく検討委員会で討論し，ガイドライン作成の方向性を確認しながら進めていきます。本ガイドラインでは，第 1 章 総説にその作成手順が詳細に記載されております。是非お読み頂きたく思います。

　今回の子宮体がん治療ガイドライン 2018 年版（第 4 版）では，子宮頸癌治療ガイドライン 2017 年版（第 3 版）と同様に，以下の点を追加・改変・変更いたしました。

○ガイドライン評価時に指摘され改善したこと
1. ガイドライン推奨決定過程，COI について第 1 章 総説に詳細に記載しました。
2. ガイドライン作成に婦人科医，放射線腫瘍医，腫瘍内科医，病理医だけでなく薬剤師，看護師，患者会代表者にも加わって頂きました。
3. エビデンス収集を日本図書館協会の協力を得て検索式を用いて行い，ガイドライン巻末にまとめて掲載しました。

○委員会内で指摘され改善したこと，あるいは追加した内容など
1. 本邦でのエビデンス，臨床的検証が不足している CQ に関しては，「明日への提言」としてガイドライン委員会の意見を掲載しました。
2. 巻頭に CQ，推奨，推奨グレードをまとめて一覧表として掲載しました。
3. 今回改訂の子宮体がん治療ガイドライン 2018 年版（第 4 版）では，大きな CQ の変更はありませんが，体癌に対する腹腔鏡下手術の保険診療が可能になったことから，「腹腔鏡下手術の適応は？」という文言に変更しました。
4. 2014 年度ガイドライン委員会内に立ち上げられたガイドライン検証委員会（委員長：三上幹男）にて，婦人科がん治療ガイドラインの検証・問題点・今後の登録事業への反映ということを目的に，日本産科婦人科学会婦人科腫瘍委員会データベースを用いてガイドライン導入による治療動向の変化，予

後の改善について検討を行いました。本ガイドラインには，検証委員会からパブリッシュした論文も引用されました。

○今後のこと

ちょうど，本ガイドライン改訂に着手した2014年頃に，ガイドライン作成法として「GRADEシステム」という新たな方法論が導入されました。従来のエビデンスのみに偏ることなく，エビデンス総体という考え方，そのエビデンス総体と患者が受ける益と害のバランス，患者の価値観や好みまでを考慮して推奨を決めていくという方法です。今回の改訂では残念ですが，そこまでは踏み込んでいませんが，少しでも新しい方法を取り入れるべく努力をしています。その例として，CQの文言の工夫，あるいはグレードC1には「提案する」という表現の採用などがあります。現在改訂作業中の卵巣がん治療ガイドラインでは，さらに多くの新たな方法を取り入れていく予定であります。

最善を尽くして完成させたガイドラインでありますが，日本婦人科腫瘍学会会員諸氏，本書を手にされた多くの方々，そしてご後援頂いた日本産科婦人科学会，日本産婦人科医会，日本産科婦人科内視鏡学会，婦人科悪性腫瘍研究機構，日本放射線腫瘍学会，日本病理学会にさらなるご叱正を請いながら，次の改訂に繋げていくことは申すに及びません。

今回の作成にあたり，宇田川康博名誉教授，八重樫伸生教授，片渕秀隆教授の歴代委員長には常に貴重で的確なご助言を頂きました。また，作成のパートナーである永瀬 智副委員長，そして，小林裕明，山田秀和，長谷川清志，藤原寛行の各小委員長，田畑 務担当理事，金内優典主幹事，各CQ担当ガイドライン作成委員各位の懸命且つ献身的なご尽力に深甚なる謝意を表します。さらに，理事会，代議員会，会員の皆様の暖かいご支援に心からお礼申し上げます。最後に，編集の過程で昼夜を問わずご苦労頂いた本学会事務局の安田利恵さん，ならびに金原出版株式会社編集部の安達友里子さんをはじめ関係の方々に感謝申し上げます。

2018年9月

日本婦人科腫瘍学会ガイドライン委員会

委員長　三上　幹男

ガイドライン委員会

委員長	三上　幹男	東海大学医学部	産婦人科
副委員長	永瀬　智	山形大学医学部	産婦人科
初代委員長 (2002～2008年)	宇田川　康博	藤田保健衛生大学	
第2代委員長 (2008～2012年)	八重樫　伸生	東北大学医学部	産婦人科
第3代委員長 (2012～2016年)	片渕　秀隆	熊本大学医学部	産科婦人科

担当理事	田畑 務	三重大学医学部　産科婦人科	
主幹事	金内 優典	小樽市立病院　婦人科	

子宮体がん治療ガイドライン2018年版(第4版)　検討委員会
作成委員会
2章(初回治療)

小委員長	小林 裕明	鹿児島大学医学部　産科婦人科
委　員	近藤 英司	三重大学医学部　産科婦人科
	進 伸幸	国際医療福祉大学三田病院　女性腫瘍センター・婦人科
	寺井 義人	大阪医科大学　産婦人科
	新倉 仁	国立病院機構仙台医療センター　産婦人科
	渡利 英道	北海道大学医学部　産婦人科
幹　事	河野 善明	地域医療機能推進機構九州病院　産婦人科

3章(術後治療)，5章(進行・再発癌の治療)

小委員長	山田 秀和	宮城県立がんセンター　婦人科
委　員	岩瀬 春子	北里大学医学部　産科婦人科
	武隈 宗孝	静岡県立静岡がんセンター　婦人科
	寺尾 泰久	順天堂大学医学部　産科婦人科
	西尾 真	久留米大学医学部　産科婦人科
幹　事	永井 智之	東北大学医学部　産科婦人科

4章(治療後の経過観察)，6章(妊孕性温存療法)

小委員長	長谷川 清志	獨協医科大学医学部　産科婦人科
委　員	荒川 敦志	名古屋市立大学医学部　産科婦人科
	齋藤 文誉	熊本大学医学部　産科婦人科
	添田 周	福島県立医科大学医学部　産科・婦人科
幹　事	山上 亘	慶應義塾大学医学部　産婦人科

7章(癌肉腫・肉腫の治療)，8章(絨毛性疾患の治療)，9章(資料集)

小委員長	藤原 寛行	自治医科大学　産科婦人科
委　員	竹原 和宏	国立病院機構四国がんセンター　婦人科
	原野 謙一	国立がん研究センター東病院　先端医療科/乳腺腫瘍内科
	山本 英子	名古屋大学医学部　医療行政学
幹　事	碓井 宏和	千葉大学医学部　産婦人科

放射線

委　員	兼安 祐子	国立病院機構福山医療センター　放射線治療科
	戸板 孝文	沖縄県立中部病院　放射線治療センター

病　理

委　員	加藤 哲子	弘前大学医学部　病理診断学
	柳井 広之	岡山大学病院　病理診断科

緩　和

委　員	林 和彦	東京女子医科大学病院　化学療法・緩和ケア科

(五十音順)

評価委員会

委員　　　青木　大輔　　慶應義塾大学医学部　産婦人科
　　　　　生島　仁史　　徳島大学病院　放射線治療科
　　　　　板倉　敦夫　　順天堂大学医学部　産婦人科
　　　　　伊藤　潔　　　東北大学医学部　災害産婦人科
　　　　　井箟　一彦　　和歌山県立医科大学　産科婦人科
　　　　　宇野　隆　　　千葉大学医学部　画像診断・放射線腫瘍学
　　　　　榎本　隆之　　新潟大学医学部　産婦人科
　　　　　大道　正英　　大阪医科大学　産婦人科
　　　　　岡本　愛光　　東京慈恵会医科大学　産婦人科
　　　　　恩田　貴志　　北里大学医学部　産婦人科
　　　　　加藤　秀則　　国立病院機構北海道がんセンター　婦人科
　　　　　金尾　祐之　　がん研有明病院　婦人科
　　　　　川村　直樹　　大阪市立総合医療センター　婦人科
　　　　　京　　哲　　　島根大学医学部　産科婦人科
　　　　　久布白　兼行　東京都予防医学協会　細胞病理診断部/保健会館クリニック　婦人科
　　　　　小林　浩　　　奈良県立医科大学　産婦人科
　　　　　佐藤　美紀子　日本大学医学部　産婦人科
　　　　　庄子　忠宏　　岩手医科大学医学部　産婦人科
　　　　　末岡　幸太郎　山口大学医学部　産科婦人科
　　　　　鈴木　直　　　聖マリアンナ医科大学　産婦人科
　　　　　園田　顕三　　国立病院機構九州がんセンター　婦人科
　　　　　髙松　潔　　　東京歯科大学市川総合病院　産婦人科
　　　　　長尾　昌二　　兵庫県立がんセンター　婦人科
　　　　　中山　理　　　聖隷浜松病院　婦人科
　　　　　奈須　家栄　　大分大学医学部　産科婦人科
　　　　　蓮尾　泰之　　国立病院機構九州医療センター　産婦人科
　　　　　濵西　潤三　　京都大学医学部　産婦人科
　　　　　福永　眞治　　新百合ヶ丘総合病院　病理診断科
　　　　　藤井　多久磨　藤田保健衛生大学医学部　産婦人科
　　　　　本郷　淳司　　川崎医科大学総合医療センター　産婦人科
　　　　　松本　光司　　昭和大学医学部　産婦人科
　　　　　松本　光史　　兵庫県立がんセンター　腫瘍内科
　　　　　三上　芳喜　　熊本大学医学部附属病院　病理部
　　　　　水野　美香　　愛知県がんセンター中央病院　婦人科
　　　　　宮原　陽　　　みやはらレディースクリニック
　　　　　横山　良仁　　弘前大学医学部　産科婦人科

　　　　　曽根　敦子　　東海大学医学部付属病院　薬剤部
　　　　　斉藤　律子　　山形大学医学部附属病院　看護部

患者会「カトレアの森」

（五十音順）

和文索引

あ

悪性度不明な平滑筋腫瘍　184
アクチノマイシン D　41, 194, 198, 199, 201
アクチノマイシン D パルス療法　42, 198
アスピリン　164, 165
明日への提言　50, 73, 79, 115, 144, 163, 168
アドリアマイシン　186
アロマターゼ阻害薬　187, 191
アントラサイクリン　189, 191

い

遺伝カウンセリング　156
遺伝性乳癌卵巣癌　80
イホスファミド　106, 135, 188, 189, 191
インスリン抵抗性改善作用　160
インプラント　76

え

エストロゲン依存性　156
エストロゲン受容体・プロゲステロン受容体陽性　135
エストロゲン単独療法　154
エトポシド　194, 198, 199, 201
エビデンスレベル　52
エリブリン　41, 189, 191
遠隔転移　90

お

黄体ホルモン療法　106, 135, 137, 160, 163, 168, 171

か

外腸骨リンパ節　34
開頭術　205
外部照射　43, 100, 129
拡散強調像　90
拡大単純子宮全摘出術　58, 63
下垂体性 hCG　211
画像診断ガイドライン　90, 91
下腸間膜動脈　70
下部消化管内視鏡サーベイランス　156
がん遺伝子パネル検査　144, 145
がんゲノム医療　124, 144
肝転移　205
癌肉腫　106
緩和ケア　45
緩和的放射線治療　43, 44

き

基靱帯リンパ節　34
奇胎後 hCG 存続症　198
救済放射線治療　43, 44
強度変調放射線治療　44
筋層浸潤　90
筋膜外術式　118, 120
筋膜外単純子宮全摘出術　63
筋膜内術式　118

く

腔内照射　100, 120
クロミフェンクエン酸塩　175

け

経過観察　147
経腟超音波断層法検査　90
頸部間質浸潤　90
血栓症　165
ゲムシタビン　186, 190
研究デザイン　51

こ

抗 PDGF-α モノクローナル抗体　190
抗 PD-1 抗体　191
高悪性度子宮内膜間質肉腫　177
高異型度子宮内膜間質肉腫　176, 179, 182, 183, 186, 187, 191
高度肥満　87
高トリグリセライド血症　157
広汎子宮全摘出術　39, 58, 63
高頻度マイクロサテライト不安定性　191
後腹膜リンパ節郭清　119, 120
高用量 MPA　165
高用量黄体ホルモン療法　165, 172
高齢患者　83

高齢者がん診療ガイドライン　84
高齢者機能評価　83
高齢者総合機能評価　84
骨転移　142
骨盤内再発　132, 150
骨盤リンパ節郭清　59, 66, 69, 120, 121
根治的放射線治療　43, 100
コンパニオン診断　145

さ

サーベイランス　148, 157
最終会議の論点　50, 69, 76, 79, 106, 115, 129, 135, 163, 171, 182, 210
再発癌　123, 141
再発高リスク　23, 40, 106, 150
再発腫瘍　132
再発中・高リスク患者　111
再発中リスク　23, 40, 106
再発低リスク　23, 40, 106
再発リスク　102, 150
残存腫瘍径　98

し

子宮癌肉腫　108, 112
子宮鏡下腫瘍切除術　163
子宮鏡手術　165
子宮頸部間質浸潤　90
子宮全摘出術　207
子宮全摘出術後　204
子宮体癌患者　154
子宮体癌取扱い規約 病理編 第5版　36
子宮内再発　171
子宮内膜異型増殖症　118, 160, 163
子宮内膜癌　28
子宮内膜間質肉腫　31
子宮内膜吸引組織診　168

子宮内膜全面搔爬　160, 163, 169
子宮内膜組織検査　168
子宮肉腫　176, 179, 189
子宮マニピュレーター　95
システマティックレビュー　79, 115, 171
シスプラチン　188, 202
次世代シーケンサー　144
若年患者　79
若年子宮体癌　163
絨毛癌　193, 201, 204
絨毛癌診断スコア　194
手術待機　88
手術療法　39
術後化学療法　186
術後再発リスク分類　23, 40
術後照射　111, 186
術後治療　102
術後放射線治療　43, 44, 103, 111
術後補助療法　102, 186
術後薬物療法　102, 106
術前化学療法　126
術前減量　87
術前治療　126
術前放射線治療　127
術中迅速病理診断　91
腫瘍減量術　97, 177, 179, 183
腫瘍変異負荷　144
循環腫瘍DNA　145
準広汎子宮全摘出術　39, 58, 63
小線源治療　129
神経症状　205
神経内分泌腫瘍　138
心血管疾患　156
進行期分類　28, 31, 32
腎静脈　70
侵入奇胎　198, 199

す

推奨の強さ　52

せ

生殖補助医療　161, 174
精密医療　144
切除不能進行癌　122
切除不能または残存病巣を有する進行癌　141
全骨盤照射　100
仙骨リンパ節　34
センチネル癌　148
センチネルリンパ節生検　59, 67
腺肉腫　32
全脳照射　142, 205

そ

総腸骨リンパ節　34
鼠径上リンパ節　34
鼠径リンパ節　34, 98
組織学的分類　35

た

体幹部定位放射線治療　132
体重　87
ダイナミック造影　90
胎盤内絨毛癌　205
胎盤部トロホブラスト腫瘍　193, 204, 207, 211
大網切除術　76
大網転移　76
ダカルバジン　190, 191
多剤併用療法　201, 205, 207
多嚢胞性卵巣症候群　175
単純子宮全摘出術　39, 58, 63, 118, 120, 182, 183

ち

チーム医療　47
腟断端再発　129
腟断端細胞診　150, 151

索引

腟転移 205
腟内小線源治療 121
中間型トロホブラスト腫瘍 193
重複癌 80, 82, 161, 169, 171

て
定位(的)放射線照射 45, 142, 205
低異型度子宮内膜間質肉腫 154, 176, 179, 182, 183, 186, 187, 191
低単位 real hCG 211
低用量アスピリン内服併用 165
転移性肺癌 132

と
ドキソルビシン 41, 186, 187, 189, 191
ドセタキセル 186, 190
トラベクテジン 41, 189, 190
トレーサー 73
トロカー挿入部転移 95, 133

な
内視鏡手術 94
内腸骨リンパ節 34
内膜吸引組織診 169

に
ニラパリブ 190
妊娠性絨毛性腫瘍 194
妊孕性温存療法 160, 163, 168, 171

の
脳圧亢進 205
脳出血 205
脳転移 142, 205

は
バイアスピリン 165
肺転移 132, 142
肺転移再発 151
排卵誘発 161
パクリタキセル 202
パゾパニブ 41, 189, 190
晩期再発 151
反復高用量黄体ホルモン療法 172

ひ
肥満 156, 160, 164
病変遺残 171

ふ
腹腔鏡下傍大動脈リンパ節郭清 95
腹腔鏡手術 94
腹腔洗浄細胞診 115, 118
腹腔内再発 151
腹腔鏡下子宮悪性腫瘍手術 58
腹式単純子宮全摘出術 176, 177, 179
腹水細胞診 115, 118
不妊治療 161
フルオロウラシル 202
ブレオマイシン 202

へ
平滑筋肉腫 31, 176, 179, 182, 186, 187, 190
閉鎖リンパ節 34
ペムブロリズマブ 41, 135, 136, 191, 202, 208

ほ
放射線治療 43, 129, 141
胞状奇胎 193, 210, 211
傍大動脈リンパ節 33
傍大動脈リンパ節郭清 59, 69, 121
ホリナートカルシウム 198
ホルモン補充療法 82, 154
ホルモン療法 187

ま
マイクロサテライト不安定性 144
マルチチロシンキナーゼ阻害薬 190

み
ミスマッチ修復遺伝子 148
密封小線源治療 44
未分化子宮肉腫 176, 186, 187, 191

め
メトトレキサート-ホリナートカルシウム療法 41, 198
メトトレキサート 41, 194, 198, 199, 201
メトホルミン 160, 163, 164
免疫チェックポイント阻害薬 138, 148, 191

も
モルセレーション 179, 180

や
薬物療法 40

ら
卵巣温存 79, 119, 180, 182, 183
卵巣癌の重複 80, 82, 163
卵巣転移 79

り
リキッドバイオプシー 145

リスク低減卵管卵巣摘出術　158
領域リンパ節　35
両側付属器摘出術　118, 120, 154, 156, 176, 177, 179, 182, 183
臨床的絨毛癌　201
臨床的侵入奇胎　198
リンパ節郭清　59, 118, 119
リンパ節転移　90
リンパ節の部位と名称　33

る

類上皮性トロホブラスト腫瘍　193, 207

れ

レトロゾール　177, 187, 191
レンバチニブ＋ペムブロリズマブ併用療法　41, 135, 136

ろ

ロイコボリン　198
ロボット支援下子宮悪性腫瘍手術　58
ロボット手術　94

欧文索引

A

ACRIN6671/GOG0233　91
AI 療法　189
ANNOUNCE 試験　190
AP 療法　40, 106, 107, 135, 136
API 療法　188
ART　161, 174
ASTEC 試験　66

B

$BCOR$-ITD　177
BEP 療法　202
BMI　87
BSO　156

C

circulating tumor DNA　145
CT　90
CVD　156

D

DG 療法　186, 187, 190
dMMR　135, 136, 144, 145
DNA ミスマッチ修復機能欠損　144
DP 療法　41

E

ECLAT. AGO-OP.6　71
EMA/CO 療法　42, 201, 208
ENDO-3 試験　74
EORTC62012　189
EP/EMA 療法　42, 201
ER　187, 191
ER・PgR 陽性　137
ESGO/ESTRO/ESP ガイドライン　77, 129, 160, 164, 169
ETT　193, 195, 207

F

false-positive　211
FA 療法　43, 202
FELICIA Trial　160, 164, 165
FIGO 2000　194
FIRES 試験　73
FoundationOne®　144, 145
frail　84

G

GeDDiS 試験　190
Geriatric-8　84
GnRH アナログ　187
GOG33 試験　66
GOG99　111
GOG107　122, 136
GOG122　102, 103, 107, 141
GOG137　154
GOG150　108
GOG161　108, 137
GOG167　160
GOG177　122, 136
GOG184　103, 107
GOG209　103, 107, 122, 136
GOG249　111
GOG258　112, 141
GOG261　108, 137
GOG275　199
GOG0277　187
GOTIC-005 試験　64
GTN　194
Guardant360®　145

H

hCG　199, 204, 210
hCG 低単位　210

索引

high risk GTN　204, 194, 195, 201
hMG-hCG　174
HOLISTIC 試験　189
HRD 陽性　190
HRT　154

I

ILIADE 試験　63
IMRT　44
irAE　136
IVF-ET　174

J

JAZF1-SUZ12（*JJAZ1*）　177
JCOG1412　71
JGOG2043　103, 107
JGOG2046　98, 126
JGOG2051　161, 165, 172
JGOG2052　190

K

KEYNOTE-158　123, 136
KEYNOTE-775　123, 136
KGOG2015　118, 120

L

LACE 試験　94
LAP2 試験　94
LMS-04 試験　190
LNG-IUS　160, 163, 164
low-dose EP 療法　202
low risk GTN　198, 194, 195
LP 療法　135, 136
Lynch 症候群　80, 148, 156, 157

M

MA　161, 164, 187
MEA 療法　42, 201, 208
medically inoperable　100
medically unfit　100
METASARC 試験　189

MPA　108, 160, 161, 164, 168, 177, 187, 191
MRI　90
MSI　144, 145
MSI-High　135, 191
MSI 検査　148

N

NRG-GY018 試験　138
NRG Oncology-RTOG1203　112

O

olaratumab　190
oligometastasis　142
OncoGuide™　144
optimal surgery　97

P

PALETTE 試験　190
PET/CT　90
PgR　187, 191
Piver-Rutledge class　63
PORTEC-1　111
PORTEC-2　111
PORTEC-3　107, 112
Precision medicine　144
PSTT　193, 195, 204, 207, 211
PTC-CBM-15 試験　66

R

real hCG　211
REMPA trial　161, 172
RUBY 試験　138

S

SBRT　132, 142
SENTI-ENDO 試験　73
SEPAL-P3 試験　71
SEPAL study　70
SGO's Clinical Practice Committee　129

SNEC 試験　74
STI　45, 142
STUMP　184

T

TAP 療法　41
TC 療法　41, 106, 107, 135, 136
TCGA project　60
TMB　144, 145
TMB-High　135
TNM 分類　30, 31, 32
TOTEM Study　147, 150
TP/TE 療法　43, 202

U

ultrastaging　74

W

WHO 分類 第 3 版　176
WHO 分類 第 4 版　177, 180
WHO 分類 第 5 版　35

Y

YWHAE-NUTM2A/B　177, 180

Z

ZC3H7B-BCOR　177

数字

Ⅰ 型　156
3D-CRT　44
3D-IGBT　45, 100, 129
5-day アクチノマイシン D 療法　41, 198
5-day メトトレキサート療法　41, 198
5-FU　202

子宮体がん治療ガイドライン 2023 年版 作成委員会
〔2022 年 6 月 29 日，Web 開催〕

子宮体がん治療ガイドライン 2023 年版

2006 年 10 月 10 日	第 1 版（2006 年版）	発行
2009 年 11 月 30 日	第 2 版（2009 年版）	発行
2013 年 12 月 18 日	第 3 版（2013 年版）	発行
2018 年 9 月 15 日	第 4 版（2018 年版）	発行
2023 年 7 月 15 日	第 5 版（2023 年版）	第 1 刷発行
2024 年 4 月 15 日		第 2 刷発行

編　集　公益社団法人　日本婦人科腫瘍学会

発行者　福村　直樹

発行所　金原出版株式会社
〒113-0034 東京都文京区湯島 2-31-14
電話　編集 (03) 3811-7162
　　　営業 (03) 3811-7184
FAX　　 (03) 3813-0288
振替口座　00120-4-151494
http://www.kanehara-shuppan.co.jp/

©日本婦人科腫瘍学会, 2006, 2023

検印省略

Printed in Japan

ISBN 978-4-307-30155-8

印刷・製本／横山印刷

|JCOPY| ＜出版者著作権管理機構　委託出版物＞
本書の無断複製は著作権法上での例外を除き禁じられています。複製される場合は，そのつど事前に，出版者著作権管理機構（電話 03-5244-5088，FAX 03-5244-5089，e-mail：info@jcopy.or.jp）の許諾を得てください。

小社は捺印または貼付紙をもって定価を変更致しません。
乱丁，落丁のものは小社またはお買い上げ書店にてお取り替え致します。

WEB アンケートにご協力ください

読者アンケート（所要時間約 3 分）にご協力いただいた方の中から
抽選で毎月 10 名の方に図書カード 1,000 円分を贈呈いたします。
アンケート回答はこちらから ➡
https://forms.gle/U6Pa7JzJGfrvaDof8